S0-BZM-601

CREATIVE EXTREMES

CREATIVE EXTREMES

Die unglaublichsten Kreativprojekte der Welt

The world's most amazing creative projects

SEIEN SIE GESPANNT!

Extrem groß, extrem klein, extrem viel oder extrem bunt: Auf den folgenden Seiten finden Sie die kreativsten und unglaublichsten DIY-Projekte, die die Welt zu bieten hat. Dafür haben wir uns auf eine virtuelle Weltreise begeben und das World Wide Web durchforstet. Wir haben uns auf die Suche nach den Kreativsten der Kreativsten begeben!
Fündig wurden wir in London, São Paulo, Edinburgh, Kapstadt und vielen anderen Metropolen dieser Welt. Aber auch an kleineren, ruhigeren Orten haben wir sie entdeckt – in einem kleinen Städtchen am Ägäischen Meer, einem 236-Seelen-Dorf in Nebraska oder einem beschaulichen Fleckchen Erde im Norden Griechenlands. Was war das Kriterium unserer Suche? Der Wow-Effekt! Alle Künstler mussten uns mit ihrem Schaffen ein „Wow!" entlocken. Das war es aber auch schon mit der Gemeinsamkeit, denn jede Künstlerin und jeder Künstler ist in seinem Schaffen absolut individuell.

Zusammengekommen ist eine bunte Sammlung an verschiedensten Techniken und Materialien. Farbe, Holz, Papier, Lebensmittel, Ton, Beton, Keramik, Perlen, Glas, Wolle, Garn, Federn, Blätter, Wachs, Strandgut, Eierschalen, Kunststoff, Draht, Nägel, Stifte, Filz, Stoff … ja sogar Feuer und Müll gehören in diese Auflistung. Natürlich hat jeder dieser kreativen Köpfe auch etwas zu sagen – und hier kommen sie zu Wort. Wir haben sie nach ihrem Leben befragt, nach ihren Träumen, Zielen und Ambitionen, nach den schönsten Reaktionen auf ihre Kunst und nach ihrer künstlerischen Einstellung.
So ist dieses Buch eine Kreativsammlung zum Lesen und Anschauen, zum Zeigen und Teilen, zum Stöbern und Staunen. Und vielleicht ist es auch eine Inspirationsquelle. Denn das ist es, was uns diese Künstlerinnen und Künstler zeigen: In jedem von uns steckt Kreativität, und wir müssen nur das für uns richtige Medium finden, um ihr freien Lauf lassen zu können.

LOOK FORWARD TO INCREDIBLE PIECES OF ART!

Extremely large, extremely small, an extreme amount or extremely colorful: on the following pages you will discover the most creative and incredible DIY-projects the world has to offer. To achieve this, we have gone on a virtual trip around the world and searched the world wide web. We went looking for the most creative of all creative people!

We found them in London, São Paulo, Edinburgh, Cape Town and many other metropolises around the world. But also in smaller, quieter locations – in a small village by the Aegean Sea, a town with 236 inhabitants in Nebraska or a charming village in Northern Greece. What was the criteria of our search? The wow-effect! All artists and their creations had to "wow" us. But that's where the similarities end, because each artist and his or her work is completely individual.

We have gathered a colorful collection of different techniques and materials. Paint, wood, paper, food, clay, concrete, ceramics, beads, glass, wool, yarn, feathers, leaves, wax, flotsam, egg shells, plastic, wire, nails, pens, felt, fabric ... even fire and trash are part of this collection. And of course every one of these creative artists has something to say – here they have a chance to provide some insights. We asked them about their lives, dreams, goals and ambitions, the most beautiful reactions to their art and their artistic attitudes.

Therefore, this book is a creative collection to read and look at, to show around and share, to browse and to experience a sense of amazement. And maybe it will be a source of inspiration. Because that is what these artists are showing us: creativity can be found in every one of us, we only need to discover the right medium to give free rein to that creativity.

S.16
S.30
S.20
S.12
S.34
S.42
S.64

S.84
S.72
S.52
S.60
S.38
S.76
S.56
S.48
S.24
S.68
S.80

S.128
S.136
S.122
S.160
S.88
S.96
S.152
S.118
S.114
S.140
S.92

S.156
S.110
S.100
S.132
S.148
S.106
S.144

S.224
S.176
S.172
S.236
S.180
S.212
S.196
S.200
S.204

S.220
S.164
S.168
S.192
S.228
S.232
S.216
S.184
S.208

iSteef

VITA DES KÜNSTLERS

Ich lebe in Rotterdam. Als Grafikdesigner habe ich außerhalb von Rotterdam gearbeitet, doch mit der Entscheidung, mich Vollzeit auf meine Kunst zu konzentrieren, habe ich auch meinen Arbeitsplatz nach Rotterdam verlegt. Hier arbeite ich nun von zu Hause aus. Ich habe einen Abschluss vom „Grafisch Lyceum Amsterdam", doch lag der Schwerpunkt auf Grafikdesign. Meine künstlerischen Projekte basierten meist auf meinen praktischen Erfahrungen. Ich bin wohl ein Autodidakt.

www.isteef.com | ikmeel@gmail.com

KREATIVES SCHAFFEN

Ich arbeite mit Bananen – manchmal auch mit anderen Früchten. Sie sind meine Leinwand. Ich bin durch Zufall darüber gestolpert, als ich versuchte, eine Banane für eine Fotoaufnahme etwas aufzuhellen. Ich war im Büro und hatte nichts zur Verfügung außer einem Kugelschreiber. Dann versuchte ich, alle möglichen Designs zu entwickeln, die gut zur Form einer Banane passen würden. Als ich begann, die Bananenschale stärker miteinzubeziehen, sie teilweise auszuschneiden oder aufzufalten, ergaben sich ganz neue Möglichkeiten. Bei meinen ersten Versuchen mit Bananen habe ich mit einem Kugelschreiber auf der Schale herumgemalt. Später schnitt ich einzelne Teile der Schale zurecht, um dem Werk mehr Tiefe zu verleihen. Inzwischen verwende ich manchmal auch Farbe.

VITAMIN-PACKED ART

VITAMINREICHE KUNST

Bananenkunst/Banana Artwork by Stephan Brusche

INWIEFERN IST IHRE KUNST EXTREM?

Ich muss innerhalb von anderthalb oder zwei Stunden fertig sein, sonst fängt die Banane an zu gammeln und das Kunstwerk zerstört sich kurz darauf quasi selbst. Bananen sind auch sehr empfindlich, sie bekommen leicht Druckstellen und bilden dann braune Flecken.

DIE BEMERKENSWERTESTE REAKTION IHRES PUBLIKUMS?

Als meine Werke zum viralen Hit wurden und viele Menschen, bekannte Magazine, Webseiten und TV-Shows sie auf der ganzen Welt geteilt haben.

DIE IDEE FÜR DIESES TINTENFISCH-GIRAFFEN-HYBRIDWESEN KAM VON DER SINGER-SONGWRITERIN ERIN K, DIE EBENFALLS GERNE HYBRIDWESEN KREIERT UND ZEICHNET.

THE IDEA FOR THIS CUTTLEFISH GIRAFFE HYBRID CAME FROM SINGER-SONGWRITER ERIN K AS SHE LIKES TO INVENT AND DRAW ALL KINDS OF ANIMAL HYBRIDS.

MEINE „RESERVOIR-BANANEN" ZEIGEN DIE KULTSZENE AUS QUENTIN TARANTINOS FILM „RESERVOIR DOGS". ICH VERSUCHE STETS, NEUE IDEEN FÜR DIE VERWENDUNG VON BANANEN ZU FINDEN.

MY "RESERVOIR BANANAS" ARE BASED ON AN ICONIC SCENE IN QUENTIN TARANTINO'S MOVIE "RESERVOIR DOGS". I ALWAYS TRY TO FIND NEW WAYS TO USE THE BANANA.

WAS SIND IHRE ZIELE?

Ich möchte meine Bananenkunst weiter ausbauen und die Welt bereisen, um zu zeigen, wie unser Schöpfer durch Kreativität geehrt wird.

KANN KUNST UNSERE SICHTWEISE VERÄNDERN?

Ich glaube: Ja. Meiner Meinung nach erinnert Kunst uns daran, wie fantasievoll wir als Kinder waren. Und die Kreativität kann auch für Erwachsene sehr bedeutungsvoll sein. Sie geht einher mit der Faszination für die beeindruckende Originalität, die diese Welt hervorbringt.

ARTIST'S VITA

I live in Rotterdam and I used to work as a graphic designer outside of Rotterdam until recently when I made the decision to focus full-time on my art projects at home. I graduated from the 'Grafisch Lyceum Amsterdam', but the focus was on graphic design. My art projects were mostly based on my own practices. I guess I'm an autodidact.

WORKS OF ART

I use bananas - and sometimes other fruits - as my canvas. I accidently stumbled into this when I was trying to brighten up a banana so I could take a nice picture of it. At the time, I was at the office so I had no real art supplies but a ballpoint pen. When I made more, I tried to come up with all kinds of designs that would fit really well to the shape of the banana. I started experimenting with them by just drawing on them with a ballpoint pen. Later on, I started to cut away pieces of the banana peel to give it more depth. And now I'm sometimes also using paint.

IN WHAT WAY IS YOUR ART EXTREME?

I have to finish my banana within one and a half or two hours, otherwise the banana will turn bad and the artwork will sort of self-destruct soon after. Bananas are also pretty delicate; they easily bruise and develop nasty brown spots.

THE MOST REMARKABLE REACTION OF YOUR AUDIENCE?

That it went viral and a lot of people and big magazines, websites and TV shows shared it all around the globe.

WHAT ARE YOUR AMBITIONS?

To keep expanding my banana art and travel the world to show how creativity is honoring our Creator.

CAN ART CHANGE THE WAY WE SEE THE WORLD?

I think so. I believe it reminds us of the imagination we all had as a child. And creativity still can be a huge force even when we are adults. I think it also resonates with the amazing wonders of originality of the creations around us.

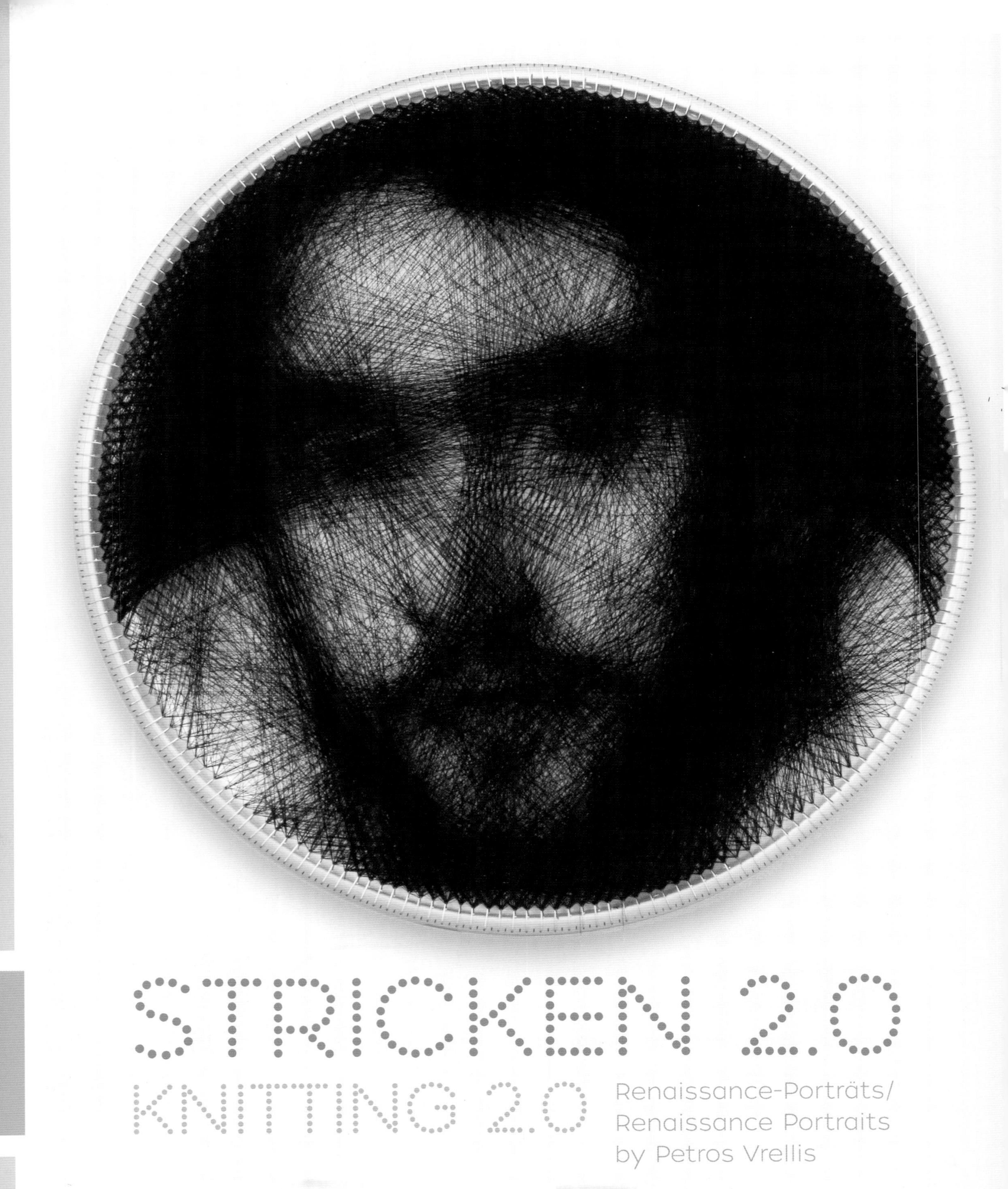

STRICKEN 2.0

KNITTING 2.0

Renaissance-Porträts/
Renaissance Portraits
by Petros Vrellis

KREATIVES SCHAFFEN

Jedes meiner Kunstwerke ist experimentell. Ich „spiele" unzählige Stunden mit dem Potenzial der neuen Medien (Computer, algorithmische Kunst etc.), ganz ohne ein bestimmtes Ziel zu verfolgen. Glück ist also ein entscheidender Faktor bei der Entwicklung meiner Projekte. Ich selbst bin nicht in der Lage, vordefinierte Arbeitsschritte auszuwählen und habe auch keine gänzliche Kontrolle über die von mir verwendeten Medien. Das Herzstück meines letzten Projektes „A new way to knit" („Stricken auf eine neue Art und Weise") basiert auf einem speziell entwickelten Algorithmus für einen runden Strickrahmen. Der Algorithmus erhält seinen Input über ein digitales Foto und erstellt daraus eine „Strickanleitung". Das „Strickmuster" besteht aus einer Reihe von geraden Linien, die zwischen die Haken am Rand des Strickrahmens gespannt werden. So verläuft ein einziger Faden kontinuierlich von einem Haken zum anderen, rund 3.000 bis 4.000 Mal, mit einer Gesamtlänge von ein bis zwei Kilometern. Gestrickt wird von Hand, die Schritt-für-Schritt Anleitung wird vom Computer vorgegeben. Die Abwesenheit eines schwarzen Fadens lässt einen gänzlich weißen Farbton entstehen. Dieser wird dunkler, wenn die Dichte und die Überschneidungen des schwarzen Fadens zunehmen. So wird eine umfassende Grauskala (von Schwarz zu Weiß) möglich. Das „Gestrick" ist transparent und kann von beiden Seiten betrachtet werden.

VITA DES KÜNSTLERS

Ich bin in Ioannina, einer kleinen Stadt im Norden Griechenlands, geboren und aufgewachsen und habe dort an der Universität Kunstwissenschaften studiert. Mein Onkel Athanasios Vrellis war ein autodidaktischer Künstler mit vielen pragmatischen Fähigkeiten. Mehrere Jahre mit ihm zu arbeiten, haben dazu beigetragen, meine künstlerische Seite zu entdecken (ich arbeite hauptberuflich als Elektroingenieur), und eröffneten mir neue Denkweisen und Ausdrucksformen. Zurzeit lebe ich in Preveza, einer noch kleineren, ruhigen Stadt im Norden Griechenlands.

pvrellis@gmail.com
www.artof01.com/vrellis
www.saatchiart.com/vrellis

MEINE PORTRÄTS BASIEREN AUF DER KUNST DES RENAISSANCE-MALERS EL GRECO. DAS BILD AUF SEITE 14 ZEIGT EINEN AUSSCHNITT AUS „HORTENSIO FÉLIX PARAVICINO". DIESES HIER EINEN AUSSCHNITT AUS „DIE DAME MIT DEM PELZ".

MY PORTRAITS ARE BASED ON RENAISSANCE PAINTER EL GRECO'S PAINTINGS. THE PICTURE ON PAGE 14 SHOWS A SECTION OF "HORTENSIO FÉLIX PARAVICINO", THIS HERE A SECTION OF "A LADY IN A FUR WRAP".

ARTIST'S VITA

I was born and raised in Ioannina, a small city in northern Greece, where I studied "Art Sciences". My uncle Athanasios Vrellis was a self-taught artist gifted with many problem-solving skills. Working with him for a few years helped me realize my artistic side (I have a daily job as an electrical engineer) and opened new ways of thinking and expression. I currently live and work in Preveza, an even smaller and quiet city in northern Greece.

WORKS OF ART

All of my artistic projects are experimental. I spend countless hours "playing" with the potential of the new media (computers, algorithmic art, etc.) without a specific purpose. So, luck is a very important factor in the way my projects evolve; I am not in the position to choose a predefined working path and I don't have total control of the media I am using. The core of my latest project "A new way to knit" is based on a specifically designed algorithm. The algorithm takes a digital photograph as input and outputs the knitting pattern for a circular loom. The knitting pattern is a series of straight lines across the anchor pegs on the circumference, only. Thus, one single thread runs from one anchor peg to another, continuously, 3,000-4,000 times, reaching a total length of one to two kilometers. Knitting is done by hand, with step-by-step instructions dictated by a computer. The absence of black thread gives a completely white color tone. The tone darkens as the density and the intersections of the black thread increase. Thus, a full grayscale palette (from black to white) is possible. The knitting is transparent and can be viewed from both sides.

INWIEFERN IST IHRE KUNST EXTREM?

Die Einschränkungen beim Design sind extrem: An einem runden Strickrahmen läuft ein einzelner Faden von Haken zu Haken. Da ist es schon überraschend, dass ein wiedererkennbares Porträt abgebildet werden kann. Dies ist eine neue und außergewöhnliche Art des Strickens, die noch vor ein paar Jahrzehnten nicht hätte umgesetzt werden können, da es noch keine Computer gab: Mehr als zwei Milliarden Berechnungen sind nötig, um ein relativ einfaches Muster zu produzieren, für das menschliche Gehirn eine unmögliche Aufgabe. Diese Technik thematisiert damit die Überschneidungen von Kunst und Wissenschaft.

HIER SEHEN WIR EINEN AUSSCHNITT AUS „CHRISTUS DER ERLÖSER". ALLE DREI STRICKRAHMEN HABEN EINEN DURCHMESSER VON 63,5 CM.

HERE WE CAN SEE A SECTION OF "CHRIST AS SAVIOUR". ALL THREE CIRCULAR LOOMS HAVE A DIAMETER OF 63.5 CM.

KANN KUNST UNSERE SICHTWEISE VERÄNDERN?

Für mich ist Kunst eine Interpretation der Welt. Also kann ein Kunstwerk unsere Wahrnehmung verändern oder sie auch komplett neu definieren. Wenn dies geschieht, erweckt Kunst in uns die Emotionen eines Kleinkindes, das etwas ganz Neues entdeckt.

WAS SIND IHRE ZIELE?

Ich wünsche mir, weiterhin die Energie und Ressourcen zu haben, neue künstlerische Ausdrucksformen auszuprobieren. Ich bin überzeugt davon, dass das Ausprobieren an sich bedeutungsvoller und erfreulicher ist als der Erfolg selbst.

IN WHAT WAY IS YOUR ART EXTREME?

The limitations of the design are extreme: a single thread runs along the pegs of a circular loom. It is quite a surprise that a recognizable portrait can be depicted. This is a new and unique type of knitting that could not have been implemented a few decades ago, without computers: over two billion calculations are needed to produce a relatively simple pattern; definitely an impossible task for the human brain ... This technique explores the intersection of art and science.

CAN ART CHANGE THE WAY WE SEE THE WORLD?

I believe that art is an interpretation of the world. So, a piece of art can help change our perception, or even completely redefine it; when this happens, art makes us feel like small children discovering something profoundly new.

WHAT ARE YOUR AMBITIONS?

I want to have energy and the resources to keep on exploring new ways of art expression. I believe that exploration is more important and joyful than success itself.

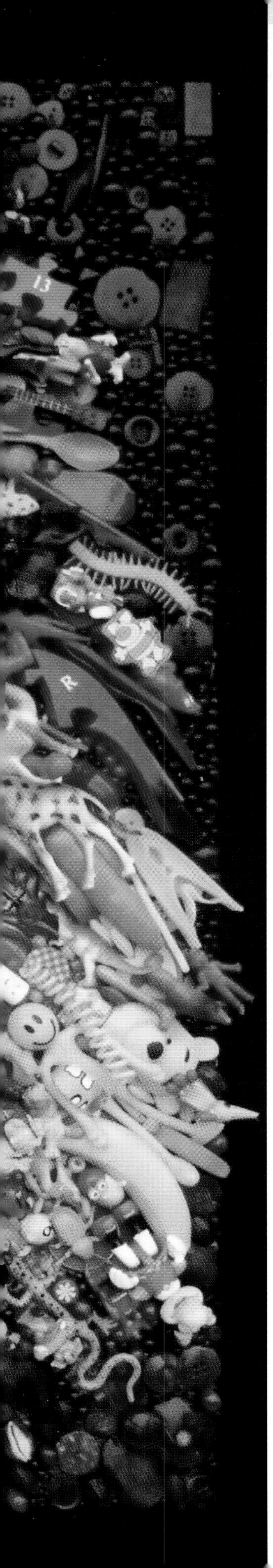

Recycling-Kunst/
Recycled Art by
Jane Perkins

VITA DER KÜNSTLERIN

Von 2003 bis 2006 studierte ich als Spätstudierende am Somerset College für Kunst und Technologie. Dieses Studium förderte mein kreatives Denken und prägte meine künstlerische Ausrichtung. Ein Besuch des Picasso-Museums in Paris 2005 inspirierte mich dahingehend, dass jedes Material für die Herstellung von Kunst verwendet werden kann. Wenn Picasso eine Idee hatte, ganz egal wie verrückt sie war, musste er sie einfach umsetzen. Ich lebe und arbeite in Devon, England.

KREATIVES SCHAFFEN

Meine Technik hat sich zufällig entwickelt. Als ich einen Kurs zum Thema Textilien belegte, begann ich, mich für die Verwendung von recyceltem Material zu interessieren. Für meine Abschlusspräsentation fertigte ich handbestickte Broschen aus altem Schmuck, Plastikspielzeug, Münzen, Muscheln und anderen Fundstücken an. Eines Tages kam mir dann der Gedanke, daraus ein Porträt zu kreieren. Das erste große Porträt (nach einigen Versuchen, die zu klein ausfielen) war ein Bildnis von Königin Elizabeth II. Das Porträt war halb fertig, als mein Heureka-Moment einsetzte und ich feststellte, dass es funktionierte würde und dies meine künstlerische Ausrichtung sein könnte.

jane@bluebowerbird.co.uk
www.bluebowerbird.co.uk

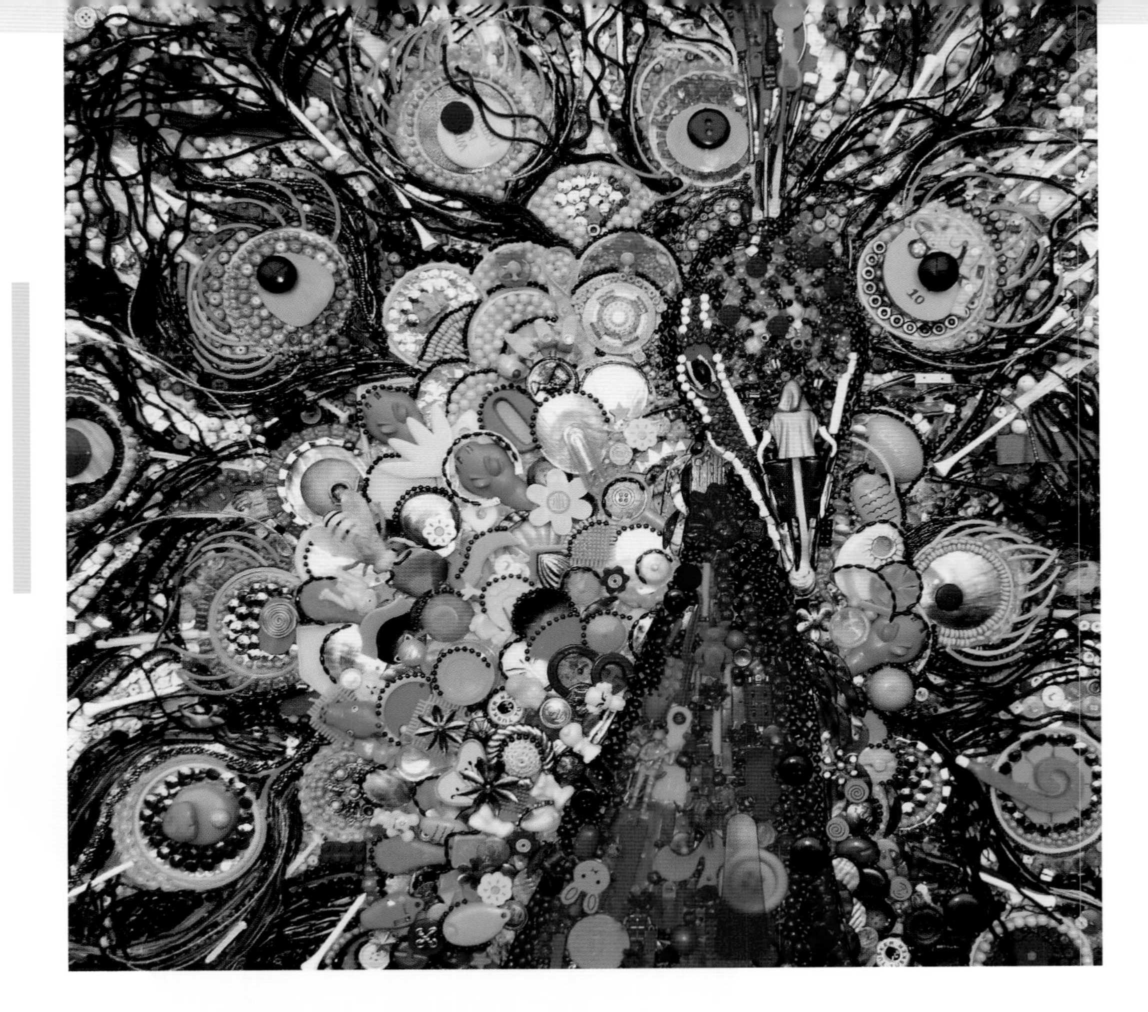

TIERE SIND EIN TOLLES MOTIV! DIESES BILD ZEIGT EINEN PFAU. DER LÖWE AUF SEITE 18 BESTEHT AUS HUNDERTEN PLASTIKTIEREN IN ALLEN FARBEN DES REGENBOGENS.

ANIMALS ARE A GREAT SUBJECT. THIS PICTURE SHOWS A PEACOCK (70 CM x 70 CM). THE LION ON PAGE 18 IS MADE FROM HUNDREDS OF PLASTIC ANIMALS (80 CM x 80 CM).

ARTIST'S VITA

As a mature student I studied from 2003 to 2006 at Somerset College of Arts and Technology. My degree course developed my creative thinking and shaped my artistic direction. Beyond that a visit to the Picasso Museum in Paris in 2005 inspired me that any materials can be used to make art. If Picasso had an idea, no matter how crazy, he just had to make it happen. I live and work in Devon, UK.

WORKS OF ART

My technique developed by accident after I had finished my degree course. I took a degree in textiles as a mature student and became interested in using recycled materials. For my final degree show, I made hand-stitched brooches from old jewelry, plastic toys, coins, shells and other found objects. The idea of making them into a portrait just came into my head one day. The first large portrait (after a couple of experiments which were too small) was of Queen Elizabeth II. About half way through making the portrait I had a sort of 'Eureka Moment' when I knew it was going to work and that this could become my direction.

INWIEFERN IST IHRE KUNST EXTREM?

Hauttöne realistisch darzustellen, ist schwierig. Manchmal ist es ein feiner Grad, ob etwas witzig oder grotesk aussieht. Ich versuche, stets genug ungewöhnliche oder skurrile Materialien zu verwenden, um das Kunstwerk interessant zu machen, ohne jedoch den Gesamteindruck zu verfälschen.

DIE BEMERKENSWERTESTE REAKTION IHRES PUBLIKUMS?

Ich liebe es, meine Werke auszustellen und die Reaktion der Betrachter zu beobachten. Mir gefällt, dass meine Arbeiten sowohl Kinder als auch Erwachsene ansprechen. Als Motive suche ich bewusst bekannte Werke aus, damit der Betrachter „den Witz" versteht: etwas weithin Bekanntes, das auf eine ganz neue Weise interpretiert wurde.

KANN KUNST UNSERE SICHTWEISE VERÄNDERN?

Durchaus - in der Kunst steckt viel Kraft. Sie erregt Aufmerksamkeit mittels des visuellen Sinns und kann die Sichtweise des Betrachters verändern. Kunst kommuniziert auf direkte Weise. Sie kann den Status Quo infrage stellen. Sie kann Leidenschaft, Inspiration, Humor, Spaß und Satire vermitteln.

WAS SIND IHRE ZIELE?

Meine Arbeit hat sich entwickelt und wird sich weiter entwickeln. Voller Zufriedenheit warte ich auf die nächste Inspiration - ein Teil der Freude ist es, nicht zu wissen, wohin es mich führt. Ich habe eine Idee für ein Werk, dass sich vom Vertikalen zum Horizontalen bewegt - darüber denke ich seit vier Jahren nach, habe jedoch die praktischen Aspekte noch nicht ausgearbeitet. Ich stehe allen spannenden Möglichkeiten offen gegenüber!

ICH HABE VIER VERSIONEN VON DA VINCIS „MONA LISA" ANGEFERTIGT - DIES IST DIE DRITTE (80 CM x 71 CM). JEDE VERSION IST EINZIGARTIG, DA ICH IMMER ANDERE MATERIALIEN ZUR VERFÜGUNG HATTE.

I HAVE MADE FOUR VERSIONS OF DA VINCI'S 'MONA LISA' - THIS IS THE THIRD ONE (80 CM x 71 CM). EACH ONE IS UNIQUE, ACCORDING TO THE MATERIALS FOUND AT THE TIME.

IN WHAT WAY IS YOUR ART EXTREME?

Skin tones are difficult to get right. Sometimes there is a fine line between something looking humorous and grotesque. I try to use enough unusual or quirky materials to make the piece interesting but without distorting the overall result.

THE MOST REMARKABLE REACTION OF YOUR AUDIENCE?

I love exhibiting and watching people's reactions to my work. I like the fact that it appeals to children and adults alike. I choose works which are well known, so that the viewer gets 'the joke' of seeing something very familiar having been made in a totally different way.

CAN ART CHANGE THE WAY WE SEE THE WORLD?

Absolutely - I believe that art can be very powerful. It grabs attention visually, and can make the viewer see things a different way. Art communicates directly. It can challenge the status quo. It can bring passion, inspiration, humor, fun, satire.

WHAT ARE YOUR AMBITIONS?

My work has evolved and continues to evolve. I'm happy to wait for the next inspiration - part of the fun is not knowing where this will take me. I have an idea to create a work which will move from the vertical to the horizontal - I've been thinking about it for about four years but haven't worked out the practicalities. I am open to all interesting possibilities!

NATUR WIRD KUNST

NATURE BECOMES ART

Treibholzfiguren/
Driftwood Sculptures
by James Doran-Webb

VITA DES KÜNSTLERS

Ich bin im Südwesten Englands geboren und lebte dort bis zum Alter von acht Jahren. Meine Eltern waren moderne Nomaden, und irgendwann bereiste unsere Familie die Welt. Ein Jahr in Italien, ein weiteres in der Schweiz, einige Zeit in Pennsylvania, USA. Den Löwenanteil meiner Teenagerjahre verbrachte ich in Zentralfrankreich. Meine künstlerische Ausbildung erhielt ich zum Großteil von meinen Eltern. Als Teenager schickten sie mich auf eine Londoner Schule für „beschleunigtes Lernen", um dort mein Abitur zu machen. Heute lebe und arbeite ich auf Cebu, einer Insel im mittleren Teil der Philippinen. Ich ging auf die 20 zu, als ich hierher kam, um einen Freund mit seinem Schmuckgeschäft zu unterstützen.

KREATIVES SCHAFFEN

Ich habe schon immer Dinge wiederverwertet und mit Altholz gearbeitet, das auch im Mittelpunkt meiner Skulpturen steht. Das Material ist wie geschaffen, um die Seele des von mir kreierten Tieres zu transportieren, die Furchen ahmen praktisch die Muskeln des Tieres nach. Ich bin der Meinung, dass dieses Material die Seele des Tieres weitaus persönlicher und harmonischer herüberbringen kann, als Bronze es jemals könnte. Und die Tatsache, dass Holz sich mit jeder Jahreszeit und im Laufe der Jahre verändert, trägt ebenso dazu bei, dass die Skulptur lebendig wirkt. Ich konstruiere eine Edelstahlarmierung in das Holz, um größer und dynamischer bauen zu können. Die Kombination der dehnbaren Stärke des Edelstahls mit dem spürbar seit Jahrzehnten verwitterten und vernarbten Holz kreiert die optische Illusion einer einzelnen Form, die eigentlich nicht von selbst, ohne weitere Stützen, stehen kann, es jedoch tut. Meine bis heute größte Arbeit ist ein sieben Meter hoher mythologischer Flügeldrachen.

www.jamesdoranwebb.com | jamesdw01@gmail.com

INWIEFERN IST IHRE KUNST EXTREM?

Die von mir verwendete Holzart, die wahrscheinlich beste der Welt, wenn es darum geht, den Elementen zu trotzen, kann weder gebogen noch geformt werden. Daher muss ich innerhalb des Holzstücks eine bestimmte Form definieren, die mit der von mir zu konstruierenden Form korrespondiert. Der Prozess, Treibholz aufzutreiben, lässt sich mit einem komplizierten Puzzle vergleichen. Die konstruktionellen Schwierigkeiten, eine monumentale Skulptur aus Holz zu bauen, sind ebenfalls eine Herausforderung, die ich schätze.

DIE BEMERKENSWERTESTE REAKTION IHRES PUBLIKUMS?

Meine wichtigste Ausstellung befindet sich auf der weltbekannten Gartenschau in London, der „Chelsea Flower Show". Die Queen eröffnet jedes Jahr die Show, und vor einigen Jahren platzierte ich ein 3 m hohes, sich aufbäumendes Hengstpaar vor meinem Stand. Die Königin kam gemeinsam mit ihrem Ehemann, dem Herzog von Edinburgh. Er stieg aus der Limousine, schritt sofort auf die kämpfenden Hengste zu und rief: „Bei Gott! Welch prachtvolle Bestien!"

DIESE SKULPTUR NENNT SICH „DIE AKROBATEN".

I CALL THIS SCULPTURE "THE ACROBATS".

KANN KUNST UNSERE SICHTWEISE VERÄNDERN?

Kunst kann durchaus unsere Sicht der Welt verändern. Kunst erfordert Kontemplation, und geringstenfalls beeinflusst diese Begutachtung unsere Wahrnehmung der Gesellschaft, in der wir leben. Bestenfalls führt sie zu einer positiven Selbstbeobachtung. Kunst ermöglicht es uns, zu lernen und zu wachsen, ohne unterrichtet zu werden.

WAS HAT SIE BESONDERS BEEINFLUSST?

Ein Ereignis, das mein kreatives Leben beeinflusst hat, war das Jahr in Italien als 14-Jähriger. Wir wohnten in einer hügeligen Region ohne Fernseher und mussten uns selbst beschäftigen. Sehr schnell wurde ich hyper-kreativ, fertigte kleinere Schnitzarbeiten an, verfasste und produzierte Theaterstücke für Familie und Verwandte, entwickelte nach Art von Robinson Crusoe eine Duschkonstruktion neben dem Gartenbrunnen (der einzigen Wasserquelle) und tobte durch die adriatische Landschaft.

ARTIST'S VITA

I was born in the West Country of England and was raised there until the age of eight. My parents were modern day nomads and at some point we started traveling the world. A year in Italy, another year in Switzerland, time spent in Pennsylvania, USA, and the lion's share of my teenage years spent in central France. My artistic education came for the most part from my parents. As a teenage student, my parents sent me to a London school of accelerated learning, or "crammer", to take my "A" level exams. Now I live and work on Cebu, an island in the central Philippines. I arrived here in my late teens helping a friend who had a jewelry business.

WORKS OF ART

I have always worked with reclaimed/long dead wood and my sculptures have centered on this. The material lends itself to communicating the spirit of the animal I am creating, with the grooves mimicking the muscles of the subject. I feel that this material communicates the spirit of the animal in a much more personal and harmonic way than bronze ever could and the fact that the wood changes with the seasons and the years also makes the sculpture come alive. I engineer a stainless steel structure within the wood to allow me to build bigger and more dynamically. Combining the tensile strength of stainless steel, heavily weathered and pitted wood creates the optical illusion of a single form that should not be able to stand without additional support and yet does. My largest piece to date is a 7 m high wyvern, a mythical dragon.

IN WHAT WAY IS YOUR ART EXTREME?

The species of wood I use, which is possibly the best in the world for withstanding the elements, cannot be bent or molded. Therefore I must be able to identify a particular shape within a piece of wood that complements the form I am building. The process of finding the driftwood can be compared to a complicated jigsaw puzzle. The engineering difficulties of building a monumental sculpture from wood is also a challenge that I relish.

WAS SIND IHRE ZIELE?

Das Beste kommt erst noch. Ich kann es ganz deutlich in meinen Knochen spüren, so deutlich, wie ich weiß, dass ich meine Berufung gefunden habe. Ich habe einige kurzfristige Ziele – ich möchte etwas wirklich Herausragendes machen, aber es wird einige Zeit dauern, diese Idee umzusetzen, und das ist auch gut so! Ein Ziel ist die Vollendung meines 80.000-Bäume-Projekts, für das ich eine entsprechende Anzahl von Setzlingen pflanze, aus denen auf den abgeholzten Hügeln bei meiner Werkstatt einheimische Hartholzbäume wachsen sollen.

DER GRIZZLYBÄR STEHT AUF EINEM 1,5 TONNEN SCHWEREN GESCHLIFFENEN STEIN UND WURDE MIT EINER EISENSTAHLKONSTRUKTION BEFESTIGT. ALLE MEINE AUFNAHMEN SIND NATÜRLICH. UM WASSERSPRITZER FÜR DAS BILD AUF SEITE 22 ZU ERZEUGEN, MUSSTEN ZWÖLF MÄNNER STEINE AUF DIE HUFE DER PFERDE WERFEN.

THIS GRIZZLY STANDS ON 1.5 TONS OF POLISHED STONE WHICH IS ALSO RIBBED WITH A STAINLESS STEEL SUPERSTRUCTURE. ALMOST ALL MY SHOTS ARE NATURAL. TO RECREATE THE SPLASHES FOR THE PICTURE ON PAGE 22 I HAD TWELVE MEN THROWING STONES AT THE HOOVES OF THE HORSES.

THE MOST REMARKABLE REACTION OF YOUR AUDIENCE?

My main exhibition is at the world-renowned "Chelsea Flower Show" where I have a prominent stand. The Queen opens the Show and several years ago, at the front of my stand I placed a pair of 3 m tall fighting stallions rearing up on their hind legs. The Queen arrived with her husband, the Duke of Edinburgh. He stepped out of the limousine and immediately walked towards the fighting stallions and exclaimed: "By Jove, what magnificent beasts!"

CAN ART CHANGE THE WAY WE SEE THE WORLD?

Art can certainly change the way we see the world. Art demands contemplation and at the very least such examination clarifies or defines our perception of the society we live in and at best leads to positive introspection. Art allows us to learn and grow without being taught.

WHAT INFLUENCED YOU IN A SPECIAL WAY?

In terms of an event that influenced my creative life, I would have to point to my year in Italy as a fourteen-year-old. We lived in the hills without television and effectively had to entertain ourselves. Very quickly I became hyper creative, making little carvings, writing and producing plays for the extended family, rigging up Robinson Crusoe type shower systems next to the garden well (which was the only source of water) and basically running wild around the Adriatic countryside.

WHAT ARE YOUR AMBITIONS?

The best is yet to come. I feel it in my bones as strongly as I know that I have found my calling. I do have a couple of short term goals - I want to make something truly outstanding, but it will take some time to realize this piece, however it is only right that it does! Another goal is to complete my 80.000-trees project where I am planting sufficient seedlings to grow 80,000 indigenous hardwood trees on the denuded hills around my workshop.

BIS IN DIE SPITZEN

FROM BASE TO TIP

Skulpturen aus Bleistiftspitzen/
Sculptures on the Tip of Pencils
by Salavat Fidai

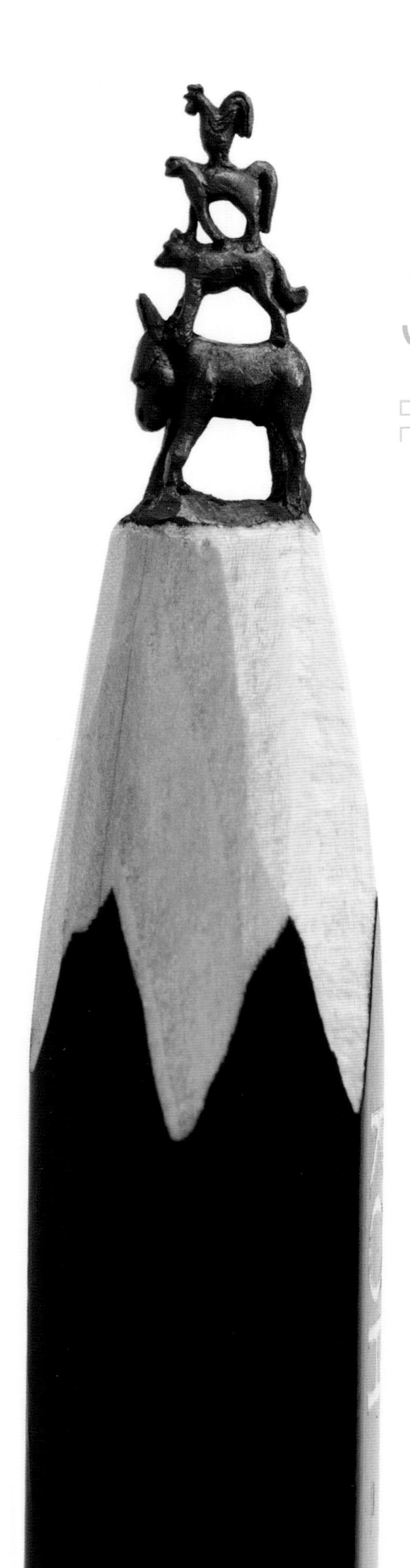

VITA DES KÜNSTLERS

Ich wuchs in Ufa, Russland, nahe der sibirischen Grenze auf und besuchte eine Kunstschule, an der auch meine Eltern tätig waren und mich unterrichteten. Zunächst arbeitete ich viele Jahre als Jurist, bis ich in der Wirtschaftskrise meinen Job verlor. Kurzerhand machte ich meine Kunst zum Beruf. Heute verkaufe ich meine Kunstwerke auf der ganzen Welt und kann damit meine Familie und mich versorgen.

KREATIVES SCHAFFEN

Bleistifte – das ist das Material, mit dem ich mich die meiste Zeit beschäftige. Aus den Spitzen der Bleistiftminen kreiere ich winzig kleine Skulpturen – von berühmten Filmcharakteren über Kulturgegenstände bin hin zu bekannten Bauwerken. Daneben bilde ich berühmte Gemälde ab, aber nicht auf Papier, sondern auf Streichholzschachteln, Kürbis- und Sonnenblumenkernen und Reiskörnern.

www.salavatfidai.com | salavat.fidai@gmail.com

INWIEFERN IST IHRE KUNST EXTREM?

Ich kreiere die komplexesten Objekte. Jedes Mal werden sie ein wenig komplizierter und detaillierter. Ein Bleistift-Projekt dauert in der Regel zwischen sechs und zwölf Stunden. Ich habe aber auch schon Skulpturen erschaffen, die so detailreich waren, dass ich ganze zwei Tage gebraucht habe.

DIE BEMERKENSWERTESTE REAKTION IHRES PUBLIKUMS?

Wenn Menschen nicht glauben können, dass diese Art der Kunst möglich ist. Und als man mir den Ratschlag gegeben hat, Chirurg zu werden.

DAS BUCH LINKS IST EINE MINIATUR DES DENKMALS AUF DEM KORAN-KREISVERKEHR IN SHARJAH, (VEREINIGTE ARABISCHE EMIRATE). RECHTS IST EINE TULPE ZU SEHEN.

THE BOOK IS A MINIATURE OF THE QURAN MONUMENT AT THE CULTURAL ROUNDABOUT IN SHARJAH (UNITED ARAB EMIRATE). ON THE RIGHT YOU CAN SEE A TULIP.

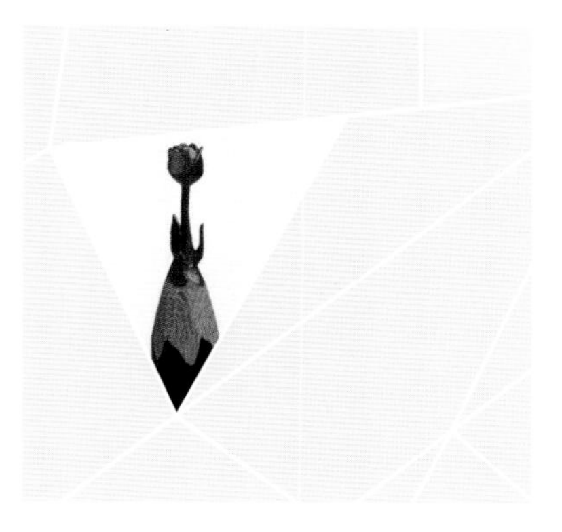

ICH ERSTELLE AUCH MIKROKOPIEN VON KUNSTWERKEN AUF KÜRBISKERNEN, WIE VAN GOGHS „STERNENNACHT" ODER VERMEERS „MÄDCHEN MIT DEM PERLENOHRGEHÄNGE". AM LIEBSTEN MAG ICH ABER DIE ARBEIT MIT BLEISTIFTEN. FÜR MICH IST ES MEDITATION UND HERAUSFORDERUNG IN EINEM: EINE MIKROSKULPTUR ANZUFERTIGEN, OHNE SIE ZU ZERBRECHEN.

I ALSO MAKE MICRO COPIES OF FAMOUS PAINTINGS ON PUMPKIN SEEDS LIKE VAN GOGH'S "STARRY NIGHT" OR VERMEER'S "GIRL WITH A PEARL EARRING". BUT MOST OF ALL I LIKE TO WORK WITH PENCILS. FOR ME IT'S LIKE MEDITATION AND A CHALLENGE: TO MAKE A MICRO SCULPTURE AND NOT BREAK IT!

KANN KUNST UNSERE SICHTWEISE VERÄNDERN?

Natürlich! Die Kunst unterscheidet den Menschen vom Tier.

WAS SIND IHRE ZIELE?

Mein Ziel und mein Traum: mein kreatives Potenzial vollkommen zu entdecken und zu verwirklichen.

ARTIST'S VITA

I was born in Ufa, Russia, near the Siberian Border, and graduated from art school, where I was tutored by my parents, two art teachers. Initially I worked as a manager of a big company in Ufa, but was dismissed because of the economic crisis in Russia. I decided to devote myself full-time to art then. Today I'm able to provide for my family by selling my artworks.

WORKS OF ART

Pencils are the materials of choice in my art. I carve the lead tips of pencils into detailed sculptures - from various movie characters to icons of pop culture to famous buildings. In addition to my pencil carvings, I paint famous paintings on matchboxes as well as pumpkin and sunflower seeds and rice grains.

IN WHAT WAY IS YOUR ART EXTREME?

I create the most complex objects. I'm striving to make the sculptures ever more delicate and add more and more details. One pencil project can take anywhere from six to twelve hours. But I have also created sculptures so detailed that they took me up to two days.

THE MOST REMARKABLE REACTION OF YOUR AUDIENCE?

When people don't believe that this kind of art is possible. Or when I was advised to become a neurosurgeon.

CAN ART CHANGE THE WAY WE SEE THE WORLD?

Yes of course. Art distinguishes man from an animal.

WHAT ARE YOUR AMBITIONS?

My goal and my dream: to fully discover and realize my creative potential.

Malerei mit Spritzen und Noppenfolie/Painting with Syringe and Bubblewrap Foil by Bradley Hart

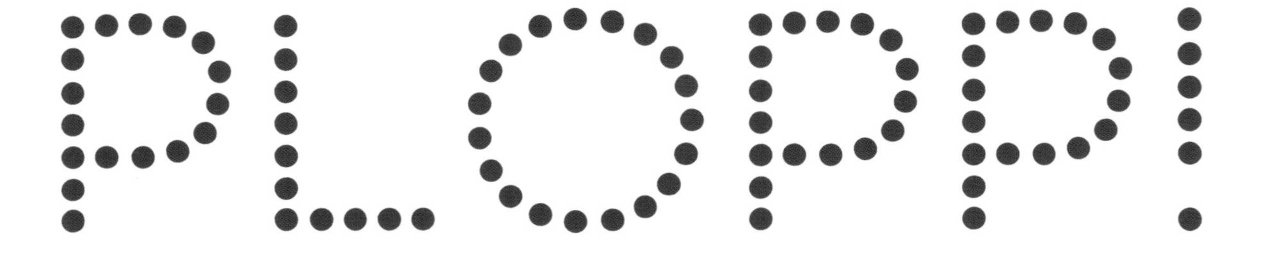

VITA DES KÜNSTLERS

Ich war bereits in sehr jungen Jahren an Kunst interessiert sowie daran, Dinge selbst herzustellen. Mit elf Jahren lernte ich die klassischen Techniken des Porträtmalens kennen. Im Alter zwischen 15 und 20 war ich mehr an Musik interessiert und arbeitete als DJ. Ich beschäftigte mich mit Graffiti. Ich war Anfang 20, als ich erstmals in ein Atelierhaus zog. Dort war ich umgeben von kreativen Menschen und Künstlern – und das inspirierte mich zu malen. Zu diesem Zeitpunkt lehnte ich den Realismus ab, ich konzentrierte mich auf abstraktere Formen der Kunst. Schließlich wurde ich im Programm für Bildende Künste der Universität von Toronto aufgenommen. Dort konzentrierte ich mich auf konzeptionelle Arbeiten in der Bildhauerei und abstrakten Malerei. Zurzeit lebe ich in New York City. Ich lebe im East Village, mein Atelier befindet sich in Bushwick, Brooklyn.

KREATIVES SCHAFFEN

Nach meinem Uniabschluss war ich auf der Suche nach einem unkonventionellen Material für meine Arbeit. Nach meiner ersten Solo-Ausstellung in New York hatte ich eine Menge Luftpolsterfolie in meinem Atelier. Das war mein „Aha-Moment". Ich hatte mein vereinfachtes Material gefunden: Luftpolsterfolie – das allgegenwärtigste, sinnlichste, verführerischste, süchtig machendste Material, das ich mir jemals hätte vorstellen können. Ich habe viel über Luftpolsterfolie recherchiert und herausgefunden, dass sie zuerst gar nicht als Verpackungsmaterial gedacht war. Bei der Entwicklung 1954 sollte es eine moderne Form der Wandverkleidung sein – ja, es war als Tapete gedacht. Das Konzept wurde aber nicht angenommen und nie auf den Markt gebracht. Ein paar Jahre später jedoch verwendete es IBM als Verpackungsmaterial für sein neuestes Produkt – den Computer. Als ich das Konzept entwickelte, wurde mir bewusst, dass Spritzen eine Anziehungskraft auf mich ausüben – vielleicht weil ich MS (Multiple Sklerose) habe und die meisten MS-Medikamente injizierbar sind. Mithilfe von Spritzen injiziere ich Farbe in Luftpolsterfolie und kreiere auf diese Weise Kunstobjekte, deren Bandbreite von der Abstraktion bis zum Fotorealismus reicht. Meine Werke sind eher großformatig, da ich eine bestimmte Menge an „Informationen" (Pixel) in dem Bild brauche, damit es als Foto wahrgenommen wird. Gleichzeitig kreiere ich abgeleitete Werke, die dadurch entstehen, dass die Farbe an der Rückseite hinunterläuft, dann vorsichtig vom Kunststoff entfernt wird und zu dem wird, was ich als die „Impression" bezeichne.

Bradley@bradleyhart.ca | www.bradleyhart.ca

DIESES BILD NENNT SICH GANZ EINFACH „TULPEN". OBEN DIE FARBINJEKTION, UNTEN DIE IMPRESSION MIT DER ZERLAUFENDEN FARBE (138,43 CM x 208,91 CM).

THIS PICTURE IS SIMPLY CALLED "TULIPS". ABOVE THE PAINT INJECTION, BELOW THE IMPRESSION WITH THE PAINT THAT DRIPS DOWN (138.43 CM x 208.91 CM).

ARTIST'S VITA

At a very early age I was interested in art and making things. When I was 11 years old, I was forced into attending Thornton Hall Private School, a formal renaissance art school in downtown Toronto, where I was introduced to classic techniques of portraiture. Between the ages of 15 and 20, I was more interested in music. I was a DJ. I was into graffiti. I moved into my first studio building in my early twenties and was surrounded by creative people and artists. At this point I rejected realism and focused on abstract forms of art. I was accepted to the University of Toronto's visual arts program. In the program I focused on conceptual based work in sculpture and abstract painting. I currently reside in New York City. I live in the East Village and my studio is in Bushwick, Brooklyn.

WORKS OF ART

I had been looking for a quintessential unconventional material to work with after completing University. After my first solo exhibition in New York I had a whole bunch of bubble wrap sitting in my studio. I had an "aha" moment. I had found what I have coined my quintessential dumb material: bubble wrap – the most ubiquitous, sensual, seductive, addictive material I could ever possibly imagine to play with the cultural trope of where one should touch art or not. I did some research on bubble wrap and found that it was originally not intended to be packaging material but rather, when originally conceived in 1954, it was a modern form of wall covering – it was wallpaper! The idea failed and never got to market, but a couple of years later, IBM thought it would be a great packaging material for their newest product – the computer. When I came up with the concept I realized I must have been drawn to syringes – I think because I have MS (multiple sclerosis) and most MS drugs are injectable. I inject paint into bubble wrap using syringes to create art works that range from abstract to photo-realism. My works tend to be on the large side because I need a certain amount of "information" (pixels) in the painting for it to be realized as a photograph. Contemporaneously I create a derivative work that manifests itself from the paint that drips down the back, then is carefully removed off the plastic and becomes what I call the "impression".

INWIEFERN IST IHRE KUNST EXTREM?

Die Technik ist sehr arbeitsintensiv und verlangt extreme Fokussierung. Das Dehnen der Luftpolsterfolie unter Beibehaltung des Rasters ist definitiv eine Herausforderung.

DIE BEMERKENSWERTESTE REAKTION IHRES PUBLIKUMS?

Ich erhalte E-Mails von Menschen, die meine Arbeiten online oder in einem Magazin gesehen haben und mir mitteilen, wie gut sie ihnen gefallen. Manchmal schreibt mir dann derjenige zu einem späteren Zeitpunkt erneut und teilt mir mit, inzwischen hätte er die Arbeiten im Original gesehen und wäre nun noch mehr hin und weg. Mein Favorit unter den Reaktionen stammt von einer Ausstellungseröffnung in einem Museum, wo ein Kunstsammler auf das Bild meiner Frau zuging und sagte „Wo ist der Künstler? Das muss ich haben."

KANN KUNST UNSERE SICHTWEISE VERÄNDERN?

Natürlich. Kunst kann unsere Sichtweise der Welt verändern, aber nur unter der Voraussetzung, dass Kunst von der Gesellschaft angenommen wird. Ich glaube, die Eigenständigkeit des Einzelnen und das eigene Verständnis der Welt beeinflussen die Betrachtungsweise eines Kunstwerks. So sind alle Kunstwerke aus jeder beliebigen Zeit eine Reflexion der derzeitigen Welt.

WAS SIND IHRE ZIELE?

Ich will meine Injektions/Impressions-Serie fortsetzen. Kürzlich habe ich auch mit einer neuen Serie begonnen, die ich als Hybriden bezeichne, eine Mischung aus meinen Injektionen und Impressionen in einer Arbeit. Zudem bin ich dabei, einige Arbeiten umzusetzen, für die ich, seitdem ich Luftpolsterfolie zu meinem Medium gemacht habe, ein System entwickele – die Blase von der Wand zu nehmen und sie zu einer etwas klassischeren Repräsentation der dritten Dimension zu führen, indem durch die Injektion der Blasen Skulpturen ausgebildet werden. Zudem würde ich gerne großformatige öffentliche Kunstwerke kreieren. Und als jemand, der mit Multipler Sklerose lebt, würde ich gerne mit meiner Arbeit Geld für die MS-Forschung sammeln.

DIESES BILD NENNT SICH „ERINNERUNGEN AN QUEEN STREET WEST". OBEN DIE INJEKTION, UNTEN DIE IMPRESSION (140,34 CM x 211,46 CM).

THIS PICTURE IS CALLED "MEMORIES OF QUEEN STREET WEST". ABOVE THE INJECTION, BELOW THE IMPRESSION. (140.34 CM x 211.46 CM).

IN WHAT WAY IS YOUR ART EXTREME?

The technique is extremely labor intensive and requires extreme amounts of focus. Stretching the bubble wrap and keeping the integrity of the grid is definitely challenging.

THE MOST REMARKABLE REACTION OF YOUR AUDIENCE?

I get emails from people saying how much they like my work after seeing it online or in print, and then I sometimes get an email from the same person at a later date, saying they saw the work in person and were even more blown away. Many people can't believe it's bubble wrap. One of my favorite reactions of course was at a museum show opening, where a collector went up to a work I did of my wife and said, "where's the artist? I have to have it".

CAN ART CHANGE THE WAY WE SEE THE WORLD?

Of course it can. Yet art can change the way we see the world only under the assumption that art is embraced by society. I believe that an individual's agency in relation to viewing art and their understanding of the world informs the way they see a work of art. In this way, all art from all times is a reflection of the current world.

WHAT ARE YOUR AMBITIONS?

I plan on continuing my injection/impression series and I've recently begun creating a new series I call hybrids, a mixing of my injections and impressions in one work. Also I'm beginning to execute a set of works that I've been developing a system for since originally using bubble wrap as my medium – taking the bubble off the wall and into a more classic representation of the third dimension through injecting bubbles to create sculpture. Additionally, I hope to explore larger scale public works. As someone living with MS, I would also like to raise money for MS research through my work.

KLEINSTARBEIT
IN PAINSTAKING DETAIL

Bleistiftschnitzerei/
Pencil Carving by Tom Lynall

ICH INMITTEN MEINER 1000-HERZEN-KOLLEKTION. FÜR DIESE SAMMLUNG AUS 1000 BLEISTIFTSCHNITZEREIEN IN HERZFORM HABE ICH MEHR ALS 100 STUNDEN ZEIT, VIELE HÖRBÜCHER, PODCASTS UND UNMENGEN VON TEE GEBRAUCHT.

ME SITTING IN MY 1000 HEART COLLECTION. THIS SET OF 1000 HEART PENCIL CARVINGS TOOK HUNDREDS OF HOURS TO COMPLETE AND I COULDN'T HAVE DONE IT WITHOUT AUDIO BOOKS, PODCASTS AND LOTS OF TEA!

VITA DES KÜNSTLERS

Ich lebe und arbeite in Birmingham, UK. Seit 13 Jahren stelle ich Schmuck her. Mein Vater ist Juwelier und ich wollte nie etwas anderes machen als auch Juwelier zu werden. Jetzt sitze ich jeden Tag neben meinem Vater und stelle Schmuckstücke her – und ich liebe es! Neben Schmuck kreiere ich kleine Skulpturen. Zunächst machte ich kleinere Stücke aus Silber, was mir viel Spaß gemacht hat, doch dann schickte mir jemand ein Bild von einer Bleistiftschnitzerei. Ich fühlte mich sofort inspiriert – und das war der Anfang meiner Schnitzereien.

KREATIVES SCHAFFEN

Ich schnitze Skulpturen aus den Spitzen von Bleistiften, dazu verwende ich selbstgemachtes Werkzeug und arbeite mit einem Mikroskop. Die Skulpturen sind 0,3 mm bis ca. 4 mm groß. Ich arbeite mit verschiedenen Werkzeugen, die ich aus Perlenbohrern, Nadeln, Zahnstochern, Objektträgern für Mikroskope und Wattestäbchen hergestellt habe. Ich habe alle meine Kunstwerke am Mikroskop sitzend in meinem Atelier hier im Juwelierviertel hergestellt. Ich will mich weiterentwickeln. Ich habe bereits Glasfenster in winzige Bleistift-Häuser eingesetzt, mithilfe winziger LEDs einige Skulpturen zum Leuchten gebracht und eine ganze Stadt aus einer einzigen Bleistiftspitze gefertigt.

Tomlynall@gmail.com
www.Thomaslynall.com
www.1000heartcollection.com

ARTIST'S VITA

I live and work in the Jewellery Quarter in Birmingham, UK, and have been making jewellery for 13 years. My father is a jeweller and I've always wanted to follow in his footsteps. Now I sit next to him every day in our workshop, and absolutely love it! As well as making jewellery, I also craft tiny sculptures. I began by making small models from silver in my spare time, which I really enjoyed, but then one day I was sent a picture of a pencil carving. I was instantly inspired, and my carvings have evolved from there.

WORKS OF ART

I like to carve the tips of pencils into sculptures using handmade tools. The size of the sculptures ranges from 0.3 mm to about 4 mm. I use a variety of tools made from pearl drills, needles, toothpicks, microscope slides and cotton buds. Each and every one carved whilst sitting at my microscope in my workshop in the Jewellery Quarter. I have really tried to push myself in different ways; I've created glass windows to be fitted inside buildings on pencils, lit up carvings using tiny LEDs, and even made an entire village on the tip of a pencil.

IN WHAT WAY IS YOUR ART EXTREME?

My art is extreme in its precision. As the sculptures are so tiny, the hardest thing about making them is stopping the tips from breaking. If I move too much when carving, the tip can break and all the work is lost. This requires so much patience, and it is crucial to maintain concentration.

INWIEFERN IST IHRE KUNST EXTREM?

Meine Arbeit erfordert extreme Präzision. Die Skulpturen sind so klein, dass die Herausforderung darin besteht, dass die Bleistiftspitze nicht bricht. Eine Bewegung beim Schnitzen zu viel, die Spitze bricht und das Werk ist ruiniert. Das zu vermeiden, erfordert große Aufmerksamkeit und hohe Konzentration.

DIE BEMERKENSWERTESTE REAKTION IHRES PUBLIKUMS?

Einige haben einfach nicht geglaubt, dass die Werke „echt“ sind, bis sie sie mit eigenen Augen gesehen haben. Meist lautet die Reaktion „Das ist doch unmöglich“ und alle fragen mich, wie das funktioniert. Am schönsten ist es jedoch, dass ich andere ebenfalls zum Bleistiftspitzen inspiriert habe. Das zu hören war toll!

KANN KUNST UNSERE SICHTWEISE VERÄNDERN?

Ja, ich bin dafür das perfekte Beispiel. Während der Schulzeit war ich nie kreativ gewesen, mir hatte einfach die für mich richtige Kunstform gefehlt. In den letzten Jahren habe ich Kunst von Künstlern auf Instagram gekauft. Das Eintauchen in die Kunst hat meine Neugier gesteigert, was für schöne Dinge wir kreieren können. Ein Beispiel wäre der weiße Tempel in Thailand; ein echtes Kunstwerk an einem wunderschönen Ort.

WAS SIND IHRE ZIELE?

Ich habe keine großen Ziele. Ich habe viel Freude daran, Dinge herzustellen, und so lange wie ich das mache und andere Menschen damit erfreuen kann, bin ich zufrieden. Fantastisch wäre es, wenn ich auch andere zum Bleistiftschnitzen inspirieren könnte.

WER HAT SIE BESONDERS BEEINFLUSST?

Mein Lieblingskünstler ist Willard Wigan, der die kleinsten Skulpturen der Welt geschaffen hat. Als ich das erste Mal seine Arbeiten gesehen habe, hat es mich umgehauen. Zufälligerweise stammt er auch aus Birmingham, und wir haben uns sogar getroffen. Er hat mir einige großartige Tipps zum Mikro-Schnitzen gegeben. Und, noch ein Zufall, sein Bruder fertigt auch Bleistiftschnitzereien an.

THE MOST REMARKABLE REACTION OF YOUR AUDIENCE?

Sometimes people refuse to believe that the carvings are real until they have seen them with their own eyes. Usually I get the "that's impossible!" response and I always get asked how I do it. One of the nicest things is that I have inspired others to start pencil carving too, which is really lovely to hear about!

CAN ART CHANGE THE WAY WE SEE THE WORLD?

Yes! I'm a perfect example. I was never creative in school and it turns out that I just hadn't found my preferred type of art. Over the past few years, I have bought art from people I've discovered on Instagram, and getting into art has made me more curious about other beautiful things we can create. I've begun to recognize what beauty there is all over the world, for example, the White Temple in Thailand: a true work of art and in a totally beautiful place.

WHO INFLUENCED YOU IN A SPECIAL WAY?

My favourite artist is Willard Wigan, who has made the smallest sculptures in the world. When I first saw his work, I was blown away! Coincidentally, he's from Birmingham too, and we actually met up and he gave me some tips on micro-carving which were great! His brother also carves pencils.

WHAT ARE YOUR AMBITIONS?

I don't want for much. I really enjoy being creative, so as long as I can continue making things and bring others happiness from the things I create, I'm happy. If I can also inspire others to try out pencil carving as well, that would be fantastic.

ILLUSION VS. REALITÄT

ILLUSION VS. REALITY

3D-Bleistiftzeichnungen/
3D Pencil Drawings
by Ramon Bruin

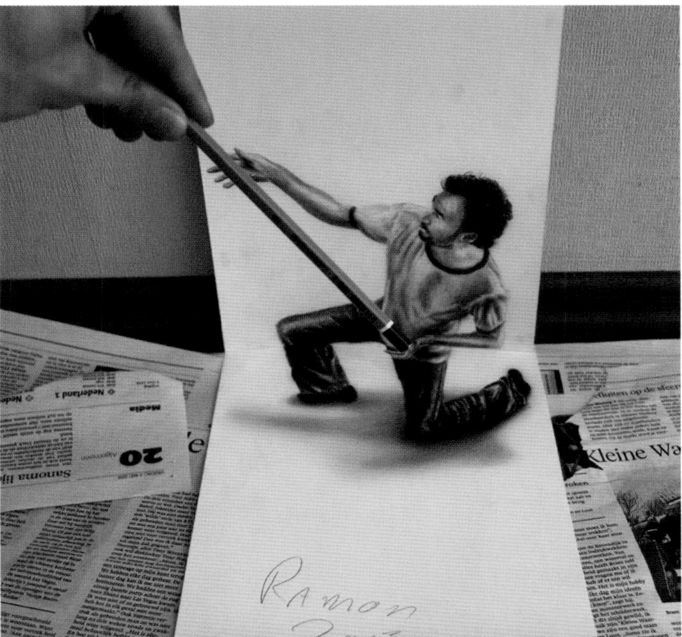

VITA DES KÜNSTLERS

Ich lebe in Alkmaar, mein Atelier befindet sich jedoch in Heerhugowaard in den Niederlanden. In den Jahren 2007 bis 2010 habe ich mich auf die Airbrush-Technik konzentriert. Danach habe ich Motorräder, Gitarren oder Schlagzeuge individuell gestaltet. Bei 3D-Zeichnungen und Gemälden bin ich vollständig autodidaktisch. Ich habe die Technik des 3D-Malens auf Papier entwickelt und werde daher oft gebeten, diese Technik zu unterrichten, da sie in den bisherigen künstlerischen Ausbildungsprogrammen noch nicht enthalten ist. Aufgrund meiner 3D-Bleistiftzeichnungen bezeichnet man mich häufig als den neuen M.C. Escher. Ich fühle mich geehrt, aber es war nicht mein Ziel, ein neuer Escher zu sein. Ich sehe die stilistischen Gemeinsamkeiten, bin mir aber durchaus auch der Unterschiede bewusst.

KREATIVES SCHAFFEN

Ich bin ein interdisziplinärer Künstler. In die Technik des 3D-Zeichnens bin ich hineingestolpert. Ich habe sie aus einem Zufall heraus entwickelt und wurde für diesen Stil sofort weltbekannt. Nach hunderten, vielleicht sogar tausenden von Interviews mit Online-Medien und Zeitungen, im Fernsehen und Radio bin ich nun bekannt als der „Mann der 3D-Zeichnungen und optischen Illusionen". Dabei handelt es sich um eine Kombination aus Zeichnungen (mit Grafit/Bleistift oder Buntstift) auf Papier, die ich dann aus einem bestimmten Winkel heraus fotografiere. Mein Ziel ist es dabei, eine Fotokomposition zu kreieren, in der die Zeichnung im Mittelpunkt steht und im Kunstwerk zum Leben erweckt wird. Ich liebe es, die Grenzen zwischen dem gezeichneten und dem realen Objekt zu verwischen. Ich arbeite aber auch auf Leinwand. Diese Bilder sind mehr im Neo-Pop-Stil gehalten. Ich liebe die Farbexplosionen und bringe meine Gefühle auf die Leinwand, in einer skurrilen, leicht karikaturistischen Weise. Das ist lustig anzuschauen. Wie auch bei den Zeichnungen lasse ich etwas Humor in die gemalten Bilder mit einfließen. Die Welt kann manchmal sehr hässlich sein, und ich möchte zu dieser Hässlichkeit nicht beitragen. Ich möchte ein Lächeln auf die Gesichter der Menschen bringen.

info@ramon-bruin.com | www.ramon-bruin.com

DIESE 3D-ILLUSION HABE ICH AUF DREI BLÄTTERN PAPIER ANGEFERTIGT UND AUS EINEM BESONDEREN WINKEL HERAUS FOTOGRAFIERT.

THIS 3D DRAWING WAS MADE ON THREE SHEETS OF PAPER AND WAS PHOTOGRAPHED FROM AN ANGLE.

INWIEFERN IST IHRE KUNST EXTREM?

Die Komposition, die Geschichten, der Humor, der mathematische Ansatz und die Techniken sind ziemlich knifflig, obwohl ich sie schon seit einigen Jahren beherrsche. Der vielleicht schwierigste Teil ist, ein neues Kunstwerk aus dem Nichts heraus zu erschaffen. Ich werde von fast allen Dingen inspiriert. Wir sind überall von Kunst umgeben, man muss sie nur sehen. Manchmal werde ich von Tieren inspiriert, manchmal von einem Zug, einem Bus oder durch Architektur.

DIE BEMERKENSWERTESTE REAKTION IHRES PUBLIKUMS?

Mein Ziel ist es, dass die Menschen bei meinen Kunstwerken zweimal hinsehen und es dennoch nicht verstehen. Diese Reaktion erlebe ich häufig während einer Ausstellung - und das ist sehr wertvoll für mich. Ich entwickle weiterhin neue Stile und neue Wege zur Schaffung optischer 3D-Illusionen. Meine jüngsten Kunstwerke sind auf eine gewisse Weise interaktiv. Es sind Bilder mit Acryl- und Sprühfarbe auf Holz, das zu einer bestimmten Form geschnitten wurde. Durch das Fotografieren wird das Bild dreidimensional, und der Betrachter kann es nicht mehr als ebene Fläche wahrnehmen. Daher motiviere ich die Menschen immer, durch die Kamera ihres Telefons zu schauen. Diese Reaktion ist dann unbezahlbar.

ARTIST'S VITA

I live in Alkmaar, but my studio is in Heerhugowaard, the Netherlands. I concentrated on the art of airbrushing from 2007 to 2010. After that, I custom painted motorcycles, guitars, drumkits, etc. As far as 3D drawings and paintings are concerned, I'm fully autodidactic. I invented the style of 3D artwork on paper and therefore I'm often asked to teach this technique, because it doesn't yet exist in the art education programs. I'm often named the new M. C. Escher because of my 3D pencil drawings. I'm really honored by that, but it wasn't my purpose to be the new him. I can see the resemblance between both styles, but I am also very aware of the differences.

WORKS OF ART

I'm a multi-disciplinary artist. I stumbled into 3D drawing. I kind of accidentally invented it, which made me instantly world famous for the style. After hundreds, perhaps thousands, of interviews on online media, newspapers, television and radio, I'm known as the man of the 3D drawings and optical illusions. This is a combination of drawing (with graphite pencil or color pencil) on paper, which I photograph from an angle. The main goal is to create a photocomposition in which the drawing is the main subject and becomes alive in the artwork. I love to blur the line between the drawn and the real object. I also work on canvas. These paintings are more a neo-pop art style. I love the color explosions and paint my feelings on the canvas, in a quirky, kind of cartoonish, style. Fun to look at. Like with the drawings, I like to add a little bit of humor to the paintings. The world can be ugly sometimes, and I don't want to contribute to the ugliness. I want to put a little smile on people's faces.

HIER IST MEINE HAND EIN TEIL DER FOTOKOMPOSITION. ES SIEHT SO AUS, ALS WÜRDE ICH DIE ZEICHNUNG TATSÄCHLICH ANFASSEN.

HERE MY OWN HAND ACTS IN THE PHOTO COMPOSITION TO CREATE THE ILLUSION OF TOUCHING MY DRAWING.

KANN KUNST UNSERE SICHTWEISE VERÄNDERN?

Ja, das glaube ich, und das jeder Künstler hier seinen eigenen Weg hat. Meine Kunst verändert die Art und Weise, wie die Menschen Kunst betrachten. Ich zeige Ihnen den Unterschied auf, indem ich sie das Kunstwerk mit den eigenen Augen und durch die Linse einer Kamera betrachten lasse. Das verändert den Blickwinkel.

WAS SIND IHRE ZIELE?

Neben den 3D-Zeichnungen, Neo-Pop Bildern, 3D-Gemälden, Zeichnungen auf Papier und einigen anderen Stilrichtungen, arbeite ich auch an optischen Illusionen bei Skulpturen. Das ist natürlich sehr schwierig und eine große Herausforderung und es gibt noch viel zu entdecken, aber ich bin zuversichtlich, dieses Ziel zu erreichen!

IN WHAT WAY IS YOUR ART EXTREME?

The composition, the stories, the humor, the mathematical aspect and the techniques are quite difficult, although I've mastered it for quite a few years. Perhaps the most difficult part is to come up with a new piece of art from scratch. I am inspired by just about anything. There is art everywhere around us, you only have to see it. So sometimes I get inspired by animals and sometimes by trains, busses or architecture.

THE MOST REMARKABLE REACTION OF YOUR AUDIENCE?

It's my goal to make people look twice at my artwork and still not fully understand. I get this reaction a lot during exhibitions and that is so valuable to me. I'm still developing new styles and new ways to create 3D optical illusions. My latest artworks are kind of interactive. These are paintings with acrylics and spray paint on a panel, which has a certain shape (cut out). When photographed, the artwork really turns 3D and people are instantly unable to see it as a flat surface. So I always invite people to look through the camera of their telephone and the reaction is priceless.

CAN ART CHANGE THE WAY WE SEE THE WORLD?

Yes, I do believe that and every artist has his own way. My art changes the way people look at art. I show them the difference by seeing the artwork with their own eyes and through the lens of a camera. This changes the perspective of people.

WHAT ARE YOUR AMBITIONS?

Besides 3D drawing, neo-pop art paintings, 3D paintings, paintings on paper and a few more styles, I'm also working on optical illusions in sculptures. Of course this is really difficult and challenging and I still have a lot to discover, but I'm confident I'll get there!

Quilling-Gemälde/Quilling Portraits
by Yulia Brodskaya

VITA DER KÜNSTLERIN

Ich war erst fünf Jahre alt, als meine Eltern mich auf eine Kunstschule schickten. Seitdem habe ich praktisch nie aufgehört, Kunst in der einen oder anderen Weise zu studieren und auszuüben. Ich habe einen Bachelorabschluss von der Universität in Moskau sowie einen Masterabschluss von der Universität in Hertfordshire, England. Ich lebe und arbeite mit meinem Mann und unseren beiden Kindern in England, in der Nähe von London.

KREATIVES SCHAFFEN

Trotz meiner Wurzeln im Grafikdesign hat mich Papier schon immer fasziniert. Im Laufe der Jahre habe ich hobbymäßig verschiedene Papiertechniken ausprobiert. Das erste von mir angefertigte Papierkunstwerk war lustigerweise mein Name „Yulia" (als ob ich dieser von mir neu entdeckten Technik gleich meinen Stempel aufdrücken wollte). Damals hatte ich vor, eine kleine Werbebroschüre mit handgezeichneten Illustrationen anzufertigen und suchte nach einer Methode, meinen Namen auf der Vorderseite besonders auffällig darzustellen. Das war der Ausgangspunkt für weitere Versuche mit Papier und Typografie, die dann zu zahlreichen Aufträgen für redaktionelle Beiträge und Werbekampagnen von Unternehmen aus aller Welt führten. Ich arbeite mit zwei einfachen Werkstoffen – Papier und Klebstoff – und einer simplen Technik, bei der sorgfältig zurechtgeschnittene und gebogene Papierstreifen so platziert werden, dass daraus üppige, lebendige, dreidimensionale Kunstwerke entstehen. Ich zeichne mit Papier, nicht auf Papier.

yulia@artyulia.com | www.artyulia.co.uk/

DAS LINKE PORTRÄT ZEIGT EINE ALTE FRAU, DIE EINE GITARRE HÄLT. ES IST DAS ERSTE BILD EINER SERIE, MIT DER ICH MEINE LIEBE ZUM PAPIER UND ZUM QUILLING AUSDRÜCKEN WOLLTE. RECHTS EINE ÄLTERE FRAU, DIE EINE PFEIFE RAUCHT.

THE LEFT PORTRAIT SHOWS A BABUSHKA HOLDING A GUITAR, THE FIRST IN A SERIES OF WORKS WHICH IS MY DECLARATION OF LOVE TO THE PAPER MATERIAL AND THE TECHNIQUE OF QUILLING. ON THE RIGHT AN OLDER WOMAN SMOKING A PIPE.

ARTIST'S VITA

My parents sent me to an art school when I was just 5 years old and basically I haven't stopped studying/practicing art in one form or another since. I have an initial degree from a Moscow University and also a Masters Degree from the University of Hertfordshire in the UK. I work and live in the UK (not far from London) with my husband and 2 children.

WORKS OF ART

Even though my background is in graphic design, I have always had a special fascination with paper and over the years tried a few different paper craft techniques as a hobby. Interestingly, the first paper artwork that I made was my name 'Yulia' (as if I straight away put a stamp on this new method I discovered and made it my own) - back then I wanted to make a little promotional brochure with my hand-drawn illustrations and was looking for an eye-catching way to illustrate my name for the cover. That was the starting point for further experiments with paper and typography that eventually lead to numerous commercial jobs for editorials and advertising campaigns for companies all around the world. I use two simple materials - paper and glue, and a simple technique that involves the placement of carefully cut and bent strips of paper - to make lush, vibrant, three-dimensional paper artworks. I draw with paper instead of on it.

INWIEFERN IST IHRE KUNST EXTREM?

Die größte Herausforderung ist die Zeit - die Technik ist sehr zeitaufwendig, deshalb ist es fast unmöglich, sehr große Formate herzustellen. Sogar eine Arbeit im A3-Format kann mehrere Tage und bei einem sehr aufwendigen Design sogar mehr als eine Woche dauern.

DIE BEMERKENSWERTESTE REAKTION IHRES PUBLIKUMS?

Manchmal erhalte ich E-Mails oder Nachrichten von Menschen, die krank sind oder in einer schwierigen Lebensphase stecken. Sie schreiben, dass sie durch meine Arbeiten wieder die schönen Dinge in der Welt entdecken und wertschätzen sowie für eine Weile das Negative vergessen können.

KANN KUNST UNSERE SICHTWEISE VERÄNDERN?

Ich habe mir nicht zum Ziel gesetzt, die Welt zu verändern. Doch ich bin überzeugt, dass Kunst aus einem bestimmten Grund Teil unseres Lebens ist: Für die Künstler ist sie eine Möglichkeit, ihre Emotionen auszudrücken (das ist die einzig richtige Lebensform für sie); für den Betrachter ist sie eine Tür zu einer anderen Realität/Betrachtungsweise – und eine derartige Erfahrung kann einen sehr großen Einfluss haben. Das Einzige, was ich tun kann, ist mich in meine Arbeiten zu stürzen, ohne Bedenken oder konkrete Pläne, und wenn einige Menschen das Endergebnis nachempfinden können, dann ist das für mich gut genug.

WAS SIND IHRE ZIELE?

Ich möchte weiterhin an meinen eigenen Ideen arbeiten. Mein Ziel ist es, so viele wie möglich umzusetzen.

MIT MEINER ILLUSTRATION „TAUBENLIEBE" HABE ICH VERSUCHT, EIN DREIDIMENSIONALES BILD ZU ERSCHAFFEN, INDEM ICH MIT UNTERSCHIEDLICHEN FARBTÖNEN UND -SCHATTIERUNGEN GESPIELT HABE.

WITH MY ILLUSTRATION "LOVE DOVES" I TRIED TO CREATE A THREE DIMENSIONAL IMAGE BY USING DIFFERENT SHADES AND HUES.

IN WHAT WAY IS YOUR ART EXTREME?

The main challenge is time – the process is very time consuming, so it's hardly possible to work on a really large scale; even a small A3 size piece can take from several days to over a week.

THE MOST REMARKABLE REACTION OF YOUR AUDIENCE?

Sometimes I get emails/messages from people who are ill or going through very tough periods in their life and they tell me that my work helps them to see and appreciate the beauty in the world and to forget about the bad things for a little while.

CAN ART CHANGE THE WAY WE SEE THE WORLD?

I really don't set any goals for 'changing the world', but I believe that art is in our lives for a reason: for artists, it is a way to express their emotions and that's the only way of life that works for them; for a viewer, it is a door into some other reality/way of seeing and such experiences can potentially be very influential. Personally I believe the only thing I can do is to pour myself into the work without second thoughts or definite plans and if some people can relate to the outcome in some way, then it is good enough.

WHAT ARE YOUR AMBITIONS?

I want to keep working on my personal ideas, my goal is to bring as many of them to life as possible.

PANCAKE DAD

Pfannkuchenbilder/
Pancake Pictures
by Nathan Shields

VITA DES KÜNSTLERS

Geboren in Ketchikan, Alaska, habe ich lange im Nordwesten der USA gelebt. Ich habe Mathe und Erziehung studiert, um dann an einer Highschool Mathe zu unterrichten. Nachdem ich ein Jahr in Saipan, einer kleinen Insel im Pazifischen Ozean, gelebt habe (hier habe ich meine ersten Pfannkuchen gemacht), bin ich nach Port Angeles, Washington, gezogen. Meine zwei Kinder lieben es, ihre eigenen Pfannkuchen zu kreieren.

KREATIVES SCHAFFEN

Eines Morgens machte ich Pfannkuchen für meine Kinder und versuchte, mit dem Teig „Bilder" zu gestalten. Den Kindern gefiel es so gut, dass daraus ein wöchentliches Ritual wurde. Mit der Zeit habe ich die Technik verbessert, aber die Pancakes schmecken immer noch gleich. Mithilfe von Spritzflaschen kann ich mit Pfannkuchenteig in einer heißen Pfanne zeichnen. In eine Flasche gebe ich ein wenig Kakaopulver, damit der Teig dunkler wird, diesen verwende ich zuerst. Anschließend nehme ich den normalen Teig, um schattierte Bereiche zu kreieren, da der Teig umso mehr nachdunkelt, je länger er erhitzt wird. Zum Schluss kommt der Teil der am hellsten sein soll, dann wird der Pfannkuchen gewendet.

saipancakes@gmail.com | www.saipancakes.com

AFRIKANISCHE TIERE, DIE ICH BEI EINEM AUFTRITT LIVE IM FERNSEHEN ANGEFERTIGT HABE.

AFRICAN ANIMALS CREATED FOR A LIVE TELEVISION APPEARANCE.

ARTIST'S VITA

Born in Ketchikan, Alaska, I have spent my life in the northwestern USA. I studied mathematics and education, and taught high school math. After a time in Saipan (a little island in the Pacific Ocean), where I began making pancakes, I moved to Port Angeles, Washington, USA. My two children enjoy making their own pancakes.

WORKS OF ART

I was making pancakes for my kids one morning and tried to create some images for them. They were excited to see the results, so it became a weekly tradition. Gradually my technique improved, but the pancakes taste the same. I draw with pancake batter on a hot griddle, using squeeze bottles. I add some cocoa powder to one bottle to make a darker batter, which I use first. Then I use regular batter to draw shaded areas, which darken over time. Finally I end with the part I want to be lightest, and flip the pancake.

IN WHAT WAY IS YOUR ART EXTREME?

There are a lot of variables involved - the starting temperature of the pan, the rate that heat is applied to the pan, the amount of time the batter is left to cook, the consistency of the batter, etc. And of course, you never know how it will appear until you flip it!

INWIEFERN IST IHRE KUNST EXTREM?

Es gehören viele Variablen dazu - die Anfangstemperatur der Pfanne, wie schnell die Pfanne erhitzt wird, wie lange der Teig gebraten wird, die Konsistenz des Teiges etc. Und man weiß nie, wie der Pfannkuchen aussieht, bevor er gewendet wird!

DIE BEMERKENSWERTESTE REAKTION IHRES PUBLIKUMS?

In der Regel sind meine Kinder mein Publikum, niemand sonst, und die haben sich schon an die Pfannkuchenkunst gewöhnt. Aber ich stelle die Pfannkuchenbilder unter Saipancakes auch ins Netz und bekomme dann begeisterte Kommentare.

KANN KUNST UNSERE SICHTWEISE VERÄNDERN?

Kunst spielt in der Kultur verschiedene Rollen, aber ihre wichtigste Aufgabe ist es wohl, die Menschen zum Nachdenken zu bringen und sie dazu zu inspirieren, dazulernen zu wollen. Ein bescheidener Pfannkuchen scheint zwar nicht das gängige Mittel für diesen Zweck zu sein, aber ich habe schon gesehen, dass es funktioniert!

WAS SIND IHRE ZIELE?

Als ich mit der Pfannkuchenkunst begann, hatte ich nichts anderes im Sinn, als etwas Leckeres und auch Unterhaltsames herzustellen. Doch die Kinder interessierten sich für jedes von uns gewählte Motto, und so wurde unser Wochenendfrühstück für alle zum lehrreichen Erlebnis. Es hat mir wirklich Spaß gemacht, diesen Teil der Pfannkuchenkunst auszuloten, und ich sehe noch kein Ende.

WARNUNG: DER VERZEHR ZU VIELER PFANNKUCHEN KANN GEFÄHRLICH SEIN!

ATTENTION: EATING TOO MANY PANCAKES CAN BE DANGEROUS!

THE MOST REMARKABLE REACTION OF YOUR AUDIENCE?

Ordinarily my audience is just two children who have gotten used to pancake art by now. But the work I post online as Saipancakes usually gets enthusiastic comments from viewers.

CAN ART CHANGE THE WAY WE SEE THE WORLD?

Art serves a variety of roles in culture, but I think its most worthy function is to inspire people to think deeply and want to learn more. The humble pancake might not seem a likely tool to achieve this goal, but I've seen it work!

WHAT ARE YOUR AMBITIONS?

When I began making pancakes I didn't have any ambitions other than cooking up something tasty and entertaining. But I noticed that the kids became interested in whatever theme we chose for the pancakes, so that our weekend breakfast became an educational experience for everyone. I've enjoyed exploring this aspect of pancake art, and don't see an end soon.

SWISS MADE

allnaturalarts@aol.com
www.allnaturalarts.com
www.facebook.com/allnaturalarts

VITA DER KÜNSTLERIN

Ich habe Malerei an der Academy of Fine Arts im US-Bundesstaat Pennsylvania studiert, anschließend absolvierte ich eine Ausbildung als Bildhauerin, während ich bei Franklin Mint arbeitete. Meine Skulpturen bestanden zunächst aus natürlichen Objekten, beispielsweise Insektenflügeln, Schlangenhaut, Federn und anderen empfindlichen Dingen. Da die Skulpturen aus diesen Materialien geschützt werden mussten, steckte ich sie in die Gehäuse antiker Taschenuhren. Bei meiner Suche nach alten Uhrgehäusen bekam ich häufig auch einzelne Teile dazu und stellte fest, dass diese sehr hübsch waren. So begann ich, diese in meine Arbeiten zu integrieren, und schon bald verwendete ich hauptsächlich diese Uhrenteile in meinen Designs.

KREATIVES SCHAFFEN

Meine Skulpturen, hergestellt aus Einzelteilen antiker Uhren und Uhrgehäusen, sollen die Eigenschaften eines Familienerbstücks aufweisen. Die detailreichen Darstellungen und Porträts werden sorgfältig innerhalb eines Taschenuhrgehäuses zusammengefügt. Ich verwende perspektivische und kompositorische Techniken, um ein Gefühl der Tiefe zu erzielen, das den Betrachter in eine geheimnisvolle Miniaturwelt entführt. Manchmal kreiere ich freistehende Kreaturen aus den Teilen antiker (Armband-)Uhren. Skurrile Drachen, Katzen, Mäuse und Elfen werden mit recycelten Metallteilen zum Leben erweckt.

Figuren aus alten Uhren/
Sculptures Made of Watches by Sue Beatrice

DIESE SZENE IN EINER BIBLIOTHEK NENNT SICH „EINSAMKEIT" UND HAT EINEN DURCHMESSER VON 58 MM. DIE TREPPE FÜHRT ZU EINER ZWEITEN ETAGE MIT TISCH UND STUHL. DIE KLEINEN FAHRRÄDER LINKS WAREN TEIL EINER TASCHENUHR, DIE ICH FÜR EIN PAAR ANGEFERTIGT HABE – ZWEI BEGEISTERTE RADFAHRER.

THE LIBRARY SCENE IS TITLED 'SOLITUDE' AND IS 58 MM IN DIAMETER. THE STAIRWELL LEADS TO A SECOND LEVEL, WHICH HAS A TINY TABLE AND CHAIR. THE TINY BICYCLES ON THE LEFT BECAME PART OF A SCENE IN A POCKET WATCH CASE FOR A COUPLE THAT ENJOYED BIKING TOGETHER.

ARTIST'S VITA

I went to The Pennsylvania Academy of Fine Arts in Philadelphia, PA, to study painting, then trained as a sculptor while working at The Franklin Mint. At first, my sculptures included natural objects such as insect wings, snake skins, feathers and other delicate items. Since sculptures made from these needed to be protected, I put them inside antique pocket watch cases. Often when I collected the cases I would also receive parts and noticed that they were quite beautiful. I began incorporating them into my work and soon they became the main material in my designs.

WORKS OF ART

My creations are intended to be heirloom quality sculptures built from antique watch parts and cases. The detailed scenes and portraits are carefully assembled inside of pocket watch cases. I use perspective and compositional techniques to create a sense of depth that draws the viewer into a miniature realm of mystery. Sometimes I create free standing creatures out of antique clock and watch parts as well. Whimsical dragons, cats, mice, and fairies come to life out of recycled bits of metal.

IN WHAT WAY IS YOUR ART EXTREME?

The number one challenge with this type of art is the scale of the pieces. Some bits are so tiny that static electricity in the air can make them float away or cling to objects as I work. If I drop something it simply disappears!

INWIEFERN IST IHRE KUNST EXTREM?

Die größte Herausforderung bei dieser Art von Kunst ist die Größe der Werke. Einige Teile sind so winzig, dass eine statische Aufladung in der Luft sie davonschweben lässt oder sie bei der Arbeit an anderen Dingen haftenbleiben. Wenn ich etwas fallen lasse, ist es für immer verschwunden.

DIE BEMERKENSWERTESTE REAKTION IHRES PUBLIKUMS?

Mein Ziel ist es, etwas zu kreieren, das eine emotionale Reaktion hervorruft. Der Auftakt ist ein ausführliches Gespräch mit dem Kunden, um herauszufinden, was dieses Kunstwerk für ihn darstellen soll. Häufig ist es eine Liebesbotschaft, oder es ist ein Andenken an einen geliebten Menschen oder ein Haustier. Ich versuche, einen besonders bedeutungsvollen Moment symbolisch einzufangen. Das habe ich erreicht, wenn mir gesagt wird, dass der Beschenkte Freudentränen weinte, als er das Kunstwerk zum ersten Mal gesehen hat.

KANN KUNST UNSERE SICHTWEISE VERÄNDERN?

Ja, absolut. Kunst kann Emotionen auf ihre reinste Form reduzieren oder auch den Blickwinkel verändern, sodass sich unsere Perspektive verändert. Sie kann die Wahrnehmung jenseits von Zeit und Ort unterstützen, um uns in eine andere Umgebung oder auch in eine alternative Realität zu führen. Sie kann die Fassaden unserer Kultur einreißen, sodass wir andere Kulturen auf neue Weise betrachten können. Kunst kann zum Nachdenken anregen und uns unerwartete und überraschende Inspirationen bieten.

WAS SIND IHRE ZIELE?

Ich möchte meine Fähigkeiten erweitern und als Künstlerin wachsen. Mir scheint, dass ein Leben nicht ausreicht für die vielen Techniken und Strategien, die ich niemals beherrschen werde, doch der Weg ist das Ziel.

DER DRACHE IST EINE MEINER KOMPLIZIERTESTEN UHRENKREATIONEN, DENN ER IST DREIDIMENSIONAL. DER DRACHE, AN DEM ICH AUF SEITE 55 ARBEITE, BESTEHT VOLLKOMMEN AUS ANTIKEN TEILEN. ER IST 48 MM x 48 MM KLEIN.

THE DRAGON IS ONE OF MY MOST INTRICATE WATCH PART CREATIONS THAT I HAVE ATTEMPTED TO CAST, BECAUSE IT IS FULLY DIMENSIONAL. THE DRAGON I AM WORKING ON WITH A TOOL ON PAGE 55 WAS ASSEMBLED USING ACTUAL ANTIQUE PARTS AND CAST. IT IS 48 MM x 48 MM.

THE MOST REMARKABLE REACTION OF YOUR AUDIENCE?

I want to create something that triggers an emotional response. This usually starts with an in depth conversation with the customer in order to discover what this piece of art will represent to them. Often, it is a celebration of love or a memorial of a loved one or pet. I will try to capture a particularly meaningful moment in time symbolically. I know I've hit the mark when they tell me that the recipient cried tears of joy when they first saw it.

CAN ART CHANGE THE WAY WE SEE THE WORLD?

Yes, I absolutely believe that. Art can distill emotions to their purest form or shift the angle of our view to change our perspective on a subject. It can help us see through time and place to put us in different surroundings or pull us into an alternate reality. It can strip away the veneer of our culture and help us see the others in novel ways. Art can open our mind, giving us unexpected and surprising inspiration.

WHAT ARE YOUR AMBITIONS?

My goal is to continue to improve my skills and to grow as an artist. It seems as though there are lifetimes worth of techniques and strategies that I will never master, but the joy is in the pursuit.

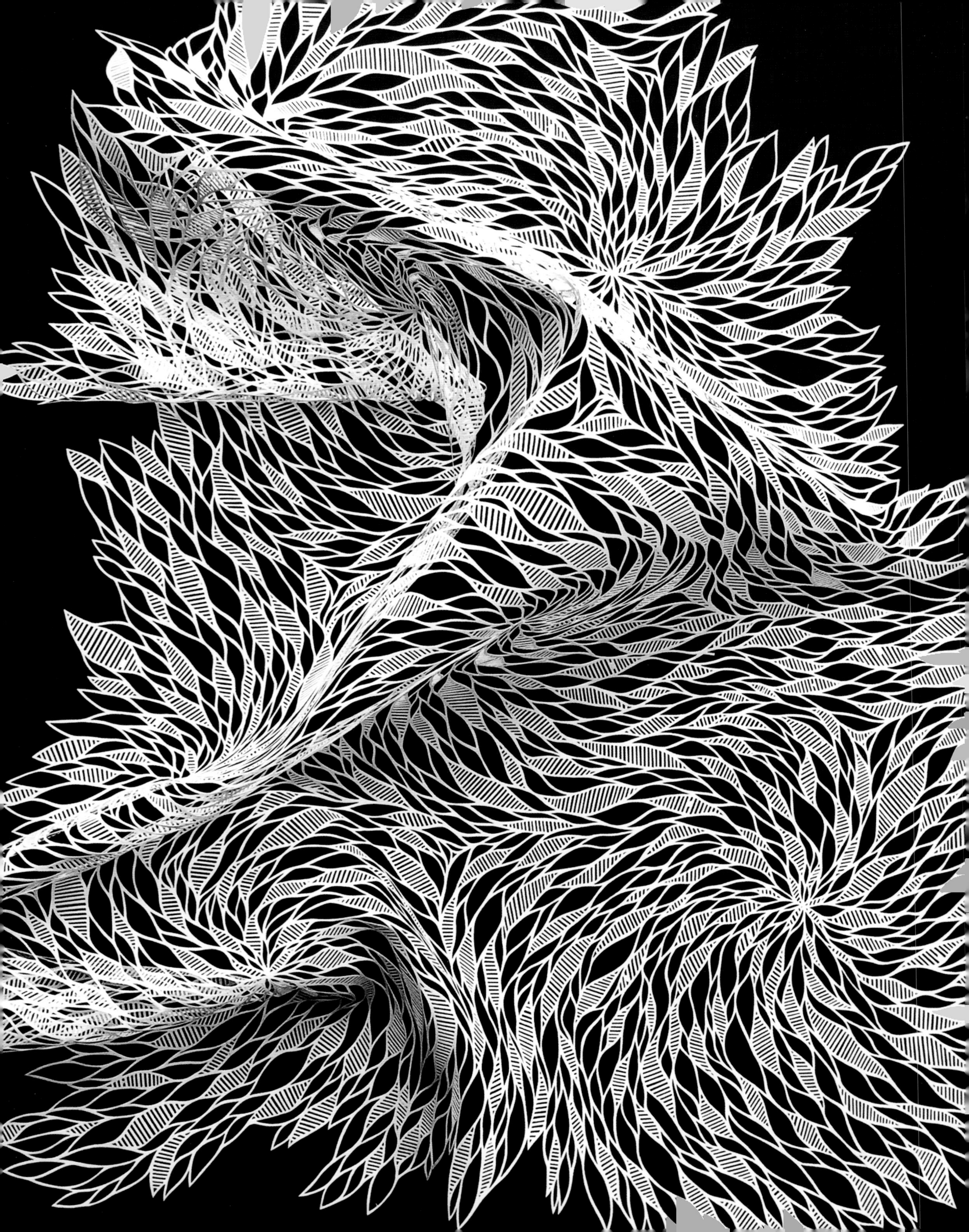

NUR EIN BLATT PAPIER

ONLY ONE SHEET OF PAPER

Papierschneidekunst/
Paper Cutting Artwork
by Pippa Dyrlaga

VITA DER KÜNSTLERIN

Ich habe mein Studium zeitgenössischer Kunstpraxis an der Leeds Metropolitan University (England) 2006 abgeschlossen. An dieser Universität habe ich 2011 einen Masterabschluss in Kunst und Design erworben. Zurzeit lebe ich in Hebden Bridge, einer kleinen und kreativen Gemeinde in Yorkshire. Ich arbeite zu Hause und habe mir dort ein Zimmer als Atelier eingerichtet.

KREATIVES SCHAFFEN

Ich liebe das Potenzial eines frischen, leeren Blattes Papier, und fast alle meine Arbeiten nehmen hier ihren Anfang. Zunächst zeichne ich eine einfache Orientierungshilfe für das Layout des Bildes. Im Laufe des Arbeitsprozesses führe ich viele Korrekturen und Änderungen durch, deshalb ist das fertige Werk häufig ganz anders als der Entwurf. Ich skizziere nicht viel vorab, mache jedoch kleine Testschnitte, um sicherzustellen, dass es funktioniert. Wenn ich mit dem Schneiden beginne, muss ich darauf achten, dass alles miteinander verbunden bleibt. Bei vielen kleinen Details darf das Papier nicht auseinanderfallen. Ich füge die Details beim Schneiden hinzu. Alle Texte und Abbildungen werden seitenverkehrt aufgezeichnet, da das fertige Stück gedreht wird, damit alle Bleistiftmarkierungen auf der Rückseite sind und die vollendete Darstellung schön und ordentlich aussieht. Kleinere Werke setze ich in schwebende Glasrahmen, dabei schwebt das Papier zwischen zwei Glasscheiben, ohne die Rückseite zu berühren, sodass die Details betont und die Schatten Teil der Präsentation werden. Größere Werke und Tafeln werden aufgehängt. Ich nutze die Schattenbildung als Teil der Präsentation, sodass aus einem zweidimensionalen Werk eine 3D-Installation wird.

pippadyr@gmail.com | www.pippadyrlaga.com

DAS LINKE BILD ZEIGT DIE ENTSTEHUNG MEINES WERKES „FLOW". DAS WERK AUF DER RECHTEN SEITE NENNT SICH „LASST UNS EINE MILLION BÄUME PFLANZEN".

THE LEFT PICTURE SHOWS THE PROGRESS OF MY PIECE 'FLOW'. THE PIECE ON THE RIGHT IS CALLED 'LET'S PLANT A MILLION TREES'.

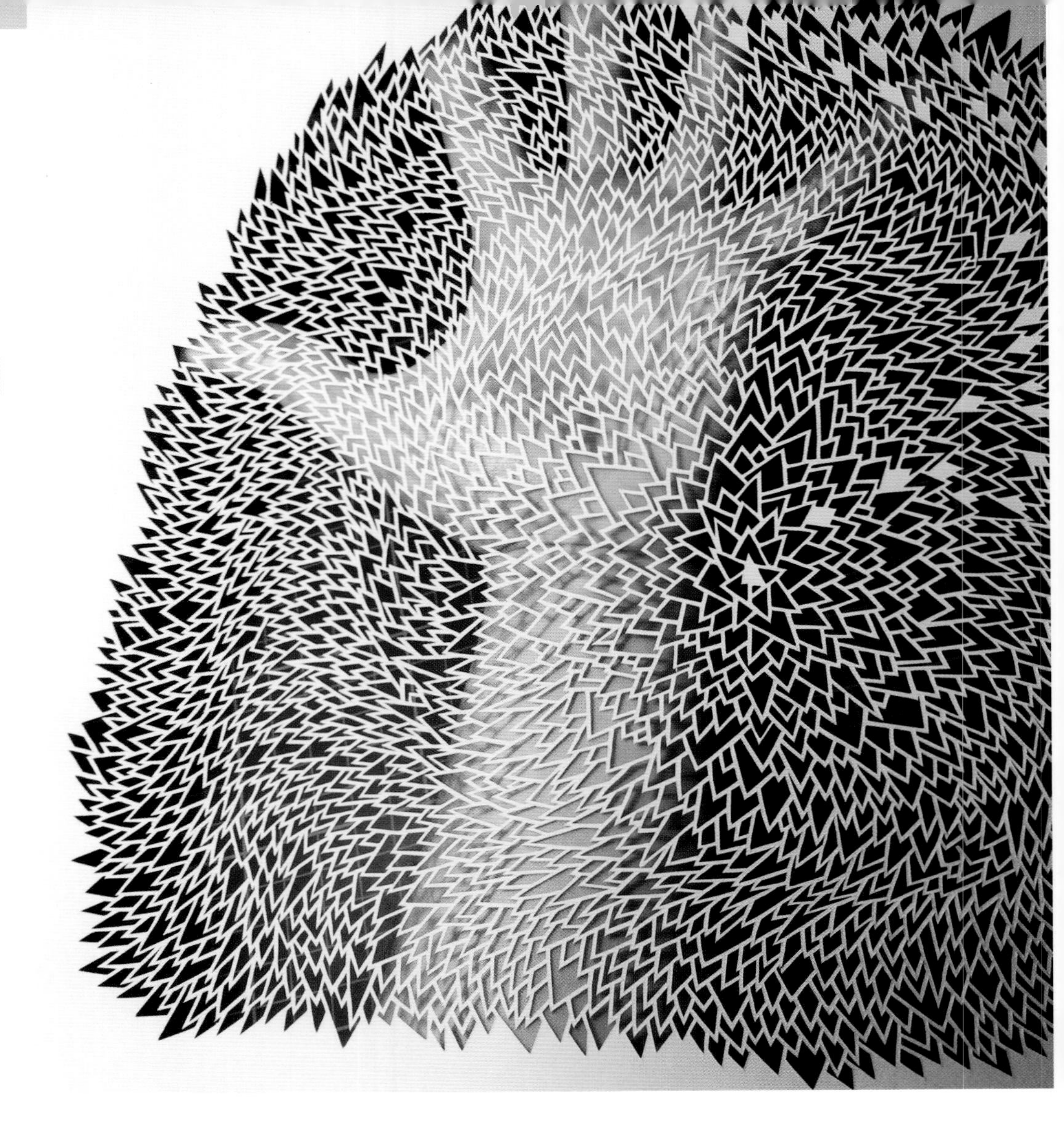

ARTIST'S VITA

I completed my Degree in Contemporary Creative Practice at Leeds Metropolitan University in 2006, and went back to do my Masters in Art and Design at the same University in 2011. I currently live in Hebden Bridge, which is a small and creative community in Yorkshire. I work from home where I have converted a spare room into a studio space.

WORKS OF ART

I love the possibilities of a crisp clean sheet of white paper, and nearly all of my work starts there. I will first draw out a simple guide for the layout of the image. I tend to do much of my editing whilst I am working on the piece, and every piece can change significantly from the original layout. I tend to do little prep sketching, but I will do little test cuts for new details to make sure it works. I need to make sure that once I start cutting, everything will stay joined together. If there are lots of different details, it is really important the paper doesn't fall apart. I add the detail in as I am cutting. All text and images must be drawn out in reverse, because the finished piece is flipped around so any pencil marks are on the back, and the final image is nice and clean. I frame smaller pieces in floating glass frames, with the paper suspended between two sheets of glass and away from the backing so that the details stand out and the shadows become part of the display. Larger works and panels are suspended. I use the display of the shadow as part of the display of pieces, moving away from a 2D-work into a 3D-installation.

IN WHAT WAY IS YOUR ART EXTREME?

Everything has to be done right the first time, and as paper is so delicate and unforgiving, you have to be incredibly careful whilst working on it. A simple slip can destroy hours of work.

INWIEFERN IST IHRE KUNST EXTREM?

Alles muss schon beim ersten Mal korrekt sein, und da Papier so fein und unnachsichtig ist, muss man während des Arbeitens ungemein vorsichtig sein. Schon ein leichtes Abrutschen kann die Arbeit von Stunden zerstören.

KANN KUNST UNSERE SICHTWEISE VERÄNDERN?

Sie kann Einfluss nehmen oder auch die Betrachtungsweise eines Gemäldes, einer Blume bis hin zu einem politischen Plakat verändern. Kunst befindet sich an einem Bus, auf einer Kaffeetasse und zu Hause. Künstler haben die Möglichkeit, ihre Standpunkte darzustellen und die Menschen dazu zu bringen, stehenzubleiben, hinzusehen und über das Gesehene nachzudenken. So kann eine Verbindung des Betrachters zu Themen, Objekten und Momenten hergestellt werden, die auf diese Weise vorher nicht bestanden hat, und das ist eine erhebliche Verantwortung.

DIE BEMERKENSWERTESTE REAKTION IHRES PUBLIKUMS?

Es gibt ein für mich ganz besonders herausragendes Werk. Am Boxing Day 2015, einem britischen Feiertag, wurde meine Wohngegend Calder Valley schwer überflutet. Häuser wurden stark beschädigt, viele unabhängige Unternehmen, für die diese Gegend bekannt ist, mussten schließen. Ich habe zwei Arbeiten kreiert, um die Widerstandsfähigkeit und den Gemeinschaftssinn, die ich in den Tagen nach der Flut miterleben konnte, zu honorieren. Meine Arbeiten fanden großen Anklang, die Bilder wurden im Internet viele tausende Mal geteilt. In den Monaten danach war ich in der Lage, durch den Verkauf von Gegenständen, auf denen meine Arbeiten abgebildet waren, viel Geld zu sammeln, und das ist nicht nur einer der Erfolge, auf den ich am stolzesten bin, sondern auch die immer noch bemerkenswerteste Resonanz auf eines meiner Werke.

WAS SIND IHRE ZIELE?

Ich habe hart an der Optimierung meiner Technik und meines eigenen Stils gearbeitet und plane, einige größere Werke zu fertigen und mit anderen Künstlern zusammenzuarbeiten. Zurzeit arbeite ich an Scherenschnitten, die Vögel darstellen. Diese würde ich gerne sowohl hier als auch international ausstellen. Seit langem bin ich von der Idee fasziniert, ein Kinderbuch zu produzieren, daher würde ich mich über die Möglichkeit freuen, dies in der Zukunft realisieren zu können.

CAN ART CHANGE THE WAY WE SEE THE WORLD?

It can influence or make you look at something differently, from a painting of a flower to a political poster. It is on the side of a bus, on the front of your coffee cup, and inside your home. Artists have the power to put across their point of view, and make you stop, look and consider what you are seeing. It can make you feel connected to issues, objects and moments in a way you may not have been before, and it's a powerful responsibility.

THE MOST REMARKABLE REACTION OF YOUR AUDIENCE?

There is definitely one piece of art that stands out for me. On Boxing Day in 2015, Calder Valley, the area I live in, was flooded very badly, with the area suffering lots of damage to homes - decimating many of the independent businesses the town is famous for. I made two pieces of work to celebrate the resilience and community spirit I saw over the following days. The pieces resonated with a lot of people, and the images were shared thousands of times online. I managed to raise a lot of money in the following months with the support of people who bought items with the image, which is one of my proudest achievements, and still the most significant reaction to one of my pieces of work.

WHAT ARE YOUR AMBITIONS?

I've been working hard to improve my technique and my own style and am planning to make some bigger pieces and collaborate with other artists. I am currently working on a series of paper cuts depicting birds, which I would love to be able to exhibit both locally and internationally. I have also always liked the idea of producing a children's book, so would love the opportunity to do this in the future.

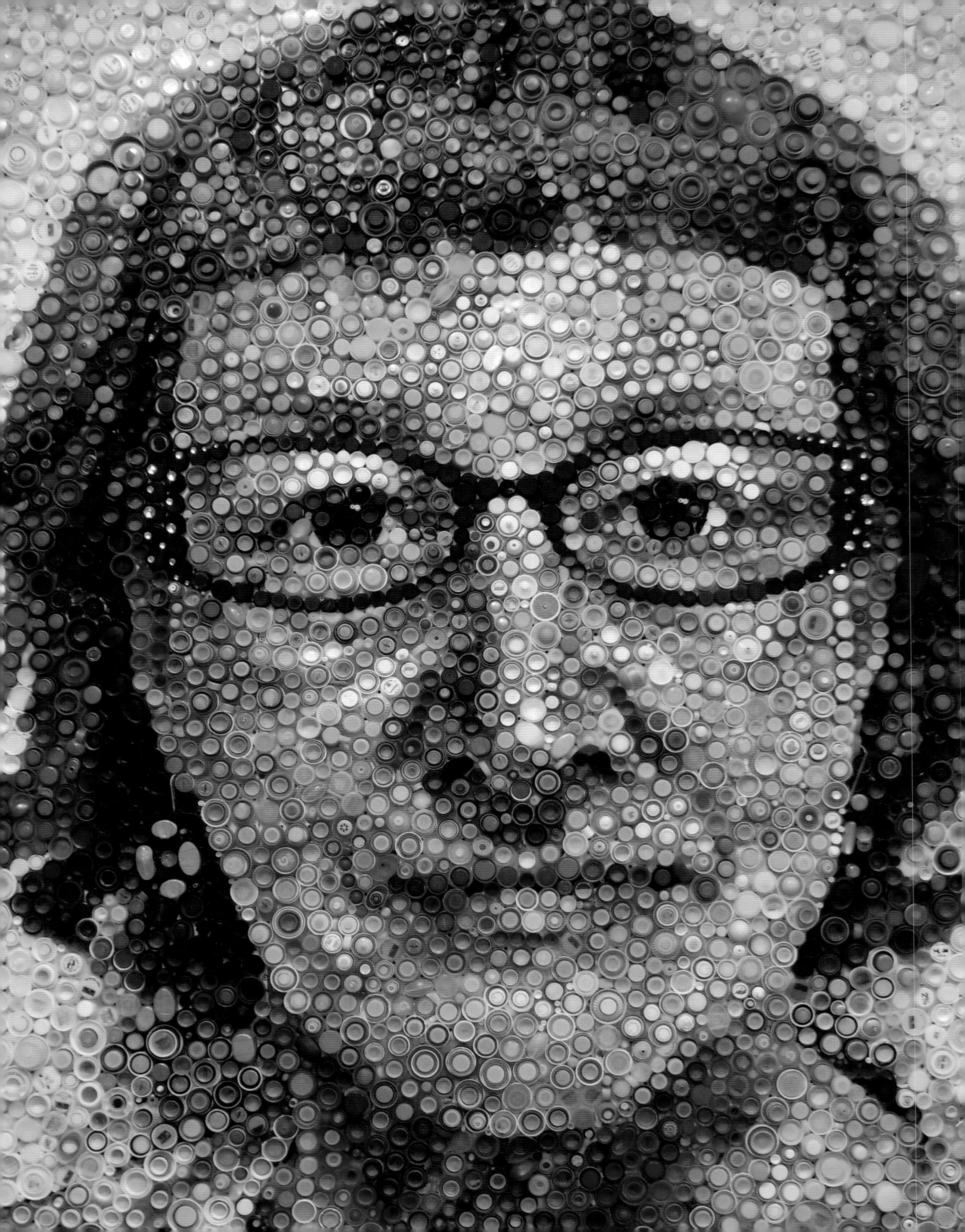

KREATIVES SCHAFFEN

Ich verwende die bunten Farben der Flaschenverschlüsse nach dem Vorbild der Impressionisten, indem ich die Verschlüsse ineinander setze und auf diese Weise Farbabstufungen erziele. Das knapp 2,50 m x 2 m große Selbstbildnis mit dem Titel „CLOSE" ist vollständig aus Abfall, genauer gesagt Flaschenverschlüssen, gearbeitet. Es wurde keine Farbe verwendet. Die Farbabstufungen wurden durch ineinander- und übereinandergesetzte Verschlüsse erzielt. Es besteht aus rund 7.000 Plastikverschlüssen, die ich zwei Jahre lang gesammelt habe. Sieben Monate dauerte die Arbeit an dem Porträt. Familie und Freunde sammelten Flaschenverschlüsse für mich, andere besorgte ich mir auf einem Recyclinghof. Jeden einzelnen Verschluss habe ich von Hand gereinigt und desinfiziert.

VITA DER KÜNSTLERIN

Ich wurde in Chicago, Illinois, USA, geboren, wo ich auch heute noch lebe und arbeite. An der School of Art Institute of Chigaco habe ich studiert. Ich habe einen Bachelor der Bildenden Künste von der University of Illinois (Chicago) und einen Masterabschluss in Bildender Kunst von der Rutgers University (New Jersey).

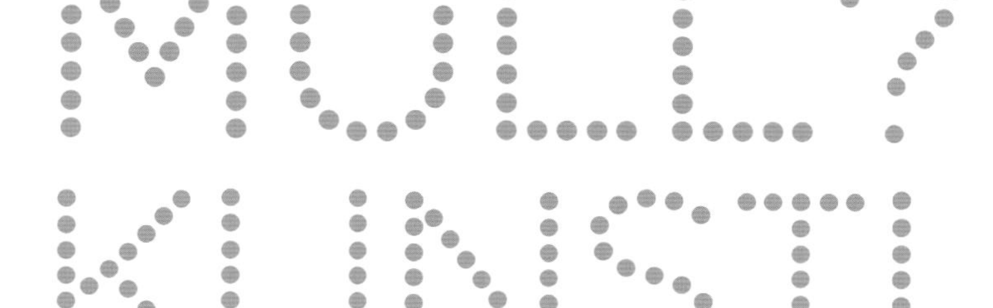

WASTE? ART!

Bilder aus Flaschendeckeln/ Bottle Cap Portraits by Mary Ellen Croteau

crodo55@yahoo.com | www.maryellencroteau.net

ARTIST'S VITA

I was born in Chicago, Illinois, USA, where I still live and work. I studied at the Art Institute of Chicago, received my BFA from the University of Illinois at Chicago, and received my MFA from Rutgers University in New Jersey.

WORKS OF ART

I use the bright colors of the caps as the Impressionists did, nesting the caps inside each other to achieve color gradations. The 8-foot by 7-foot self-portrait titled "CLOSE" is made entirely of trash, plastic bottle caps. No paint was used. The color variations were achieved through layering the caps and nesting them together. There are approximately 7,000 plastic caps in this work, which took two years to collect and seven months to build. Some were contributed by family and friends, and some were scavenged from dumpsters at the recycling center. I carefully hand-washed and sanitized each one.

INWIEFERN IST IHRE KUNST EXTREM?

Das Reinigen und Desinfizieren der Verschlüsse nimmt viel Zeit in Anspruch, denn diese können ganz schön verschmutzt sein. Außerdem muss man ausreichend Platz zum Lagern der Werke finden, da diese recht groß sind.

DIE BEMERKENSWERTESTE REAKTION IHRES PUBLIKUMS?

Ich war total verblüfft, als sich mein Selbstporträt über Nacht zum viralen Hit entwickelte. Ich hatte nicht gedacht, dass so viele Menschen es anschauen würden. Und sogar nach fünf Jahren bekomme ich immer noch von Menschen auf der ganzen Welt zu hören, wie gut es ihnen gefällt. Ich verwende weiterhin Plastikverschlüsse für weitere großformatige Arbeiten (rund 1,2 m bis 1,5 m hoch und 2,5 m breit) sowie für eine Bilderserie, die Augen darstellt (ca. 75 cm x 100 cm), um die Menschen für den Plastikmüll und seine Auswirkungen auf unsere Umwelt zu sensibilisieren.

ICH HABE DIESES ABBILD EINER WELLE MIT „TSUNAMI" BETITELT. ES IST 1,5 M X 2,4 M GROSS.

I TITLED THIS PICTURE OF A WAVE "TSUNAMI". IT IS 1.5 M X 2.4 M.

WAS HAT SIE BESONDERS BEEINFLUSST?

Im Alter von 16, das war in den 1960er-Jahren, stand ich mehr als 15 Minuten sprachlos vor einem Werk der Künstlerin Lee Bontecou. Es zeigte mir, wie beeindruckend und bedeutungsvoll Kunst sein kann. Ich werde das nie vergessen.

KANN KUNST UNSERE SICHTWEISE VERÄNDERN?

Ich hoffe, dass die Menschen über Kunststoffe und unsere Wegwerfgesellschaft nachdenken, denn das ist der Grund, warum ich diese Kunstwerke kreiere!

WAS SIND IHRE ZIELE?

Ich arbeite derzeit an einer Serie großformatiger Arbeiten, die die Umweltzerstörung darstellen, darunter ein schmelzender Gletscher in Grönland, ein Waldbrand in Kanada, ein überfluteter Vorort in den USA, ein Ölteppich am Golf und mehr. Ich wünsche mir, dass diese Werke dann gemeinsam ausgestellt werden. Die Fertigstellung wird aber vermutlich noch einige Jahre dauern.

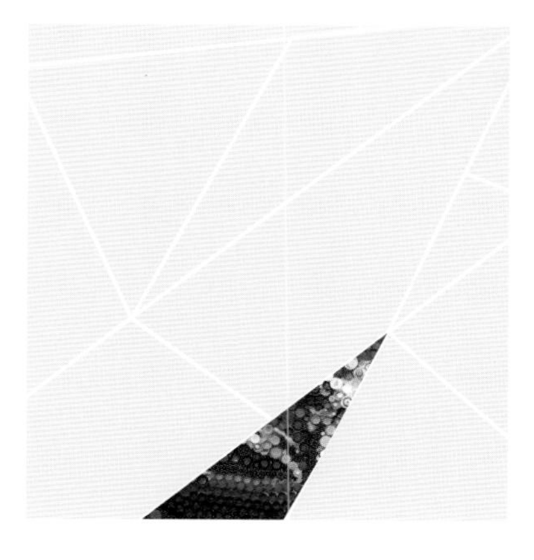

IN WHAT WAY IS YOUR ART EXTREME?

Cleaning and sanitizing the caps take a long time. They can be really messy. Also, you must find a room to store the finished works, as they are so large.

THE MOST REMARKABLE REACTION OF YOUR AUDIENCE?

I was stunned when my self-portrait went viral overnight. I had no idea so many people would see it. And I still hear from people around the world regularly about how much they like it, even 5 years later. I continue using caps to make several more large works (around 1.2 to 1.5 m tall by 2.5 m wide) and a series of eyes (approximately 75 x 100 cm) to continue to engage people about plastic waste and its effect on our environment.

WHAT INFLUENCED YOU IN A SPECIAL WAY?

When I was 16 in the 1960s, I stood speechless in front of one of Lee Bontecou's works for over 15 minutes. It taught me how powerful and important art could be. I will never forget that.

CAN ART CHANGE THE WAY WE SEE THE WORLD?

I certainly hope it makes people think about plastic and our throw-away culture, as that is why I make this art!

WHAT ARE YOUR AMBITIONS?

I am now working on a series of large pieces depicting environmental crises, including a melting glacier in Greenland, a wildfire in Canada, a suburb under water in the USA, an oil spill in the Gulf and more. Then I would like to see them all exhibited together. It will take a few years to finish, at least.

häkeln für gleichheit

crocheting for equality

Häkelgraffiti/Crochet Graffiti
by Karen Dolorez

ICH TRÄUME DAVON, MIT MEINEN WERKEN DIE WELT ZU BEREISEN UND MICH VON VERSCHIEDENEN MENSCHEN UND KULTUREN INSPIRIEREN ZU LASSEN. BISLANG HABE ICH MEINE KUNSTWERKE NUR IN BRASILIEN GEZEIGT, ABER VIELLEICHT WIRD DIESER TRAUM BALD WIRKLICHKEIT.

I HAVE THE DREAM OF TRAVELING THE WORLD, TAKING MY WORK, BEING INFLUENCED BY DIFFERENT PEOPLE AND CULTURES. FOR THE TIME BEING I HAVE DONE WORKS ONLY IN BRAZIL, BUT I WANT THAT DREAM TO BECOME A REALITY SOON.

VITA DER KÜNSTLERIN

Ich habe meinen Abschluss in Design in São Paulo gemacht und kleinere Kunstkurse belegt, ich habe mir vieles aber auch selbst beigebracht. Irgendwann verspürte ich den Drang, etwas zu machen, bei dem meine Kreativität stärker einfließen konnte. Ich erinnerte mich an das Häkeln in meiner Kindheit und hatte den Eindruck, mich damit künstlerisch ausdrücken zu können. Von da an kreierte ich Projekte und Arbeiten auf der Grundlage des Häkelns. Heute lebe und arbeite ich in São Paulo, zurzeit bin ich jedoch in einer freien Arbeits-Reise-Phase.

KREATIVES SCHAFFEN

Das Häkeln ist mein Instrument, um mich künstlerisch auszudrücken. Ich kreiere große gehäkelte Stücke und platziere sie auf Wänden in den Städten, die ich gerade besuche. Meine Arbeiten beziehen sich auf Themen wie Nutzung öffentlichen Raumes, Gesellschaft, Guerrillakunst, Feminismus und Liebe.

karen@dolorez.com.br
www.dolorez.com.br
www.instagram.com/dolorez

ARTIST'S VITA

I graduated in Design in São Paulo and studied arts in small courses and in a self-taught way. At some point, I felt the need to do something that could exert more of my creativity. So I returned to the crocheting from my childhood, where I felt I could create more and express myself in some way. From then on I started to create projects and works that are based on crocheting. I live and work in São Paulo, but I'm in a free work-travel moment now.

WORKS OF ART

I use crochet as an instrument for personal artistic expression, creating large panels of crochet and spreading them on the walls of the cities I come to. My works involve questions related to the occupation of public spaces, society, guerrilla art, feminism and love.

IN WHAT WAY IS YOUR ART EXTREME?

Besides the physical challenges (ways of fixing work on surfaces plus the time you need for production - it is very different from painting) there is also the prejudice about the technique itself. In many places, especially in Brazil, crochet is seen as a mere handcraft and does not reach the status of art. The job market in Brazil has developed badly, so art in general does not have a space. In addition, in graffiti and street art (as in the whole world) sexism is still common. This becomes even more evident from the moment a crocheted piece of art is to be presented on the street. This is one of the reasons that there is a lot about gender equality in my work.

CAN ART CHANGE THE WAY WE SEE THE WORLD?

Absolutely. I think art is a breath in the middle of all the chaos we live in. Chögyam Trungpa Rinpoche (Buddhist master) said that the culture of a people (of a nation) can be transformed through art. Art reaches a level we cannot access consciously. I think it's through art that we can look at the world in different ways. Art has this power, to show the realities that every one believes in in various ways (subtly or not).

DIESE ARBEIT EINER WELLE NENNT SICH „MARESIA" UND WURDE ZUSAMMEN MIT EINEM ANDEREN BRASILIANISCHEN KÜNSTLER GEMACHT.

THIS WORK OF A WAVE IS CALLED "MARESIA" AND IT WAS MADE IN PARTNERSHIP WITH ANOTHER BRAZILIAN ARTIST.

INWIEFERN IST IHRE KUNST EXTREM?

Neben der körperlichen Herausforderung (das Fixieren eines Werkes auf einer Oberfläche sowie der Zeitaufwand für das Häkeln - es ist schon etwas anderes als Malen) ist da vor allem dieses Vorurteil gegenüber dem Häkeln. In vielen Ländern, besonders in Brasilien, wird Häkeln mehr als Handarbeit angesehen und erreicht keinen künstlerischen Status. Der Arbeitsmarkt in Brasilien hat sich negativ entwickelt, deshalb bleibt allgemein nicht genug Raum für die Kunst. Zudem gibt es beim Graffiti und der Straßenkunst (wie überall auf der Welt) häufig noch Sexismus. Das wird besonders deutlich, wenn es sich um eine Form der Straßenkunst handelt, die gehäkelt wurde. Deshalb geht es in meinen Arbeiten häufig um das Thema Geschlechtergleichstellung.

KANN KUNST UNSERE SICHTWEISE VERÄNDERN?

Absolut. Kunst ist ein Atemzug inmitten des ganzen Chaos, in dem wir leben. Chögyam Trungpa Rinpoche (ein buddhistischer Meister) hat gesagt, dass die Kunst die Kultur einer Nation verändern kann. Die Kunst verschafft uns eine andere Sichtweise auf die Welt. Kunst kann auf verschiedenen Wegen die eigene Wahrnehmung der Realität aufzeigen, subtil oder auch nicht.

DIE BEMERKENSWERTESTE REAKTION IHRES PUBLIKUMS?

Die Reaktionen sind immer unglaublich. Genau das ist es, was mich am stärksten motiviert: zu erleben, wie die Menschen mir ihre Gedanken vermitteln und wie sie sich auf eine Weise mit meiner Arbeit identifizieren. Eines meiner Projekte war eine Installation auf acht Wänden, die die Geschichte einer Frau erzählt: Alles von ihr Gewebte wurde Realität. Sie fühlte sich einsam und webte ihren eigenen Mann, der dieses Geschenk jedoch ausnutzte. Nachdem die Frau feststellte, dass sie ihr eigenes Gefängnis geschaffen hatte, griff sie zum Faden und ribbelte alles auf, um die Geschichte zurückzudrehen. Zwar war die Frau wieder allein, aber glücklich. Viele Frauen haben mich aufgeregt angesprochen, identifizierten sich mit der Geschichte, mit den einzelnen Teilen und sprachen über ihre Eindrücke. Diese Gedanken sind sehr wertvoll für mich und bringen mich dazu, nie mit meiner Kunst aufhören zu wollen.

WAS SIND IHRE ZIELE?

Ich möchte weiterhin Menschen mit meiner Kunst berühren. Für mich ist es wichtig zu sehen, dass sich Menschen mit meiner Arbeit identifizieren und feststellen, dass sich ihre Denkweise veränderte, nachdem sie sich mit meinen Arbeiten beschäftigten.

THE MOST REMARKABLE REACTION OF YOUR AUDIENCE?

The reactions are always incredible. What motivates me most to do this work is precisely to perceive the reactions of the people, to see the answers they bring me and how they in some way identify with the work. One of my projects was an installation on eight walls that told the story of a woman and how everything that she weaved became reality. Feeling alone, she wove her own husband, who took advantage of this gift from her. Upon realizing the very prison she had created for herself, she pulled the thread and undid the whole story, becoming happy again, alone. At the end of this installation, many women came to talk to me, excited, identifying with the story, with the pieces, and talking about how they felt following the story. These comments are immensely important to me and make me want to continue forever.

WHAT ARE YOUR AMBITIONS?

I want to keep touching people. It is very important for me to see the identification that people have with my work and especially to realize that somehow they have changed their thoughts after getting in touch with some of my work. I also have the dream of traveling the world, taking a little of my work, coming in contact with different people, being influenced by different cultures, etc. For the time being I have done works only in Brazil, but I want that dream to become a reality soon.

IST DAS KUNST, ODER IST DAS ECHT?

3D-Zeichnungen/
3D Paintings
by Stefan Pabst

IS THIS ART OR IS THIS REAL?

VITA DES KÜNSTLERS

Ich bin 1979 in Blagoweschtschenka in Westsibirien geboren, einer Region, wo es schon seit Beginn des 20. Jahrhunderts deutsche Dörfer in der Kulunda-Steppe gab. Als Kind war das Zeichnen meine Lieblingsbeschäftigung – seit ich einen Stift halten kann, zeichne ich. Eine Zeitlang trat die Malerei etwas in den Hintergrund, bis ich eines Tages einem Freund ein Porträt zum Geburtstag schenkte, das ich von einem Foto abgemalt hatte – zur allgemeinen Begeisterung der Gäste. Die positive Resonanz, die ich daraufhin immer wieder auf meine Malkreationen erlebte, motivierte mich, mein Hobby zum Beruf zu machen. 2007 machte ich mich als Porträtmaler selbstständig. Bis zu zehn oder zwölf Stunden täglich arbeite ich mit Pinsel oder Bleistift in meinem Atelier in Minden. Das Joggen oder ein paar Stunden in der Natur sind für mich der Ausgleich. Mittlerweile bekomme ich Aufträge nicht nur von Einzelpersonen oder Familien, sondern auch von Firmen oder sozialen Einrichtungen, wie z. B. Kinderporträts für einen Kindergarten oder Porträts als Geschenke für Kollegen anzufertigen. Auch Prominente sind unter den Auftraggebern, etwa Bürgermeister, Sänger, Schauspieler, Regisseure oder Profifußballer aus Deutschland, Italien und Russland. Schon seit 2009 verwenden eine amerikanische und eine russische Kunsthochschule meine Bilder, meine Maltechniken und meine Videos als Lehrmaterial. Und die Online-Enzyklopädie Wikipedia nutzt meine Bilder zur Veranschaulichung der Porträtmalerei in der Öl-Trockenpinseltechnik.

KREATIVES SCHAFFEN

Ich male in Öl mit der Trockenpinseltechnik (Dry Brush Technik). Damit lassen sich die Hell-Dunkel-Übergänge sehr weich und gleichmäßig gestalten. Somit bekommen meine Werke eine sehr realistische und lebensechte Wirkung. Ich habe lange Zeit mehrere Maltechniken durchprobiert. Mein Kriterium war, schnell ein plastisches und lebensechtes Porträt malen zu können. Dann kam ich darauf, die Ölfarbe mit Pinsel nicht draufzuschmieren, sondern mit einem fast trockenen Pinsel Schattierungen „draufzureiben". Mit etwas Übung klappte das richtig gut. So gelingt es mir, fotorealistische Porträts in nur zwei bis drei Stunden hinzubekommen. Bei anderen Maltechniken braucht man dafür die zwei- oder dreifache Zeit.

portrait@email.de
www.portrait-gemalt-nach-foto.de
www.youtube.com/PortraitPainterPabst

DA ICH IMMER WIEDER ZU MEINER MALTECHNIK BEFRAGT WURDE, KAM ICH AUF DIE IDEE, MICH BEI DER ARBEIT ZU FILMEN. AUF MEINEM YOUTUBE-KANAL KANN MAN SO DIE ENTSTEHUNG MEINER BILDER VERFOLGEN UND SICH TIPPS HOLEN.

SINCE MANY PEOPLE QUESTION ME ABOUT MY TECHNIQUE, THE IDEA TO RECORD MY WORK EVOLVED. TODAY VIEWERS CAN SEE ON MY YOUTUBE CHANNEL HOW MY PAINTINGS DEVELOP AND RECEIVE ADVICE.

ARTIST'S VITA

I was born in 1979 in Blagoweschtschenka, western Siberia, a region where German towns have been part of the Kulunda steppe since the 20th century. As a child, drawing was my favorite pastime - I've been drawing since I was able to hold a pencil. Painting as an art took a backseat for a while. Until the day where I presented a friend with a portrait for his birthday, that I had drawn from a photo - all guests were in awe. The positive feedback I always received for my creations urged me on to turn my hobby into a profession. In 2007, I became an independent portrait painter. Up to 10 or twelve hours daily I work with brushes and pencils in my studio in the German town of Minden. Going for a jog or spending a few hours outdoors is my compensation. Meanwhile I receive commissions not only from individuals or families, but also larger commissions from companies or social facilities, e.g. 30 children's portraits for a kindergarten or portraits as gifts for colleagues. There are some celebrities among my customers, e.g. mayors, singers, actors, directors or professional soccer players from Germany, Italy and Russia. Since 2009, both an American and a Russian art academy have been using my paintings, my painting technique and my videos as learning resources. And the online encyclopedia Wikipedia uses my paintings to illustrate dry brush portrait painting.

WORKS OF ART

I use oil paints with the dry brush technique. This allows the creation of smooth and uniform light-dark-transitions. This creates a very realistic and lifelike effect in my works. I experimented with different techniques for a long time. My criteria was "be able to quickly paint a dimensional and lifelike portrait." Then, instead of smearing oil colors onto the canvas with a brush, I had the idea to use an almost dry brush and to "rub" the colors on the canvas. With a little practice this worked out well. This is how I can achieve a photorealistic human portrait in only 2-3 hours. Other techniques require twice the amount of time, or even three times as much.

INWIEFERN IST IHRE KUNST EXTREM?

Diese Maltechnik ist ziemlich kompliziert, und man muss ständig aufpassen, dass nicht zu viel Farbe auf dem Pinsel ist, sonst schmiert der Pinsel und das Bild ist ruiniert. Man sieht dann die Stelle und kann dies nicht mehr rückgängig machen.

KANN KUNST UNSERE SICHTWEISE VERÄNDERN?

Ein guter Künstler kann gedankenlos im Moment verweilen, ohne Gedankenstress, ohne zeitliche Hetze und ohne irgendwelche Erwartungen. Erst dann eröffnen sich ihm die Dinge so, wie sie sind. Im nackten Zustand. Ohne Konzepte und ohne „dazu zu denken". Er sieht die Welt mit frischem Blick, wie ein Kind. So bemerkt er interessante Details, die er dann in seinen Werken widergeben kann.

WAS SIND IHRE ZIELE?

Ich bin zufrieden mit dem, was ich mache und möchte das weiterführen. Ich habe viel zu tun mit der Porträtmalerei nach Fotos. Bestellungen kommen jeden Tag. Viele Aufträge kommen von bekannten Personen aus ganz Europa. Ich arbeite mit Werbeagenturen und großen Firmen zusammen und kreiere für deren Produkte 3D-Bilder. Die 3D-Darstellung der Produkte ist ganz neu in der Werbeindustrie und kommt sehr gut an. Des Weiteren fertige ich für verschiedene Autoren Illustrationen für ihre Bücher an und mache nebenbei noch Videos für das Internet, in denen ich den Malprozess im Schnelldurchlauf (Zeitraffer) zeige und das Endergebnis präsentiere. Einige meiner Videos erreichen Millionen von Klicks innerhalb kürzester Zeit.

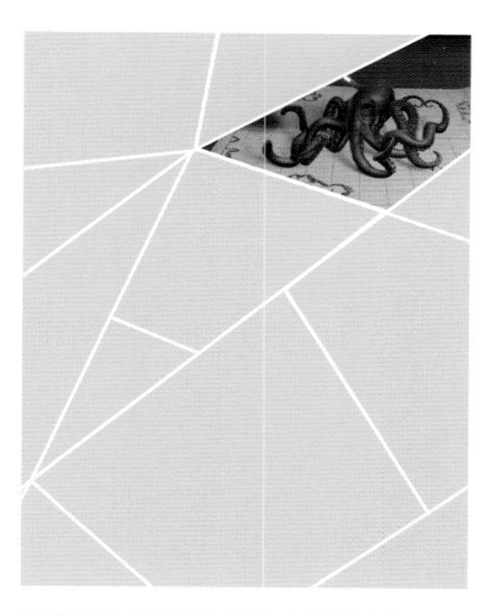

IN WHAT WAY IS YOUR ART EXTREME?

This painting technique is relativly complex and you constantly have to pay close attention not to have too much paint on the brush. Otherwise the brush will smear and the painting is ruined. The section will be obvious and cannot be redone.

CAN ART CHANGE THE WAY WE SEE THE WORLD?

A good artist can, free from thoughts, linger in a moment without feeling pressed, without feeling rushed and without any expectations. Only then will things open up to him just as they are. In a naked state. Without concepts and without putting thoughts "into it". He sees the world with a fresh look, like a child. He notices interesting details, that he can reflect in his paintings.

WHAT ARE YOUR AMBITIONS?

I am content with what I am doing and would like to continue doing what I do. I have a lot of commissions for portrait painting from photos. New commissions come in every day and well-known people from all over Europe are requesting portraits. I cooperate with ad agencies and large companies to create three-dimensional images for their products. The 3D presentation is new to the advertising industry, but the feedback is positive. I also illustrate books for various authors. Aside from that, I produce videos for the internet, where I show the painting process in high-speed mode (time lapse) and then present the final result. Some of my videos have received millions of clicks within a short period of time.

Kunst aus Knöpfen
und Stecknadeln/
Button and Push-pin Art
by Ran Hwang

VITA DER KÜNSTLERIN

Ich bin in Südkorea geboren, wo ich auch zunächst bildende Kunst studiert habe. Mit dem künstlerischen Arbeiten habe ich begonnen, als ich vor 20 Jahren nach New York gezogen bin. Daher habe ich Ateliers sowohl in Seoul wie auch in New York. Ich reise oft zwischen beiden Orten hin und her, sodass die beiden unterschiedlichen Kulturen meine Arbeit beeinflussen.

KREATIVES SCHAFFEN

Während meiner Arbeit in einem Stickerei-Unternehmen in New York entdeckte ich in einer Ecke einige aussortierte Knöpfe. Diese leblosen, wertlos abgelegten Gegenstände erinnerten mich an mich selbst, denn ich arbeitete sowohl für meinen Lebensunterhalt als auch künstlerisch – es war ein Leben in Trubel und Hektik. Ich spürte die Übertragung von meiner Person auf die Knöpfe und wollte diesen wunderschönen Knöpfen wieder neues Leben einhauchen. Wenn ich etwas kreiere, zeichne ich es zunächst. Dann bereite ich die Knöpfe und Stecknadeln vor. An jede Stecknadel hänge ich einen oder mehrere Knöpfe. Ich arbeite auf zwei verschiedenen Oberflächen – Holz und Plexiglas. Eine andere Vorgehensweise ist, das Bild direkt an der Wand zu arbeiten, eine Art Vor-Ort-Installation. Diese Art von Werken habe ich bis Mitte der 2000er-Jahre gemacht. Darüber hinaus fertige ich zurzeit auch 3D-Gravuren und 3D-Drucke für meine Werke an.

www.ranhwang.com

DIESES KUNSTWERK NENNT SICH „OSTWIND VOM ALTEN PALAST" (KNÖPFE, PERLEN, STECKNADELN AUF EINER HOLZPLATTE, 180 CM x 360 CM). AUF SEITE 75 ARBEITE ICH GERADE DARAN. DA JEDE STECKNADEL MEHRERE SCHLÄGE BENÖTIGT, HABE ICH BEI DIESEM PROJEKT MIT 195.000 NÄGELN ÜBER 2.000.000-MAL HÄMMERN MÜSSEN.

THIS ARTWORK IS CALLED "EAST WIND FROM OLD PALACE" (BUTTONS, BEADS, PINS ON WOODEN PANEL, 180 CM x 360 CM); ON PAGE 75 YOU CAN SEE ME WORKING ON IT. SECURING EACH PIN TAKES SEVERAL HAMMERINGS. WITH 195,000 TOTAL PINS, I HAMMER OVER 2,000,000 TIMES.

ARTIST'S VITA

I was born in South Korea where I initially studied fine art. I began my practice in New York when I moved there 20 years ago. Because of this, I have studios in both Seoul and New York. I am often traveling back and forth between the two locations and the two different cultures always stimulate my art.

WORKS OF ART

While working at an embroidery company in New York, I found some abandoned buttons in a corner. At that time, these lifeless, worthless abandoned objects looked like me (I was working both for a living and art at that time, I hustled and bustled all the time). I felt the transition of myself to the objects and I wanted to enliven these beautiful objects. When I create, I first of all draw. Then, I prepare buttons and pins. I hang one or several buttons on each pin. I use two kinds of surfaces - wooden panels and Plexiglas. Or, I might make a work directly on the wall, as an on-site installation. I did this type of work until early-mid 2000. In addition to these techniques, I am currently doing 3D-engraving along with 3D-printing for my works.

INWIEFERN IST IHRE KUNST EXTREM?

Ich mache mir immer Sorgen über mögliche Verletzungen, die während der Erstellung eines Werkes oder beim Aufstellen geschehen könnten. Die Stecknadeln sind sehr spitz, meine Mitarbeiter oder auch die Kunsthändler können sich leicht verletzen. Es ist immer eine Herausforderung, die physische Installation und eine Videodarstellung in Einklang zu bringen. Ich konzipiere das Video so, dass es exakt der Darstellung der Wandinstallation entspricht. Es ist daher ein langwieriger Prozess, die Plexiglasscheiben und Projektoren optimal auszurichten. Inzwischen gibt es auch vereinzelte Installationen, die vor Ort an den Wänden eines Museums durchgeführt werden. Diese Installationen können schwierig sein, vor allem, wenn nur wenig Zeit zur Verfügung steht. Um eine Installation erfolgreich abzuschließen, brauche ich daher hochqualifizierte Assistenten. Anschließend hat man das Gefühl, etwas Großes geleistet zu haben.

WAS SIND IHRE ZIELE?

Ich möchte Menschen in einer schwierigen Lebenssituation Zeit zur geistigen Heilung ermöglichen, wie auch ich die heilende Wirkung meiner Arbeit erfahren habe.

„WIEDER WERDEN" (PAPIERKNÖPFE, PERLEN, KRISTALLE, STECKNADELN AUF PLEXIGLAS, 240 CM x 1260 CM) BEINHALTET EINE VIDEO-INSTALLATION. DAS WERK AUF SEITE 74 NENNT SICH „VERGÄNGLICHE BLÜTE" (KNÖPFE, PERLEN, STECKNADELN AUF EINER HOLZPLATTE, 120 CM x 180 CM).

"BECOMING AGAIN" (PAPER BUTTONS, BEADS, CRYSTALS, PINS ON PLEXIGLAS, 240 CM x 1260 CM) INCLUDES A VIDEO INSTALLATION. THE ARTWORK ON PAGE 74 IS CALLED "EPHEMERAL BLOSSOM" (BUTTONS, BEADS, PINS ON WOODEN PANEL, 120 CM x 180 CM).

DIE BEMERKENSWERTESTE REAKTION IHRES PUBLIKUMS?

Ich erinnere mich vor allem an den Kommentar eines Besuchers. Nachdem dieser die vielen Stecknadeln betrachtete, die sorgfältig in die Wände und Bäume eingefügt wurden und einen Kontrast zur fotografischen Darstellung darstellten, sagte er: „Das ist wie unser Leben. Es ist harte und schwere Arbeit, aber es ist wunderschön und fantastisch. Diese Arbeiten haben eine heilende Wirkung auf mich."

KANN KUNST UNSERE SICHTWEISE VERÄNDERN?

„Den Geist zu leeren, füllt die Seele." Ich möchte den inneren Schmerz moderner Menschen erfassen. Ich erhoffe mir für sie, dass sie wirkliche Freiheit erfahren, auch abseits der realen Wirklichkeit. Das ist in etwa so, als würde man davon träumen, selbst auf kleinstem Raum dahinsegeln zu können.

IN WHAT WAY IS YOUR ART EXTREME?

I worry about potential injury that might occur while I am producing my work or installing it. The pins that I'm using are very sharp and can easily hurt my staff or art handlers. It is always challenging to combine the physical installation and the video image. Also, nowadays there are occasional on-site installations for museum walls. Installation of my work can be difficult, especially when I'm given a short period of time. Thus, my work requires highly skilled assistants to complete a successful installation. It feels like a huge accomplishment afterwards.

WHAT ARE YOUR AMBITIONS?

I would like to give a time of mental healing to those who are experiencing difficulties in their lives, as I myself was healed through my work.

THE MOST REMARKABLE REACTION OF YOUR AUDIENCE?

I remember the direct words from an audience member's observation - that many pin-pointed pins are painstakingly embedded in the walls and trees that served as a direct contrast to a photographic image, saying, "This is like our life. It might be hard and painful work, but it's beautiful and fantastic. The work heals me."

CAN ART CHANGE THE WAY WE SEE THE WORLD?

"Emptying the mind is like filling the soul." I want to embrace the inner hurt of modern people. I hope for them to experience freedom in reality and behind reality, which is like dreaming about soaring even in limited space.

DAS ALTE NEU ERSCHAFFEN

RECREATE THE PAST

Realistische Miniaturwelten/
Realistic Miniature Worlds by Ali Alamedy

DIE GRÖSSE MEINER ARBEITEN IST MEIST 12-MAL KLEINER ALS DIE EIGENTLICHEN SZENERIEN. DAS KINDERZIMMER HIER UND DIE NEW YORKER STRASSE AUF DER NÄCHSTEN SEITE SIND SOGAR 24-MAL KLEINER ALS IHRE VORBILDER.

THE SIZE OF MY WORK IS MOSTLY 12 TIMES SMALLER THAN THE ACTUAL SCENES. THE KIDS ROOM HERE AND THE NY ALLEYWAY ON THE NEXT PAGE ARE EVEN 24 TIMES SMALLER THAN THEIR MODELS.

KREATIVES SCHAFFEN

Ich gestalte Miniatur-Szenerien, die so weit wie möglich wie reale Orte aussehen sollen. Dabei konzentriere ich mich auf jedes Detail, von der Herstellung der verschiedenen Objekte bis zum verwitterten Effekt, damit alles echt aussieht. Um das zu erreichen, arbeite ich mit vielen verschiedenen Werkstoffen wie beispielsweise Holz, Metall, Kunststoff, Ton etc. Jedes Material erfordert unterschiedliche Werkzeuge, auch das muss man wissen. Ich habe Jahre dafür gebraucht, und wahrscheinlich werde ich viele weitere Jahre benötigen. Der schwierigste Aspekt ist jedoch, dass jedes Material seinen ganz eigenen Charakter hat. Ich versuche, mir viel Zeit für jedes Material zu nehmen, um seinen Charakter entdecken und es gut bearbeiten zu können, ohne gegen das Material anzukämpfen.

VITA DES KÜNSTLERS

Geboren wurde ich in Kerbala, 100 km entfernt von Bagdad, Irak. Ich habe Regelungstechnik und EDV-Technik studiert, aber meine Leidenschaft für Kunst führte dazu, dass ich als Motion-Grafikdesigner sowie als Art Director in verschiedenen Städten wie Dubai, Kairo, Beirut oder Istanbul und schließlich Vollzeit als Miniaturen-Künstler arbeitete. Als Motion-Grafikdesigner und Art Director arbeitete ich in vielen arabischen Länder, wie z. B. den Vereinigten Arabischen Emiraten, Ägypten und dem Libanon. Nun lebe ich in der Türkei.

alialamedy@gmail.com

ARTIST'S VITA

I was born in Kerbala, 100 km from Baghdad, Iraq. I studied Control and Computer Engineering in college, but my passion for art led me to work as a motion graphic designer and art director in many capital cities like Dubai, Cairo, Beirut or Istanbul, and then a full time miniatures artist. I worked as a motion graphic designer and art director in many Arab countries like UAE, Egypt and Lebanon. Now I live in Turkey.

WORKS OF ART

I make miniature scenes that, as much as possible, look like real places, taking care of every detail in these scenes, from the making of each item to the weathering process, in order to give each item a real look. To do so, I need to work with many different materials such as wood, metal, plastic, clay, etc. Each material also has its own tools, another thing I should be aware of, and that took me years and I'm sure it needs many more years, but the hardest part is that each material has a different spirit and I try to spend enough time on each material so I can feel its spirit and work with it in a comfortable way.

INWIEFERN IST IHRE KUNST EXTREM?

Ich versuche, meine Miniaturen genau so zu erschaffen, wie sie auch im realen Leben hergestellt werden würden. Das macht den ganzen Prozess schwieriger – aber das Endergebnis ist umso realistischer. Ich glaube, das Wesentliche beim Gestalten von Miniaturen liegt nicht darin, etwas Schönes nachzubauen, sondern den Geist eines vergessenen Ortes oder einer vergangenen Zeit wieder aufleben zu lassen – und das funktioniert nur auf diese Weise.

DIE BEMERKENSWERTESTE REAKTION IHRES PUBLIKUMS?

Meine Arbeiten wurden in der Türkei ausgestellt und ein sehr junges Mädchen stand fast zehn Minuten direkt davor. Ich betrachtete sie die ganze Zeit, sie schaute sich alles fast ausdruckslos und ohne sich zu bewegen an, als ob sie an den realen Ort reisen würde. Dann schloss sie ihre Augen und ging. Ich habe noch nie in meinem Leben das gefühlt, was ich in diesem Moment fühlte, ein Gefühl, das ich nicht in Worte fassen kann, ich war so glücklich.

WAS SIND IHRE ZIELE?

Es gibt keine Grenzen für meine Bestrebungen und manchmal habe ich das Gefühl, dass ein Leben nicht ausreicht. Aber ich hoffe, in diesem Leben noch genug Zeit zu haben, den jüngeren Generationen so viel wie möglich aus der Vergangenheit näherzubringen.

KANN KUNST UNSERE SICHTWEISE VERÄNDERN?

Absolut. Kunst ist die Sprache der Seele, sie berührt unsere Seele und Gedanken, und wenn sie uns berührt, begeben wir uns an andere Orte, wir entdecken neue Gefühle, wir beginnen die Schönheit um uns herum zu verstehen, wir lernen die Schönheit dieses Planeten zu schätzen. Kunst ist die Botschaft des Friedens, der auf wunderbare Weise und weit entfernt von Gewalt erreicht werden kann.

VIELE MEINER MODELLE NEHMEN BEZUG AUF DAS VIKTORIANISCHE ZEITALTER, WIE HIER EIN KLEINES HEFT ODER DAS FOTOSTUDIO AUF SEITE 79.

MANY OF MY WORKS REFERS TO THE VICTORIAN ERA, LIKE THIS NOTEBOOK OR THE PHOTOGRAPHY STUDIO ON PAGE 79.

IN WHAT WAY IS YOUR ART EXTREME?

I try to make my miniatures in the same way that it could be done in a real life scale, that makes the process harder but it gives each item a more realistic look. I believe that the point of making miniature scenes is not only making something nice but to recreate the spirit of a forgotten place and time, and the only way to achieve it is by doing it in that way.

THE MOST REMARKABLE REACTION OF YOUR AUDIENCE?

My work was on show in Turkey, and a very young girl was standing right in front of my work for almost 10 minutes. I was looking at her the whole time, she was looking without any movement or expression, as if she traveled to the real place, and then she closed her eyes and left. Never in my whole life have I felt what I felt at that moment, an emotion that I will never be able to put into words. I was so happy.

WHAT ARE YOUR AMBITIONS?

There are no limits for my ambitions. Sometimes I feel that one lifetime isn't enough, but I hope I will have enough time in this life to show as much as possible of the past to the new generations.

CAN ART CHANGE THE WAY WE SEE THE WORLD?

Absolutely, art is the language of the soul, it touches our souls and minds and when we are touched, we are transported to other places, we will discover new feelings, we will understand the beauty of each thing around us, we will appreciate the beauty of our planet. Art is the message of peace, the peace that can be achieved in the most beautiful ways far away from violence.

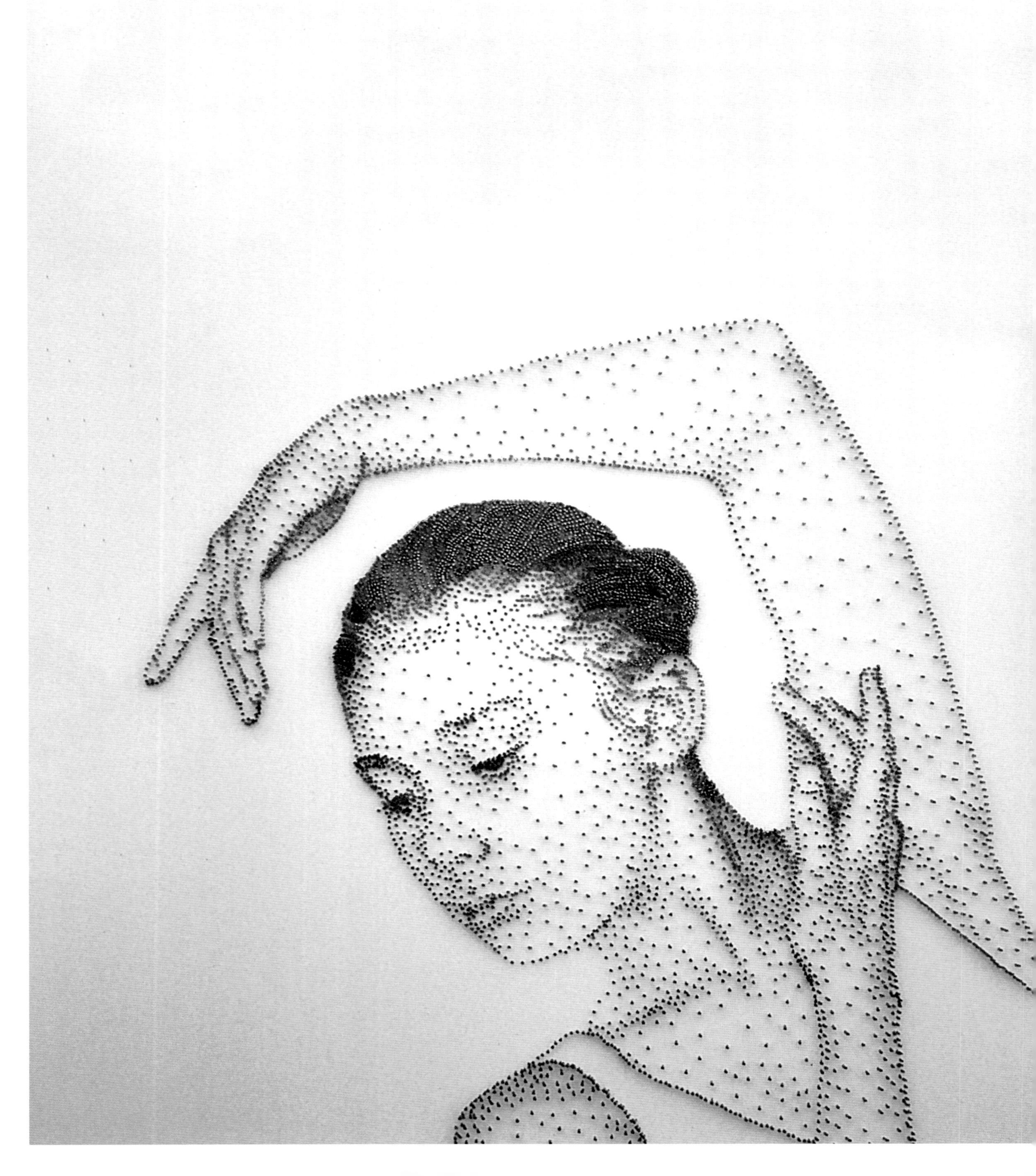

MIT HAMMER UND NAGEL
WITH HAMMER AND NAILS

Nagelskulpturen/
Nail Sculptures
by Marcus Levine

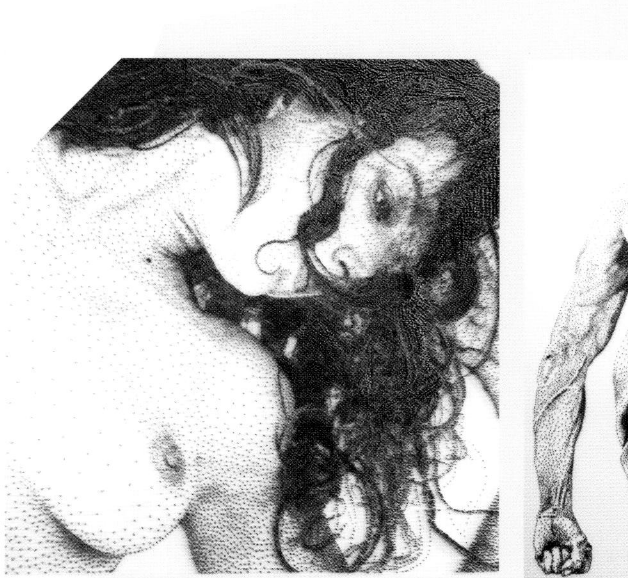

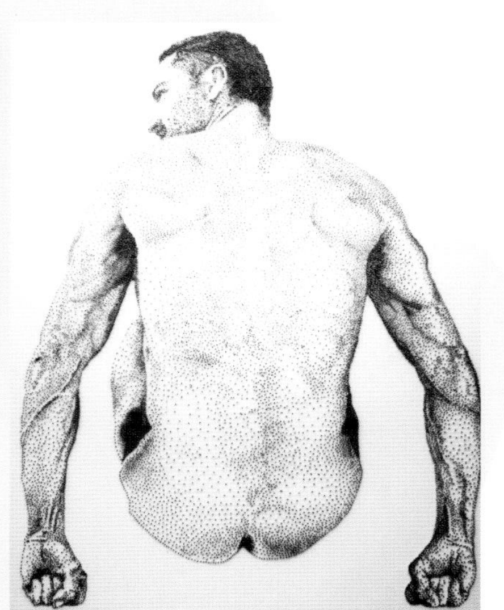

VITA DES KÜNSTLERS

Ich habe am Jacob Cramer Art College an der Seite von Damien Hurst studiert. Ein weiterer ehemaliger Schüler ist David Hockney. An der Cornwall Universität habe ich anschließend ein vierjähriges Bachelor-Kunststudium absolviert. Seit der Studentenzeit habe ich an dem Vorhaben festgehalten, mit Nägeln zu arbeiten. Als ich meine Wohnung in Budapest kaufte und beschloss, sie in eine Galerie umzuwandeln, hatte ich mit den 4,5 m hohen Decken große Wandflächen zur Verfügung, so entstand eine Nagelskulptur für die Wohnung. Das war 2004. Heute lebe und arbeite ich in Bradford, West Yorkshire.

KREATIVES SCHAFFEN

Ich fordere mich gern selbst heraus, und die Malerei langweilte mich. Ich dachte mir, wenn ich diesen harten, spitzen, kantigen Nagel verwenden kann, um die sanften Rundungen des menschlichen Körpers zu beschreiben, wäre das eine sehr beeindruckende Gegenüberstellung. Heute arbeite ich mit Nägeln aller Art. Inzwischen weiß ich, dass es viele verschiedene Arten von Nägeln gibt. Sehe ich einen Nagel, der mir gefällt, ist es ein Ansporn, diesen auf kreative Weise für etwas Neues zu verwenden.

enquiries@levine-art.co.uk
www.levine-art.co.uk

AUF DEN ERSTEN SEITEN SIND EINIGE STUDIEN ZU SEHEN: SEITE 82: „YVETTE STUDIE I“ (61 CM x 61 CM; YVETTE IST MEINE TOCHTER), SEITE 83 LINKS: „TAMÁS STUDIE IV“ (150 CM x 150 CM; EIN UNGARISCHES MODEL), RECHTS: „CHARLOTTE STUDIE IV“ (61 CM x 61 CM; ZEITGENÖSSISCHER TÄNZER UND REGIONALER TV-MODERATOR). UNTEN: AL PACINO ALS TONY MONTANA IN „SCARFACE“ (120 CM x 120 CM).

ON THE FIRST PAGES YOU CAN SEE SEVERAL STUDIES: PAGE 82: "YVETTE STUDY I" (61 CM x 61 CM; YVETTE IS MY DAUGHTER); PAGE 83 LEFT: "TAMÁS STUDY IV" (150 CM x 150 CM; HUNGARIAN MODEL); RIGHT: "CHARLOTTE STUDY" IV (61 CM x 61 CM; CONTEMPORARY DANCER AND REGIONAL TV PRESENTER). BELOW: AL PACINO AS TONY MONTANA IN "SCARFACE" (120 CM x 120 CM).

ARTIST'S VITA

I studied at Jacob Cramer Art College alongside Damien Hurst. Past alumni included David Hockney. I went on to do a four-year Bachelor of Arts degree at Cornwall University. I had held on to the idea of working with nails since my days as a student, but then I purchased the apartment in Budapest and I decided to turn it into a gallery. 4.5 m high ceilings gave me large walls to work with and I finally decided to create a nail sculpture for the apartment. This was back in 2004. Now I live and work in Bradford, West Yorkshire, UK.

WORKS OF ART

I like to challenge myself and I was simply bored with painting. I thought if I could use this hard, sharp, angular nail to describe the soft curves of the human torso, the juxtaposition would be very striking. Today I work with nails in all their forms. Since starting, I have learned that there are many different types of nails. If I see a nail that I like, it helps me to creatively look at using the nail to create something new.

IN WHAT WAY IS YOUR ART EXTREME?

My technique is incredibly time consuming. I devote a considerable part of every working day to my work. I do not consider the weekend to be any different to any other day of the week, and after having my evening meal, I will often go back to work.

INWIEFERN IST IHRE KUNST EXTREM?

Meine Technik ist unglaublich zeitintensiv. Ich verbringe einen Großteil des Tages mit meiner Arbeit. Dabei ist für mich das Wochenende ein Tag wie jeder andere Tag der Woche auch, und wenn ich zu Abend gegessen habe, gehe ich oft zurück an die Arbeit.

DIE BEMERKENSWERTESTE REAKTION IHRES PUBLIKUMS?

Die wohl schmeichelhafteste Reaktion war die Rückmeldung eines Kunden, der seine Partnerin mit einer Nagelskulptur überraschte und sie damit zu Tränen rührte. Kürzlich kaufte ein Sohn eine Nagelskulptur als Geschenk zum 80. Geburtstag seiner Mutter, und auch sie war tief gerührt.

KANN KUNST UNSERE SICHTWEISE VERÄNDERN?

Natürlich kann Kunst die Sichtweise verändern. Ich glaube, diese Frage ist längst abgehakt. Wenn man die Geschichte betrachtet, wurde Kunst seit Jahrtausenden in der Religion eingesetzt, um die Wahrnehmung der Menschen zu verändern. Sehr effektiv wurde Kunst eingesetzt, um die Politik eines Landes zu verändern. Aber dies ist nur eine Seite der Kunst. Die Sichtweise auf die Welt zu verändern, ist eine große Aufgabe für jeden bildenden Künstler, und es ist sehr befriedigend, ein Werk zu schaffen, dem das gelingt.

WAS SIND IHRE ZIELE?

Ich habe viele künstlerische Interessen und werde mich und die Grenzen meines Mediums weiter vorantreiben, jedoch auch weiterhin neue Medien ausprobieren. Erst durch das Experimentieren und das Annehmen gelegentlicher Fehler können wir lernen und die neue und noch zu erforschende Welt entdecken, die wir als bildende Kunst bezeichnen.

EIN PORTRÄT VON ALMANZOR, EINEM STUNT-PFERD FÜR FILM UND FERNSEHEN (80 CM x 60 CM).

A PORTRAIT OF ALMANZOR, A STUNT HORSE FOR FILM AND TV (80 CM x 60 CM).

THE MOST REMARKABLE REACTION OF YOUR AUDIENCE?

I think the most flattering thing to happen was hearing from a client who had surprised his partner with a nail sculpture and that it had reduced her to tears. Just recently a son bought one of my nail sculptures for his mother's 80th birthday and apparently she too became overcome with emotion.

CAN ART CHANGE THE WAY WE SEE THE WORLD?

Yes of course, art can change the way we see the world. I think this argument has long since been settled. Looking back through history, art has been used for thousands of years in religion to change people's perceptions. It has been used very effectively to help change a nation's politics. But this is just one side of art, to change the way we see the world is a big task for any visual artist and it is very satisfying if you create one work of art that truly achieves this.

WHAT ARE YOUR AMBITIONS?

I have many artistic interests and will continue to push myself and the boundaries of my medium. I will also continue to explore new mediums. It is only by experimenting and accepting the occasional failure that we grow and learn and discover the new and yet to be explored world that we call visual art.

FOOD WOOD

Realistische Holz-Lebensmittel/
Realistic Wooden Food by Seiji Kawasaki

VITA DES KÜNSTLERS

Ich wuchs in Numazu City in der Shizuoka Präfektur auf Honshū, Japan, auf. Nach dem Hochschulabschluss lebte ich zehn Jahre in Sendai in der Miyagi Präfektur. Ich habe keine akademische künstlerische Ausbildung. An der Tohoku Universität habe ich Bauingenieurwesen studiert und in meiner Schulzeit hatte ich Kunstunterricht. Vor drei Jahren habe ich mit dem Holzschnitzen begonnen. Damals hatte die Nichte eines Mitschülers eine Toastscheibe aus Holz geschnitzt. Es war nur ein Brett, und ich habe es ohne Erlaubnis bearbeitet. Nachdem ich es bei Twitter hochgeladen hatte, gab es viel Resonanz, und es wurde sogar im Fernsehen vorgestellt. Das war der Auslöser für mich, Esswaren aus Holz zu schnitzen.

KREATIVES SCHAFFEN

Ich schnitze alltägliche Esswaren aus Holz. Zunächst schnitze ich das Holz in Form, dann trage ich die Farben auf. Ich verwende Schnittholz und Treibholz. Das Holz wird mit der Säge geschnitten, mit Hammer und Meißel bekommt es eine grobe Form, anschließend erhält es feine Gravuren mithilfe des Schnitzmessers. Das Holz wird dann mit Schleifpapier bearbeitet, um der Oberfläche Struktur zu verleihen. Ich arbeite mit Acrylfarben in mehreren Schichten.

shiawasenahito@gmail.com
www.shiawasenahito.wordpress.com
www.instagram.com/seiji_kawasaki

OB SCHOKORIEGEL, GARNELE, CROISSANT ODER TOAST – ALLES SIEHT ZUM ANBEISSEN AUS.

WHETHER IT IS A CHOCOLATE BAR, A SHRIMP, A CROISSANT OR A TOAST – EVERYTHING LOOKS DELICIOUS.

ARTIST'S VITA

I grew up in Numazu City, Shizuoka Prefecture, Honshū, Japan. After college, I lived in Sendai city, Miyagi prefecture, for about ten years. I have not received a professional art education. I majored in civil engineering studies at Tohoku University. I attended art classes at primary school, junior high school and high school. I started wood carvings on my own three years ago. At that time, the niece of a junior high school student made a wood carving of a piece of toast for a school project. It was just a piece of board, so I modified it without permission. And when I uploaded it on Twitter, there were lots of reactions and it was featured on television and so on. After this incident, I started to produce wood carved food.

WORKS OF ART

I make everyday food from wood. First of all, I carve the wood, then I paint on the colors. I use sawn lumber, timber and driftwood. I cut the timber with a saw and roughly carve it out with a chisel and a mallet, and finely engrave it with a sculpture sword. Then I polish it with sandpaper to create a texture on the surface. I use acrylic paint for coloring. I paint and color it over and over.

DIE BEMERKENSWERTESTE REAKTION IHRES PUBLIKUMS?

Es ist schon eindrucksvoll, wenn sich der Gesichtsausdruck des Betrachters in dem Moment verändert, in dem er die Toastscheibe umdreht und auf der Unterseite das unbearbeitete Holz entdeckt. Und es ist beeindruckend zu hören, dass meine Kunst beim Betrachter ein angenehmes oder freudiges Gefühl auslöst. Großartig war es auch, als ich meine Arbeiten in sozialen Netzwerken präsentiert habe und Zehntausende den „Like-Button" anklickten. Ich war sehr erfreut, dass meine Werke daraufhin nicht nur in Japan, sondern in 22 Sprachen auf Websites auf der ganzen Welt geteilt wurden.

KANN KUNST UNSERE SICHTWEISE VERÄNDERN?

Ich bin der Meinung, dass Kunst es uns ermöglicht, die Welt mit etwas mehr Klarheit zu betrachten. Durch die Wertschätzung für ein Kunstwerk können sich uns neue Perspektiven eröffnen.

WAS SIND IHRE ZIELE?

Ich möchte ein weltbekannter Künstler werden. Zudem würde ich gerne nicht nur für meine Schnitzarbeiten wertgeschätzt werden, sondern auch für meine weiteren kreativen Werke.

NUR DIE RÜCKSEITE ZEIGT, DASS DIE CHILISCHOTEN AUF SEITE 86 NICHT ECHT SIND.

ONLY THE BACK SHOWS, THAT THE HOT PEPPERS FROM PAGE 86 AREN'T REAL.

THE MOST REMARKABLE REACTION OF YOUR AUDIENCE?

It is impressive to see the moment when the viewer's expressions change to amazement when turning over the carved piece of toast, and discovering the unprocessed wood. Besides, it is also impressive to hear that the viewer had a warm feeling or felt happy when he saw my work. It is also great that I introduced works on social networking services and tens of thousands clicked "like" on the posting. And I was delighted that it was featured not only in Japan, but also in more than 22 languages on websites in all over the world.

CAN ART CHANGE THE WAY WE SEE THE WORLD?

I think that art is a way to see the world more clearly. By experiencing an appreciation for art, people can gain new perspectives.

WHAT ARE YOUR AMBITIONS?

I would like to become a world famous artist. I would like to be recognized not only for wood carving, but for my other creative activities as well.

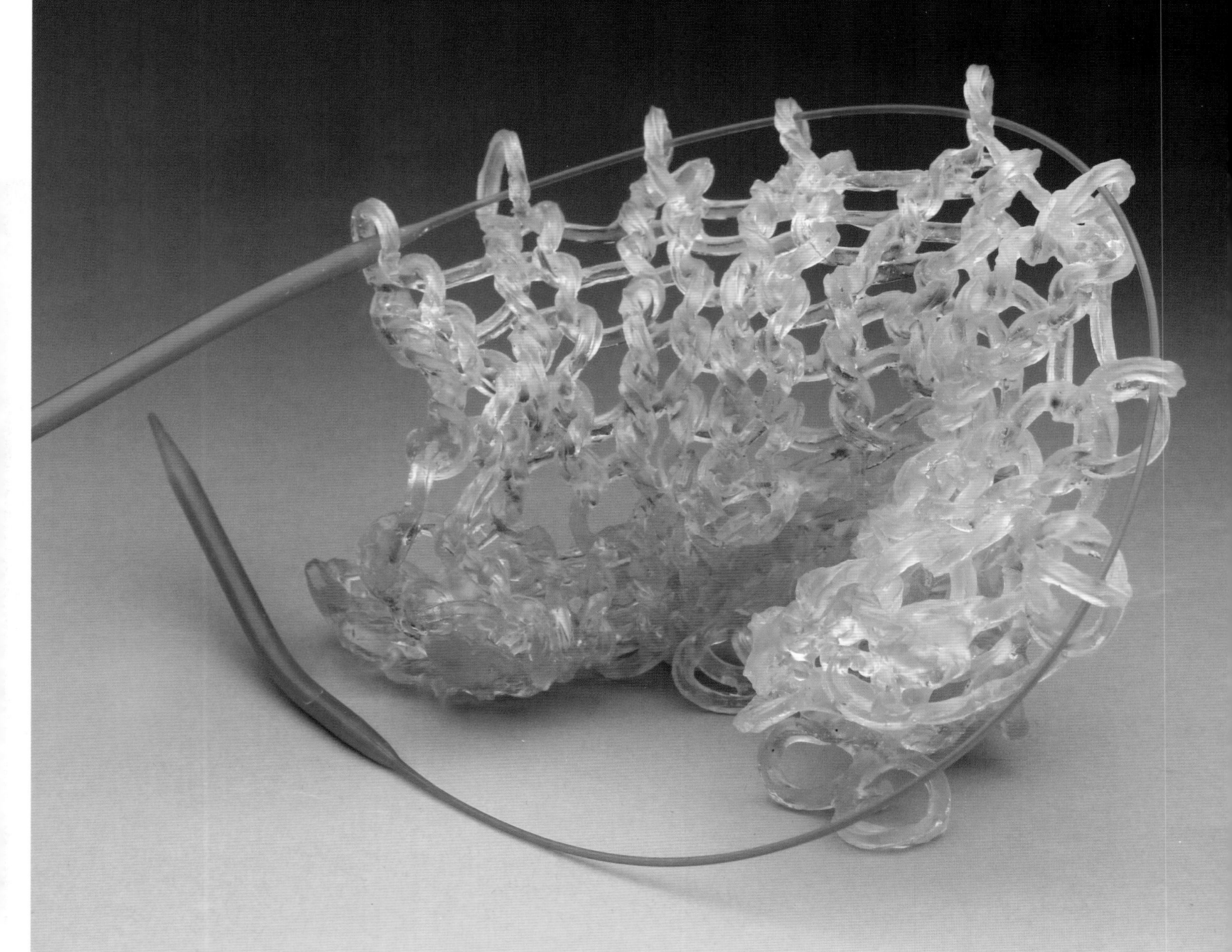

hart und weich
hard and soft

Glasstrickerei/
Glass Knitting by
Carol Milne

KREATIVES SCHAFFEN

Ich stricke mit Glas mithilfe des Wachs-Ausschmelzverfahrens. Dies ist ein Prozess mit mehreren Schritten, ähnlich dem Bronzegießen oder dem Schmuckguss. Die einzelnen Schritte sind: 1. Herstellung des Objektes aus Wachs. 2. Um das Wachs herum wird eine Gussform aus Gips und feuerfestem Material angefertigt. 3. Das Wachs wird aus der Gussform herausgeschmolzen, sodass das Wachs durch einen Hohlraum ersetzt wird. 4. Die Gussform kommt in den Ofen, geschmolzenes Glas wird eingefüllt und die Gussform wird langsam abgekühlt (das kann vier bis fünf Tage dauern). 5. Die Form wird aus dem Ofen genommen und die Gussform vom Glas entfernt, dabei wird die Gussform zerstört. 6. Das Glas wird mit Diamantwerkzeugen gereinigt, geglättet und fertiggestellt. Diese Technik habe ich 2006 entwickelt, oder zumindest bestehende Ausschmelzverfahren modifiziert, um meine drei Leidenschaften, das Stricken, die Bildhauerei und das Glas, miteinander kombinieren zu können.

VITA DER KÜNSTLERIN

Ich bin in Saint John, New Brunswick, Kanada, geboren und war als Heranwachsende ständig unterwegs: in Kanada, Deutschland und den USA (wir sind fast jedes Jahr umgezogen, die längste Zeit an einem Ort waren drei Jahre). Ich studierte Landwirtschaftsarchitektur in Guelph, Ontario, Kanada, Bildhauerei an der Universität von Iowa, USA, sowie das Glas am Pratt Fine Arts Center, einem Kunstzentrum in Seattle, Washington. Derzeit lebe und arbeite ich in Seattle.

carol@carolmilne.com | www.carolmilne.com

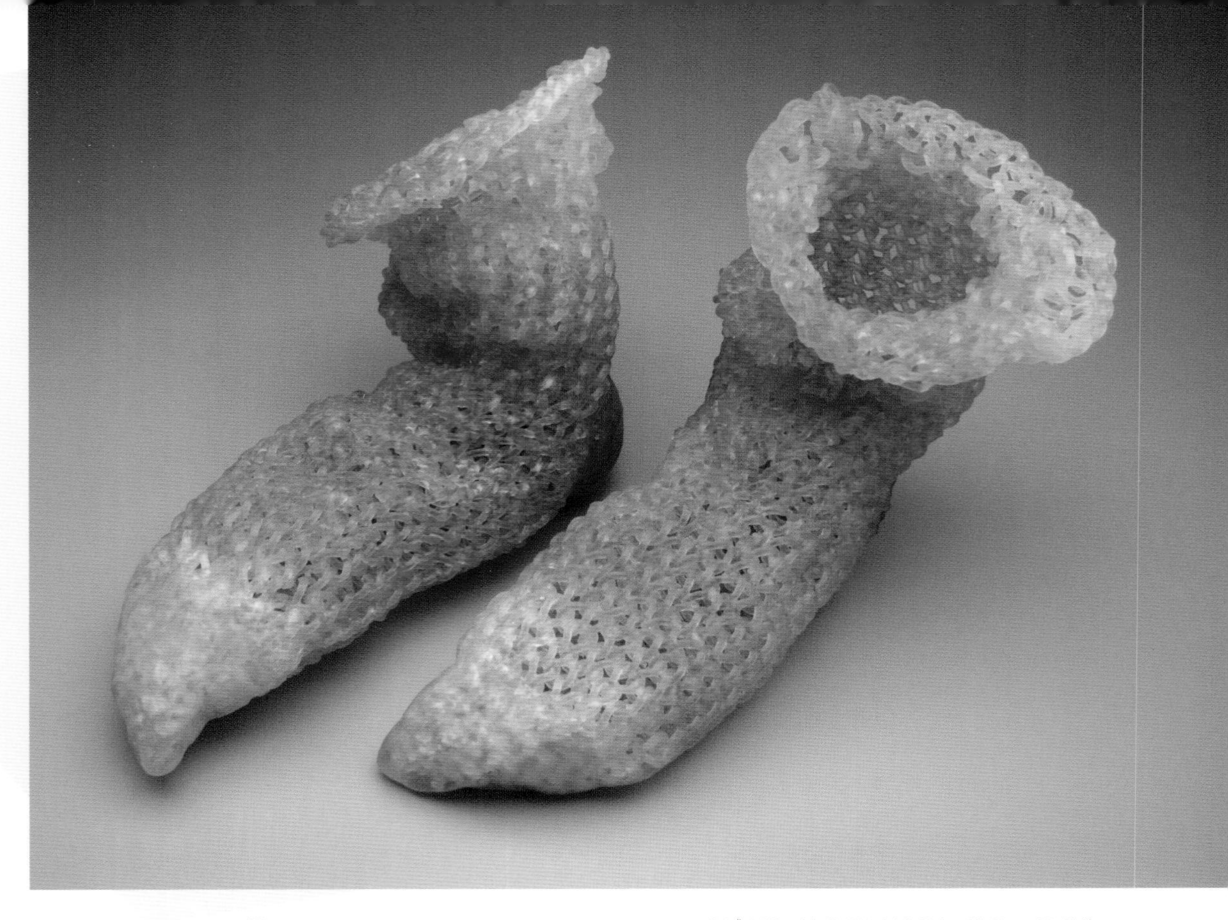

DIESE GLASSOCKEN ENTSPRECHEN DER DAMENGRÖSSE 40 (JEWEILS 18 CM x 15 CM x 31 CM).

THE KNITTED GLASS SOCKS ARE ABOUT A WOMEN'S SIZE 40 (18 CM x 15 CM x 31 CM EACH).

ARTIST'S VITA

I was born in Saint John, New Brunswick, Canada, and raised on the move in Canada, Germany and the US (moving nearly every year, with three years being the longest in any one place). I studied landscape architecture in Guelph, Ontario, Canada, sculpture at the University of Iowa, USA, and glass at Pratt Fine Arts Center in Seattle, WA. I live and work in Seattle.

WORKS OF ART

I knit with glass using the lost wax casting method. This is a multi-step process, very similar to bronze casting or jewelry casting. The steps are: 1. Make an object in wax. 2. Make a mold around the wax using plaster and heat-tolerant refractory material. 3. Melt the wax out of the mold, leaving an empty space in the mold where the wax had been. 4. Place the mold in a kiln, melt glass into the mold and cool the mold slowly (this takes four to five days). 5. Remove the mold from the kiln and remove mold material surrounding the glass. The mold is destroyed to reveal the glass piece. 6. Clean the glass using diamond tools to smooth and finish. I developed this technique in 2006, or at least modified existing lost wax casting procedures, to allow me to combine my three loves, knitting, sculpture and glass, into one.

INWIEFERN IST IHRE KUNST EXTREM?

Ich verwandle ein hartes Material - Glas - in ein flexibles.

DIE BEMERKENSWERTESTE REAKTION IHRES PUBLIKUMS?

Eine Frau erstarrte mit aufgerissenen Augen und offenem Mund vor einem meiner Werke. Nach einigen Minuten war sie endlich fähig, etwas zu sagen: „Das ist Glas? Oh mein Gott! Das ist Glas!"

WAS HAT SIE BESONDERS BEEINFLUSST?

Ich liebe die Arbeiten von Antonio Gaudí. Vermutlich hat seine Verwendung von Farben und Art-Nouveau-Formen meine Arbeit beeinflusst, jedoch nicht direkt. Meine stärksten Einflussfaktoren sind sicherlich der Alltag und aktuelle Geschehnisse.

KANN KUNST UNSERE SICHTWEISE VERÄNDERN?

Ja, aber zuerst muss die Kunst uns dazu bringen, wirklich hinzuschauen. Die meisten Menschen vereinfachen ihre Sinneseindrücke, indem sie diese in Schubladen packen. „Das ist ein Tisch. Das ist eine Katze. Hier ist eine Tomate." Findet sich jedoch keine passende Schublade, müssen sie ein Objekt genau betrachten, um es wirklich wahrzunehmen. Kunst kann vielleicht nicht unsere Meinung über die Welt verändern, aber sie ist ein wahres Geschenk, wenn sie uns dazu bringt, innezuhalten und uns Zeit zu nehmen, unser Schubladendenken infrage zustellen.

WAS SIND IHRE ZIELE?

Ich will überraschen und Freude bereiten, und zwar mit Humor, Strickerei und Gegenüberstellung. Dabei stelle ich hart und weich, funktional und dysfunktional nebeneinander. Ich spiele mit Erwartung und Überraschung. Wenn ich mich dabei selbst überrasche, weiß ich, dass ich erfolgreich war. Weiter geht's! Es gilt, neue Fähigkeiten zu erlernen, den Status Quo zu hinterfragen und Materialien an ihre Grenzen zu bringen.

ES DAUERT MINDESTENS DREI WOCHEN UND MEHRERE ARBEITSSCHRITTE, UM EIN KLEINES OBJEKT HERZUSTELLEN. HIER EINE GROSSAUFNAHME VON EINER MEINER STRICKARBEITEN.

IT TAKES A MINIMUM OF THREE WEEKS AND SEVERAL STEPS TO COMPLETE A SMALL PIECE. HERE A CLOSE UP OF KNITTED GLASS.

IN WHAT WAY IS YOUR ART EXTREME?

I make a hard material - glass - appear to be flexible.

THE MOST REMARKABLE REACTION OF YOUR AUDIENCE?

One woman froze, wide-eyed, mouth gaping, in front of my work. After a few minutes, she was finally able to speak. "That's glass? OMG! That's glass!"

WHAT INFLUENCED YOU IN A SPECIAL WAY?

I love the work of Antonio Gaudí. I suspect his use of color and art nouveau forms influence my work, but not directly. My strongest influences are everyday domestic life and current events.

CAN ART CHANGE THE WAY WE SEE THE WORLD?

Yes. But first it needs to get us to actually see. Most people simplify their sensory input by using labels. "There's a table. That's a cat. Here's a tomato." But when people don't have a label that fits, they really have to deeply observe an object, to truly see it. Art might not change our opinion about the world, but it is a true gift when it causes us to stop and take the time to challenge our pre-conceived labels.

WHAT ARE YOUR AMBITIONS?

My ambition is to surprise and delight with humor, knitting, and juxtaposition. I contrast hard and soft, functional and dysfunctional. I play with expectation and surprise. I know I've succeeded when I surprise myself. Onward! As I learn new skills, question the status quo, and push materials to new extremes.

DER KLEINSTE ZUG DER WELT

THE TINIEST TRAIN ON RAILS

Geschnitzte Stifte/
Pencil Carving
by Cindy Chinn

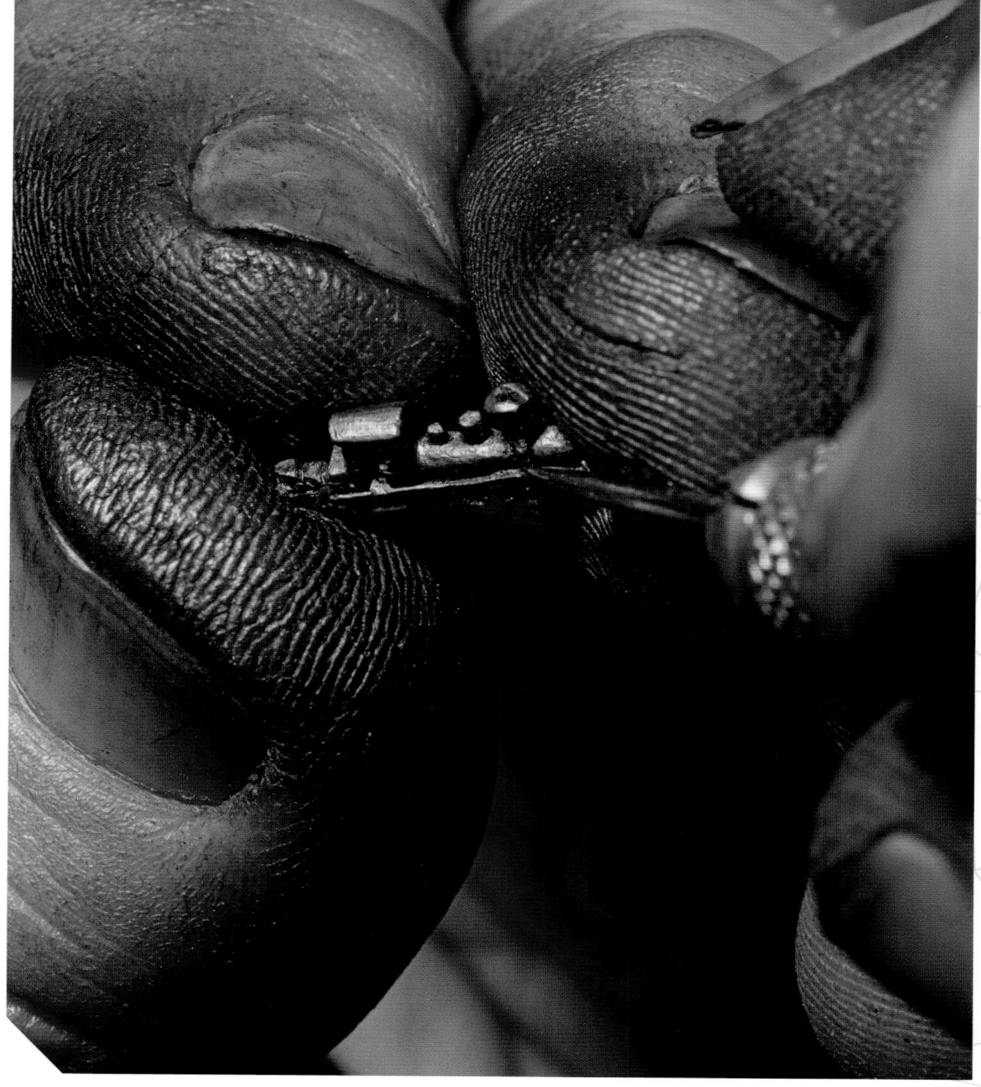

DER GARTEN LINKS BESTEHT KOMPLETT AUS BLEI- UND BUNTSTIFTEN. DIE BLÄTTER SIND AUS SÄGESPÄNEN.

THE GARDEN ON THE LEFT IS TOTALLY MADE FROM PENCILS AND CRAYONS, WITH WOOD SHAVINGS FOR THE LEAVES.

VITA DER KÜNSTLERIN

Ich habe Bildhauerei und Grafik an der Kunstakademie in San Francisco, Malen und Zeichnen an der Hayward State University und Schmuckdesign und Bildhauerei an der San Francisco State University studiert. Der Großteil meiner Ausbildung und Erfahrung ist allerdings meiner Furchtlosigkeit und meinem kreativen Wissensdurst geschuldet. Ich lebe in Chester im US-Bundesstaat Nebraska, einem kleinen Ort mit 236 Einwohnern, wo ich das ehemalige Schulgebäude gekauft habe. Ich bin jetzt zehn Jahre hier, seit meinem Umzug von Las Vegas, Nevada. Ich habe elf verschiedene Ateliers für verschiedene Kunstrichtungen eingerichtet – von Wandmalerei über Metallkunst bis hin zu Miniatur-Bildhauerei und darüber hinaus. Hier arbeite ich und kreiere verschiedene Dinge aus unterschiedlichen Werkstoffen.

KREATIVES SCHAFFEN

Miniaturen haben mich schon immer fasziniert. Zwar arbeite ich mit verschiedenen Medien, aber ich kehre immer wieder zu den kleinen Kreationen zurück. Mit den Bleistiftminen wurde es kleiner als je zuvor. Ich bin eine detailverliebte Künstlerin und mag es, an die Grenzen zu gehen. Daher ist eine Bleistiftmine das perfekte Medium für diese Vorliebe meines kreativen Geistes. Aus herkömmlichen Bleistiften und Grafitminen stelle ich filigrane Szenerien her, die eine Geschichte erzählen. Ich verwende ein 90x-Mikroskop mit Diotprienausgleich, um während des Schnitzens jedes Detail deutlich zu sehen. Da meine Arbeiten so winzig sind, ist es unmöglich, spezielles Werkzeug zu finden. Daher habe ich damit begonnen, mein eigenes Werkzeug aus neu geformten Ahlen und Nadeln herzustellen.

Cindy@CindyChinn.com | www.CindyChinn.com

DER TRAKTOR, DER LINKS AUS DEM BLEISTIFT KOMMT, WURDE AUS EINER 4 MM DICKEN MINE GEMACHT. DER ELEFANT RECHTS HAT DIE MASSE 4,76 MM x 6,35 MM.

THE TRACTOR COMING OUT OF THE END OF THE PENCIL ON THE LEFT IS CARVED FROM A 4 MM LEAD. THE ELEPHANT ON THE RIGHT IS 4.76 MM x 6.35 MM.

ARTIST'S VITA

I studied sculpture and graphics at the Academy of Art in San Francisco, painting and drawing at Hayward State University and jewelry and sculpture at the San Francisco State University. Though most of my training and experience comes from lack of fear and thirst for creative knowledge. I live in Chester, Nebraska, a small village of 236 people, where I bought the former school. I have been here 10 years, moving from Las Vegas, NV. I have 11 studios set up for specialized mediums from murals to metal art to miniature sculpture and beyond. This is where I work, creating a variety of things in a variety of mediums.

WORKS OF ART

I have always been intrigued by miniatures. And though I work in many mediums, I always come back to creating small. And with pencil lead, I have gone even smaller than I have previously. I am a detail-oriented artist and I like to 'push' the limits, so carving a pencil lead is the perfect medium for that part of my creative mind. Using standard pencils and graphite leads, I like to create intricate scenes that tell a story. I use a 90x diopter microscope to see detail clearly as I carve. Because what I do is so small, finding specialized tools is impossible. I have started making my own from reshaped awls and needles.

IN WHAT WAY IS YOUR ART EXTREME?

Graphite is soft and brittle at the same time. It scars easily and can break with a breath. Or fly away with the slightest static. I have spent hours on something, then have it fly away in the blink of an eye, never to be seen again. The challenge is to have a soft hand and to know when to stop pushing the medium to its limit.

INWIEFERN IST IHRE KUNST EXTREM?

Grafit ist weich, aber gleichzeitig auch sehr brüchig. Es verschrammt schnell und kann schon durch einen Atemhauch zerbrechen. Oder es fliegt bereits bei geringer Reibungselektrizität davon. Ich habe schon einmal Stunden an etwas gearbeitet, und mit einem Lidschlag ist es davon geflogen, auf Nimmerwiedersehen. Die Herausforderung ist, mit sanfter Hand zu arbeiten und zu wissen, wann die Grenzen des Mediums erreicht sind.

DIE BEMERKENSWERTESTE REAKTION IHRES PUBLIKUMS?

Ich merke jedes Mal, dass jemand das Gesehene nicht begreift, wenn derjenige eine meiner geschnitzten Eisenbahnen anschaut, mit Speichen an den Rädern und Nieten am Tank, und sagt: „... das ist nett" und dann weitergeht. In der Regel ist das eine Reaktion des Zweifelns: Die Betrachter möchten überzeugt werden, dass ich es wirklich mit meinen eigenen Händen geschnitzt habe.

KANN KUNST UNSERE SICHTWEISE VERÄNDERN?

Ich verändere mich jeden Tag durch die Kreativität anderer. Ich wiederum habe durch meine Kunst die Art und Weise verändert, wie Menschen Dinge sehen. Jedesmal, wenn jemand Kreativität in irgendeiner Form erfährt, kann er oder sie die Dinge auf eine Weise sehen, die er oder sie sich nie ausgemalt hätte. Ich glaube daran, denn darum geht es in der Kunst. Die Betrachter meiner Kunst werden nie wieder einen Bleistift betrachten, ohne sich Gedanken darüber zu machen, was daraus entstehen könnte.

WAS HAT SIE BESONDERS BEEINFLUSST?

Ich entdecke in allem etwas Inspirierendes. Ich neige bei meiner Kunst zur Zweckentfremdung, also zur Verwandlung eines alltäglichen Gegenstandes in ein einzigartiges Kunstobjekt, beispielsweise einem ganz normalen Bleistift eine neue Geschichte zu geben.

WAS SIND IHRE ZIELE?

Ich habe einige Bleistifte mit beweglichen Teilen geschnitzt oder solche, die mit beweglichen Teilen interagieren. Ich würde gerne mehr dieser Designs anfertigen. Außerdem habe ich einige Ideen für Szenerien aus mehreren Bleistiften, die dann eine Geschichte erzählen.

THE MOST REMARKABLE REACTION OF YOUR AUDIENCE?

I can always tell when someone doesn't understand what they are looking at when they see one of my carved trains, with spokes on the wheels and rivets in the tank, and they say: "... that's nice", then walk away. Generally, the reaction is of disbelief and they want to be convinced that I actually carved it with my own hands.

CAN ART CHANGE THE WAY WE SEE THE WORLD?

I am changed daily by the creativity of others. And in turn, I have changed the way people see things through my artwork. And every time someone experiences creativity in any form, they are able to see differently in a way that they may never have imagined. I believe that, that is what art is all about. You will never see a pencil again without thinking about what it could be.

WHAT INFLUENCED YOU IN A SPECIAL WAY?

I find inspiration in everything. I tend to repurpose in my art, taking an ordinary disregarded object and turning it into a unique work of art. Like taking an ordinary pencil and giving it a new story.

WHAT ARE YOUR AMBITIONS?

I have carved a few pencils that have motion or interaction with movable parts. I would like to do more designs of that nature. Also, I have several ideas for multi- pencil scenes that tell a story.

BEST DRESSED

Marmorkleider/Marble Dresses by Alasdair Thomson

VITA DES KÜNSTLERS

Ich habe einen Abschluss in Kunstgeschichte von der Universität Edinburgh (Studienabschluss 2004). Daneben habe ich ein Diplom in Bildhauerei von der Scuola Edile, Siena, Italien (Studienabschluss 2010). Heute lebe und arbeite ich in Edinburgh, Schottland.

KREATIVES SCHAFFEN

Als mein Interesse für die Bildhauerei geweckt wurde, war Stein das erste Material, zu dem ich Zugang hatte. So bildete Stein die Basis meiner ersten Erfahrungen bei der Kreation von dreidimensionalen Objekten. Ich bin unendlich fasziniert von der Art und Weise, wie ein Stoff fällt, sich faltet und hängt. Deshalb versuche ich, diese Geschmeidigkeit und Eleganz in Marmor einzufangen. Ich arbeite hauptsächlich mit italienischem Marmor aus Carrara, aber ich schätze viele Marmorarten, darunter auch schottischen Marmor. Hauptsächlich verwende ich weißen Carrara-Marmor, da seine zarte Marmorisierung den Betrachter nicht von der Skulptur ablenkt, die ich präsentieren möchte. Ich arbeite mit Elektrowerkzeugen und Presslufthammern, um schnell größere Mengen Material zu entfernen. Bei der Gestaltung der finalen Form gibt es jedoch keinen Ersatz für Handwerkzeuge.

alasdair.c.thomson@gmail.com
www.alasdairctthomson.com

INWIEFERN IST IHRE KUNST EXTREM?

Bei einem Fehler gibt es kein Zurück. Zu viel abgetragenes Material ist für immer verloren. Eventuell kann man das Design anpassen und das Objekt so retten, doch manchmal wird durch eine Fehlkalkulation der Maße eine ganze Skulptur ruiniert, und das kann schon sehr entmutigend sein.

MEINE ARBEITEN HABEN STETS EINE ÜBERSCHAUBARE GRÖSSE, DENN ICH MÖCHTE, DASS DIE KÄUFER DAMIT LEBEN, UMGEHEN UND INTERAGIEREN KÖNNEN.

MY WORK IS ALWAYS OF A MANAGEABLE SIZE BECAUSE I WANT THE PEOPLE WHO BUY IT TO BE ABLE TO LIVE WITH IT, HANDLE IT AND INTERACT WITH IT IN THEIR HOMES.

WAS HAT SIE BESONDERS BEEINFLUSST?

Meine Arbeit wird stark von der Bildhauerei der Renaissance, aber auch von der Bildhauerei des Klassizismus beinflusst.

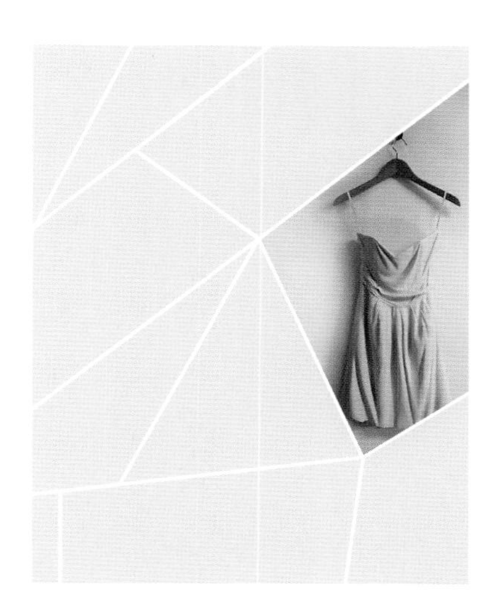

ARTIST'S VITA

I have a degree in Art History from the University of Edinburgh, graduating in 2004. And a diploma in Sculpture from The Scuola Edile, Siena, Italy, graduating in 2010. Today I live and work in Edinburgh, Scotland.

WORKS OF ART

When I became interested in sculpture, stone was the first material that I was given access to, and therefore formed the basis of my initial experience of creating three-dimensional objects. I am endlessly fascinated by the way fabric falls, folds and hangs, and I try to capture that softness and elegance in marble. I mostly work with Italian marble from Carrara, but have a fondness for many types of marble, including Scottish marble. I predominantly use white Carrara marble, because its subtle veins of color will not distract the viewer from the sculpture that I am trying to present to them.

IN WHAT WAY IS YOUR ART EXTREME?

There is no way back if you get something wrong. If you remove too much material, it's gone forever. You may have to adapt the design in order to save the piece, but sometimes an entire sculpture is lost because of a miscalculation of measurements, and that can be very disheartening.

WHAT INFLUENCED YOU IN A SPECIAL WAY?

My work is heavily influenced by the sculpture of the Renaissance and that of Classicism.

DIE BEMERKENSWERTESTE REAKTION IHRES PUBLIKUMS?

Ich freue mich immer über die Reaktion, wenn dem Betrachter bewusst wird, dass meine Arbeiten aus Stein gearbeitet sind. Am meisten Freude bereitet mir jedoch das Anfertigen individueller Skulpturen mit einem persönlichen und bedeutungsvollen Design für einzelne Personen. Es ist aufregend und auch befriedigend, einem Menschen eine Skulptur zu übergeben, die sich als Teil seines Lebens in sein Zuhause einfügen wird.

WAS SIND IHRE ZIELE?

Ich bin erst am Anfang meiner künstlerischen Karriere. Meiner Meinung nach habe ich bislang gute Arbeiten geschaffen, und allmählich wächst das Vertrauen in das Material. Mein Vertrauen in mich als Künstler muss jedoch auch noch wachsen. Betrachte ich Arbeiten von zeitgenössischen Künstlern und Bildhauern, die ich schätze, dann sehe ich, dass ich noch einen langen Weg vor mir habe, und das ist eine Herausforderung, auf die ich mich sehr freue.

ES WAR MEIN STUDIUM DER ITALIENISCHEN RENAISSANCE, DAS MEIN INTERESSE FÜR DIE STEINBILDHAUEREI GEWECKT HAT.

IT WAS MY STUDIES OF THE ITALIAN RENAISSANCE FOR MY DEGREE THAT SPARKED MY INTEREST IN STONE CARVING.

THE MOST REMARKABLE REACTION OF YOUR AUDIENCE?

I always enjoy seeing the public's reaction upon them realizing that my work is made of stone. But what I enjoy most is making specific pieces for individuals, designed to be personal and meaningful. It is exciting and immensely rewarding to present people with sculptures which will become part of the fabric of their home.

WHAT ARE YOUR AMBITIONS?

I am just at the very start of my career. I feel like I have made some good work so far and am beginning to develop a confidence in the material, but I am only beginning to find my feet as an artist. When I look at the work being produced by my contemporaries and by other sculptors that I admire, I realize that I still have some way to go in achieving this, and that is a challenge that I look forward to immensely.

CAN ART CHANGE THE WAY WE SEE THE WORLD?

Art is sometimes seen as an elitist endeavour, or perhaps alienating to the viewer if its concept is too abstract. Whilst these things might be true, art can very much be accessible to people, something that draws people in and brings people together. Art can transcend language, culture and religion, and whilst these things might be required to understand an artwork fully, none of these are required to appreciate it. Art encourages us to embrace our own creativity and to search for new ideas or modes of expression, and in our ever changing world, fraught with unrest and uncertainty, art can be a means of communication, a way of making a statement or one's views known, and a way of approaching contemporary issues that is both direct and inclusive.

KANN KUNST UNSERE SICHTWEISE VERÄNDERN?

Kunst wird manchmal als elitäres Unterfangen betrachtet, oder es entfremdet den Betrachter, wenn das Konzept zu abstrakt ist. Das ist zwar richtig, doch kann Kunst für die Menschen auch sehr zugänglich sein, etwas, das die Menschen anzieht und Menschen zusammenbringt. Kunst kann Sprachbarrieren, Kulturen und Religionen überwinden, und während diese Dinge vielleicht notwendig sind, um ein Kunstwerk wirklich zu verstehen, ist wiederum keines dieser Dinge erforderlich, um das Kunstwerk wertzuschätzen. Kunst ermutigt uns, die eigene Kreativität anzunehmen, nach neuen Ideen oder Ausdrucksformen zu suchen. Und in unserer sich ständig wandelnden Welt, die durch Unruhen und Unsicherheiten belastet wird, kann Kunst auch eine Form der Kommunikation darstellen, eine Art und Weise, ein Statement abzugeben oder die eigenen Gedanken zu verkünden, ein Ansatz, aktuelle Themen direkt und umfassend anzugehen.

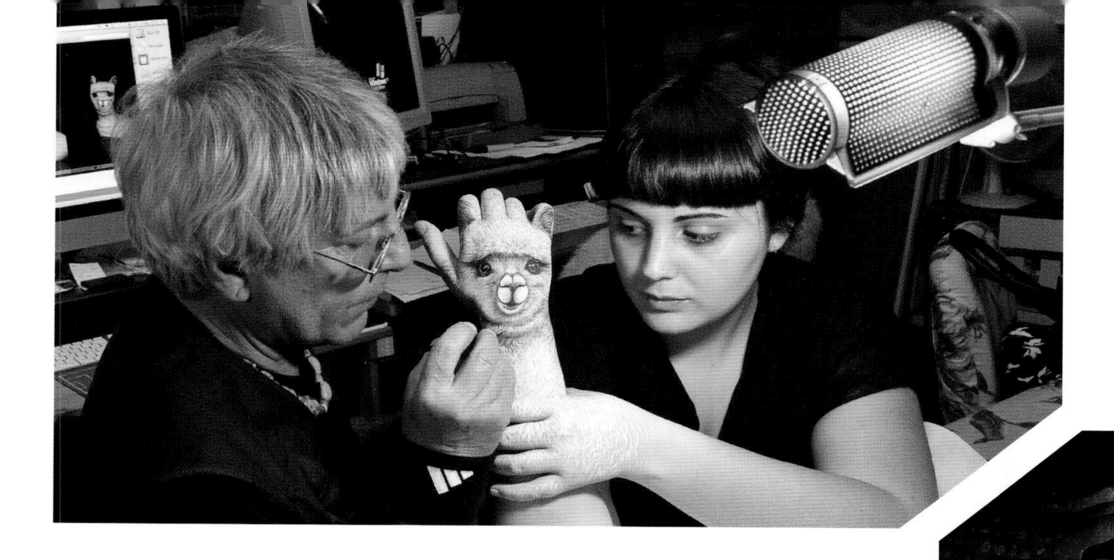

info@guidodaniele.com
www.guidodaniele.com

VITA DES KÜNSTLERS

Ich wurde in Soverato in der Provinz Catanzaro geboren, einer kleinen Stadt am Meer in Süditalien. Als ich zwei Jahre alt war, zog meine Familie nach Mailand, Italien. Dort lebe ich bis heute. Ich habe Bildhauerei an der Kunstakademie Brera in Mailand studiert.

KREATIVES SCHAFFEN

Seit 1990 arbeite ich mit der Bodypainting-Technik, um Körper zu erschaffen und zu bemalen – sei es für Werbebilder oder -filme, Fashionevents oder Ausstellungen. Dafür verwende ich hypoallergene Make-up-Farben. Im Jahr 2000 habe ich damit begonnen, menschliche Hände in sogenannte Handimals zu verwandeln, hyperrealistische Tierporträts. Meine „Handimals"-Serie mit über 77 detailreichen Tierbildern auf Händen zieht seitdem ein großes öffentliches Interesse auf sich. Ich bin aber nicht nur ein naturalistischer Maler, sondern auch ein leidenschaftlicher Naturliebhaber und Umweltschützer. Meine weltweit bekannten Werke sind ein Beitrag zur Unterstützung der Natur. Mein Weg, für den Planeten Erde Alarm zu schlagen, führt über die Kunst. Mein Mittel sind meine Hände, sie erschaffen und sie malen.

WILDE TIERE ZUM GREIFEN NAH

WILD ANIMALS WITHIN ONE'S REACH

Handpainting by
Guido Daniele

INWIEFERN IST IHRE KUNST EXTREM?

Hände mit sehr vielen Details zu bemalen, ist wie das Malen einer Miniatur.

DIE BEMERKENSWERTESTE REAKTION IHRES PUBLIKUMS?

Wenn Kinder oder ältere Menschen, die keinen akademischen Hintergrund haben, erklären: „Ich liebe Ihre Arbeiten, ich habe noch nie zuvor derartige Bilder gesehen. Danke, dass Sie das für uns machen!"

MIT MEINER TECHNIK KANN ICH HÄNDE IN JEDES NUR DENKBARE WESEN VERWANDELN, VOM WANDERFALKEN UND LEGUAN ÜBER DEN ELEFANTEN BIS HIN ZUR KÖNIGSPYTHON.

WITH MY TECHNIQUE I CAN SHAPE HANDS INTO ALL MANNER OF CREATURES, FROM PILGRIM HAWK AND IGUANA TO ELEPHANT AND ROYAL PYTHON.

KANN KUNST UNSERE SICHTWEISE VERÄNDERN?

Wenn Kunst „KUNST" ist, fördert sie die Fantasie der Menschen und erlaubt ihnen, mittels des visuellen Sinns Freude zu empfinden. Genau wie Musik für die Ohren, als ob alles schön und positiv wäre ... ich hasse Negativität, Gewalt.

WAS SIND IHRE ZIELE?

Mein Ziel ist es, das Malen auch komplizierter Motive, in allen Techniken und Dimensionen, zu erlernen. Ich möchte malen, bis ich sterbe. Ich wünsche mir, dass meine Bilder in Museen ausgestellt werden, sodass in Zukunft jeder sie betrachten kann.

KEINE ANGST: DIESE PYTHON SIEHT ZWAR LEBENSECHT AUS, IST ABER IM WAHRSTEN SINNE DES WORTES HANDZAHM.

NEVER FEAR: THIS PYTHON LOOKS TRUE-TO-LIFE, BUT SHE IS TOTALLY TAME.

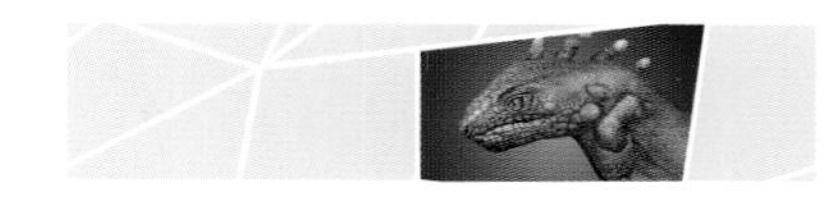

ARTIST'S VITA

I was born in Soverato, a small Italian village at the sea in Calabria (Southern Italy). When I was two years old, my family moved to Milan (Northern Italy), where I still live today. I studied sculpture at the Brera Academy of Art in Milan.

WORKS OF ART

Since 1990 I am using the body painting technique to create and paint bodies for different situations such as advertising pictures and commercials, fashion events and exhibitions. I use hypoallergenic make-up colors. In 2000 I began to transform human hands into "Handimals", hyper-realistic animal portraits. My "Handimals" series, consisting of 77 highly detailed animals painted onto hands, has attracted great international interest. But I'm not only a naturalistic painter, but a passionate nature lover and an environmental activist. My artworks, which have become popular all over the world, are a contribution to support nature. My way of calling attention to planet earth is art. My medium are my hands, they create and they paint.

IN WHAT WAY IS YOUR ART EXTREME?

To paint on hands with many details is like painting a miniature.

THE MOST REMARKABLE REACTION OF YOUR AUDIENCE?

When children or old country people without "academic-background" say: "I love your work, I've never seen paintings like this before, thank you for doing this for us!"

CAN ART CHANGE THE WAY WE SEE THE WORLD?

When art is "ART", it increases the imagination of all people and helps them to feel pleasure through the eyes, like music for the ears, everything is nice and positive ... I hate negativity and violence.

WHAT ARE YOUR AMBITIONS?

My ambition is to learn how to paint more difficult subjects in every technique and dimension. I would love to paint until I die. I hope that my paintings will be shown in museums and that everyone will see them in the future.

ARTWORKS CARVED INTO NATURALLY FALLEN LEAVES

KUNSTWERKE IN LAUB GESCHNITTEN

Laubschnitt/
Leaf Cutting
by Omid Asadi

VITA DES KÜNSTLERS

Ich bin im Iran geboren und dort auch aufgewachsen. Meine künstlerische Ausbildung begann in Manchester, England, wo ich auch heute lebe. Ich erinnere mich, dass wir im Jahr 2012 Blätter sammelten und sie als Wanddekoration verwendeten. Eines Tages betrachtete ich sie, entdeckte ihre verborgene Seite und wollte ihnen neues Leben einhauchen, sie wieder zum Leben erwecken. Das war mein Aha-Moment.

KREATIVES SCHAFFEN

Meine Technik ist das Schneiden und Schnitzen mit einem Cuttermesser und einer Nadel. Mein Hauptwerkstoff sind Blätter, die ich sehr faszinierend finde. Jedes Blatt hat seinen ganz eigenen Charakter, seine eigene Farbe, Form und Größe. Jedes Blatt sieht wunderschön aus. Blätter erinnern mich immer wieder daran, dass wir so viele Dinge um uns herum gar nicht sehen. Wir schauen sie vielleicht an, aber wir nehmen sie nicht wahr. Es gibt so vieles um uns herum, einfache Dinge vielleicht, die doch unser Leben oder das anderer verändern können. Ein Beispiel dafür sind Äpfel: Über Tausende von Jahren hinweg fielen Äpfel von den Bäumen, aber Isaac Newton schaute genauer hin – dieser Moment hat die Welt verändert.

DIESES WERK NENNT SICH „DIE KUTSCHE". DAS WERK AUF SEITE 108 HEISST „ZUSAMMENHALT" (BEIDE 50 CM x 40 CM MIT RAHMEN). DAS WERK RECHTS TRÄGT DEN TITEL „HERBST" (70 CM x 60 CM MIT RAHMEN).

THIS WORK IS CALLED "CARRIAGE". THE WORK ON PAGE 108 IS NAMED "SOLIDARITY" (BOTH 50 CM x 40 CM WITH FRAME). THE WORK ON THE RIGHT IS TITLED "AUTUMN" (70 CM x 60 CM WITH FRAME).

ARTIST'S VITA

I was born in Iran and raised there. I started my art education in Manchester/UK, were I still live. I remember in 2012 we collected leaves and started to use them as part of our wall decoration. One day I was looking at them and saw something in them. I wanted to give them another life; make them come alive again. This was my light bulb moment.

WORKS OF ART

My technique is cutting and carving by craft knife and needle. My main material is actually leaves; they are very interesting to me. Each of them has their own identity, they have different colors, shapes and sizes. They look very beautiful. Leaves remind me of the fact that there are many things around us we don't see. We might look at something, but don't see. I believe there are many things around us and they may look very simple, but they can change our life or that of others. For example, for thousands of years apples had fallen from trees, but when Isaac Newton experienced that, it was a moment that changed the world.

INWIEFERN IST IHRE KUNST EXTREM?

Alle Aspekte meiner Arbeit sind wichtig und stellen eine Herausforderung dar. Manchmal dauert schon das Design mehrere Monate. Das Schneiden und Schnitzen ist ebenso anspruchsvoll: Ein Fehler kann alles zerstören.

DIE BEMERKENSWERTESTE REAKTION IHRES PUBLIKUMS?

Ich habe schon sehr viele positive Resonanzen aus der ganzen Welt bekommen, da fällt die Auswahl schwer. Eine Frau schickte mir einmal eine Nachricht und schrieb: „Ich hatte einen schlechten Tag, war auf dem Weg nach Hause, müde und frustriert, bis ich auf meinem Mobilgerät Ihre Arbeiten sah. Das verbesserte meine Stimmung. Vielen Dank dafür!" Oder auch folgende Nachricht: „Die auf der Instabilität in der Welt beruhenden Grausamkeiten haben Sie ignoriert und die Aufmerksamkeit darauf gelenkt, was ein Mensch in der Lage ist zu tun, anstatt seine eigenen Brüder und Schwestern zu bekämpfen. Ich weiß das zu schätzen."

WAS SIND IHRE ZIELE?

Ich lerne immer noch, ich arbeite und lese. Ich arbeite an Skulpturen, male und drehe Videos. Ich will damit nicht aufhören, denn weiter zu wachsen, ist in jedem Alter notwendig. Ich möchte weitermachen und so viel lernen, wie ich aufnehmen kann. Wir haben nur ein kurzes Leben, wie die Blätter, aber wir können für lange Zeit in den Gedanken und Herzen anderer lebendig sein – möglich gemacht durch das, was wir im Laufe unserer Zeit getan haben.

MEINE TECHNIK HAT IHREN URSPRUNG VERMUTLICH IN MEINER KINDHEIT. SCHON ALS KIND MALTE ICH MIT EINER NADEL SIMPLE FORMEN AUF DIE RÜCKSEITE VON BLÄTTERN UND ROSENBLÜTEN.

MY TECHNIQUE RELATES TO MY CHILDHOOD. WHEN I WAS A CHILD I DREW SIMPLE SHAPES WITH A NEEDLE ONTO THE BACK OF LEAVES AND ROSE PETALS.

IN WHAT WAY IS YOUR ART EXTREME?

All parts of my work are important and challenging. Sometimes just the design takes months. Cutting and carving are important as well, because one mistake can destroy everything.

THE MOST REMARKABLE REACTION OF YOUR AUDIENCE?

It's a difficult choice, I had many beautiful reactions from people around the world. I remember a lady sent me a message and she said, "I had a very bad day, I was tired and frustrated on my way home until I saw your work on my mobile, that changed my emotions and thank you for that." Or: "Due to instability in the world, you ignored the cruelty and diverted the attention towards inventing new ways of showing what a human can do, instead of fighting our own brothers and sisters. I appreciate."

WHAT ARE YOUR AMBITIONS?

I am still learning, making and reading. I do sculpture, painting and videos. I don't want to stop, GROWING up is necessary at any age. I want to keep going and learn as much as I can. We only have a short time, like those leaves, but we can be alive for a long time by living in others' minds and hearts, and that is possible by what we do when we have the time!

KING OF SINGER

Zeichnungen mit der Nähmaschine/
Drawings with the Sewing Machine
by Amnon Lipkin

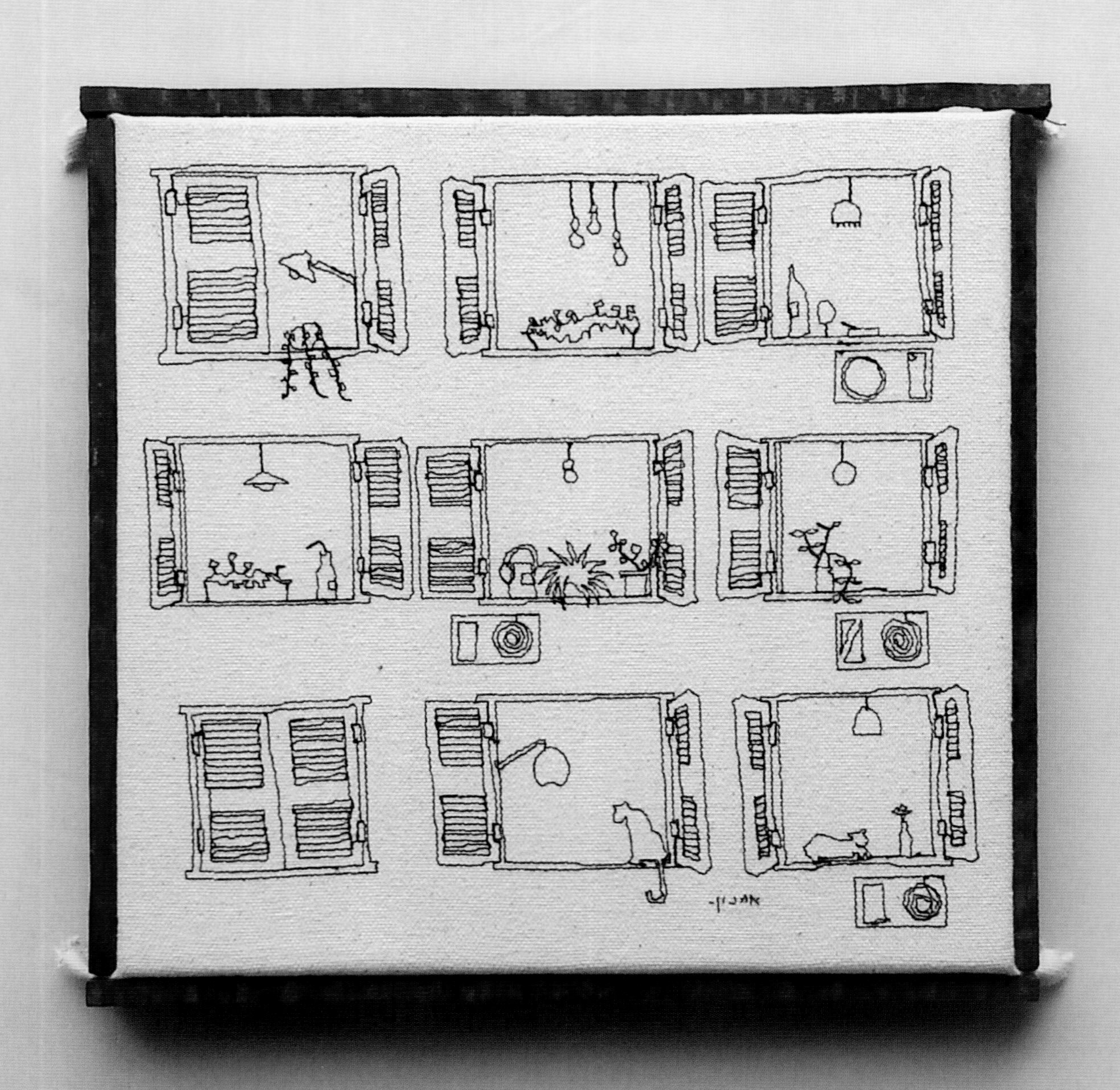

VITA DES KÜNSTLERS

Ich lebe und arbeite in Tel Aviv, Israel. In einem viel zu jungen Alter diente ich drei Jahre in einer Kampfeinheit der israelischen Armee. Später machte ich meinen Masterabschluss in Mathematik an der Universität von Tel Aviv. Anschließend arbeitete ich als Softwareingenieur. Nach drei Jahren nahm ich eine Auszeit und machte mich auf, um die Welt zu bereisen. Schließlich kehrte ich nach Israel zurück und unterrichtete drei Jahre lang in einem Kindergarten. Zu dieser Zeit bekam ich eine Nähmaschine. Ich begann, Stoffautos, -häuser, -kameras und viele andere Objekte zu nähen. Ich belegte einen sechsmonatigen Nähkurs und eröffnete ein kleines Schneidergeschäft. Mit der Zeit rückten meine eigenen Kreationen immer mehr in den Mittelpunkt. Neben den Stoffobjekten begann ich, mit der Nähmaschine zu zeichnen - mit schwarzen Stichen fertigte ich Zeichnungen auf weißem Canvasstoff an. Diese genähten Skizzen bildeten in den letzten Jahren den Hauptanteil meiner Arbeit - neben Stoffobjekten, Pappkunstwerken und Drahtobjekten.

KREATIVES SCHAFFEN

Meine genähten Skizzen bestehen meist aus einzelnen Linien (ein Faden von Anfang bis Ende). Meistens verwende ich schwarzes Nähgarn auf cremefarbenem, festem Stoff. Viele meiner genähten Skizzen stellen Stadtszenen dar. Ich mag die Spannung zwischen der sanften Technik und den rustikalen Themen. Ich sehe die genähten Skizzen gerne als eine moderne Erweiterung des traditionellen Stickens an. Heute beschäftige ich mich hauptsächlich mit genähten Skizzen und anderen Arbeiten aus Stoff. Ich schätze aber auch Materialien wie Pappe, Draht und weitere grundlegende Materialien, die man häufig im Müll finden kann. Aus Pappe entstehen 3D-Objekte, ähnlich den Stoff-Objekten. Drahtskulpturen aus einem Stück und Handstickerei gehören ebenso zu meinen Lieblingsarbeiten.

pashut@yahoo.com | www.amnonlipkin.com

ARTIST'S VITA

I live and work in Tel Aviv, Israel. Too young, I served in the Israeli army, in a combat unit, for three years. I later went on to complete a B. A. in Mathematics at Tel Aviv University. I then worked as a software engineer. After three years, I took a break and left to travel the world. I returned to Israel, joined a kindergarten and enjoyed teaching there for three years. During this time, I got a sewing machine. I started making plush cars, houses, cameras and many other objects. I took a six-month sewing course and opened a little sewing work shop. With time, I focused more on my own creations. Along with the plush work, I started drawing with the machine - using the black stitch to draw on the white canvas. Sewn sketches have become my main work during the last few years. That is aside from plush work, cardboard statues and wire statues.

WORKS OF ART

My sewn sketches are usually one-line drawings (one thread from beginning to end) and mostly black thread on off-white (natural color) thick canvas. Many of my sewn sketch works describe city scenes. I enjoy the tension between the gentle technique and the rough topic. I would like to think of the sewn sketches as some modern extension of traditional embroidery. Today the sewn sketches and similar textile artwork are my main work. Other materials I appreciate are cardboard, wire and similarly basic materials you find in the rubbish. Cardboard becomes 3D-objects, creatures similar to the plush work. One-line wire statues and embroidery by hand are also among my favorites.

INWIEFERN IST IHRE KUNST EXTREM?

Meine Stoff-Objekte tragen das Label „Pashut" - auf Hebräisch bedeutet das „einfach/simpel". Damit möchte ich die einfache, handgearbeitete, menschliche Kollektion beschreiben, aber auch die simplen Materialien und die einfachen Verarbeitungstechniken. Meine Arbeiten verstecken ihre Herstellungsprozesse nicht. Sie sind stets erkennbar und meist leicht nachzuvollziehen.

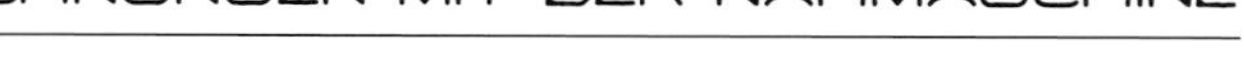

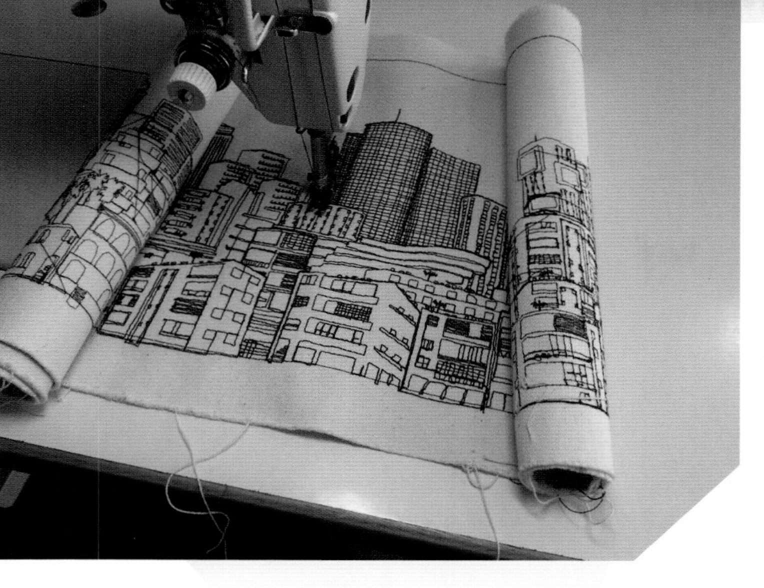

HIER EIN DETAIL MEINER UNTENSTEHENDEN ARBEIT „DICHTE STADT" (90 CM x 28 CM).

THIS IS A DETAIL OF MY WORK BELOW, CALLED "DENSE CITY"(90 CM x 28 CM).

WAS HAT SIE BESONDERS BEEINFLUSST?

Eine Singer Nähmaschine, die ich vor zehn Jahren bekam, half mir dabei, mich von anderen Berufen zu verabschieden und in meinem Bastelhobby besser zu werden, sodass es zu meiner Hauptbeschäftigung wurde. Zuerst nähte ich Stoffautos, auch kleine 3D-Autos, Busse und Häuser. Dann fertigte ich viele weitere Alltagsgegenstände an: Eine Kamera, eine Teekanne, einen Toaster, einen Fernseher, Zigaretten und zahlreiche andere Dinge.

DIE ARBEIT MIT DER NAHMASCHINE IST EINE ALTE TECHNIK. FÜR MICH TRANSPORTIERT SIE FRIEDEN UND LANGSAMKEIT AUS EINER VERGANGENEN ZEIT.

WORKING WITH THE SEWING MACHINE IS AN OLD TECHNIQUE. FOR ME IT BRINGS PEACE AND SLOW RHYTHM FROM A FORMER ERA.

IN WHAT WAY IS YOUR ART EXTREME?

I have labeled my plush-objects "pashut", meaning "simple/basic" in Hebrew, to describe the simple, homemade, human line that describes the objects as well as the simple, basic choice of materials and low-tech techniques. My work does not hide the way it was made. It's all out and usually clear.

WHAT INFLUENCED YOU IN A SPECIAL WAY?

A Singer sewing machine I got ten years ago helped me leave other careers and upgraded my crafty hobbies to become my main business and work. First some plush vehicles came out. I have sewn little 3D-cars, busses and houses. I went on making many other everyday objects: a camera, teapot, toaster, TV, cigarettes and many more. I use the stitches to describe parts of the plush work, like a window on a house or a filament on a light bulb.

transparente knotenpunkte
transparent interchange

Faserkunst/Fiber Art
by Mariko Kusumoto

VITA DER KÜNSTLERIN

Ich bin geboren in Kyushu, Japan, und habe eine Oberschule mit dem Schwerpunkt bildende Kunst besucht sowie an einer Kunsthochschule in Tokio studiert. Heute lebe und arbeite ich in Massachusetts, USA.

KREATIVES SCHAFFEN

Ich verwende hauptsächlich Synthetikfasern, die ihre Form dauerhaft beibehalten, wenn sie bei einer bestimmten Temperatur erhitzt werden. Mithilfe dieser Technik kann ich verschiedene Formen herstellen. Stoff ist eines der gebräuchlichsten Materialien im Alltag. Selbst wenn man Stoff als Oberbegriff nimmt, so haben Stoffe doch verschiedene Eigenschaften, die auch verschiedene Gefühle und Emotionen auslösen können. Einige Stoffe verfügen über einen Glanz oder Schimmer, der sie feucht wirken lässt. Andere Stoffe vermitteln warme oder kühle Eigenschaften: ein Gefühl von Flauschigkeit und Behaglichkeit. Sie erscheinen mysteriös oder ätherisch, vermitteln Gelassenheit, Fragilität oder Subtilität etc. Ich verleihe diesem zweidimensionalen Material neues Leben, indem ich es in die Dreidimensionalität transferiere und dies wiederum vom Charakter des Stoffes inspiriert wird. In die jeweiligen Formen lasse ich verschiedene Gedanken einfließen, die auf meinen Erinnerungen, meinen Vorstellungen und meinem Humor sowie dem kulturellen Umfeld gründen, in dem ich aufgewachsen bin.

mkusumoto42@gmail.com | www.marikokusumoto.com

ICH LASSE IMMER ETWAS SPIELRAUM FÜR DIE EIGENE BETRACHTUNGSWEISE. ICH MÖCHTE, DASS DER BETRACHTER MIT MEINER KUNST NEUE ENTDECKUNGEN MACHT, ÜBERRASCHUNGEN ERLEBT UND VERWUNDERUNG ERFÄHRT.

I ALWAYS LIKE TO LEAVE SOME SPACE FOR THE VIEWER'S IMAGINATION: I HOPE THE VIEWER EXPERIENCES DISCOVERY, SURPRISE AND WONDER THROUGH MY WORK.

ARTIST'S VITA

I was born in Kyushu, Japan. I graduated from a high school that offered a fine art major, and attended art college in Tokyo. Today I work and live in Massachusetts, USA.

WORKS OF ART

I mainly use synthetic fiber which has the ability to memorize a shape permanently when heated at a certain temperature. I create different kinds of shapes using this technique. Fabric is one of the most familiar everyday materials. While the one word fabric includes all types, the different fabrics have various characteristics which draw out various feelings or emotions from us. There is a sheen or shimmering quality to some fabrics that suggests wetness. Some fabrics project a sensation of being warm or cool; a sense of fluffiness and comfort, of mystery, tranquility, ethereality, fragility, subtlety, etc. I give new life to this two-dimensional material by transforming it into three dimensions, which in turn is inspired by the character of the very fabric itself. Into the forms I build various thoughts which materialize from my memories, imagination or humor, and from the cultural environment I was raised in.

IN WHAT WAY IS YOUR ART EXTREME?

Since the fabric is very soft and flexible, making larger scale sculptures could be challenging. I need to support the shape inside without disturbing the atmosphere of the piece. I believe there are many unique features that this material can express and achieve. I feel unlimited possibilities with this material. I like the translucency of the fabric in particular.

INWIEFERN IST IHRE KUNST EXTREM?

Da dieser Stoff sehr weich und flexibel ist, sind großformatige Skulpturen eine Herausforderung. Ich muss die Form im Inneren stützen, ohne die Atmosphäre des Objekts zu beeinträchtigen. Ich bin überzeugt davon, dass es viele einzigartige Eigenschaften gibt, die nur mit diesem Werkstoff erreicht und dargestellt werden können. Dieses Material bietet einfach unendliche Möglichkeiten. Ich mag vor allem die Lichtdurchlässigkeit des Stoffes.

KANN KUNST UNSERE SICHTWEISE VERÄNDERN?

Ich bin überzeugt, dass es die wichtigste Aufgabe der Kunst ist, der Welt etwas Schönes zu geben. Der Künstler Isamu Noguchi sagte einst, dass wir die Landschaft all dessen sind, was wir gesehen haben. Dann ist es Aufgabe des Künstlers, unsere Erfahrungen kontinuierlich zu formen, zu repräsentieren und zu teilen.

DIE BEMERKENSWERTESTE REAKTION IHRES PUBLIKUMS?

Wenn die Menschen sagen: „So etwas habe ich noch nie im Leben gesehen!", dann ist das für mich das ultimative Kompliment. Ich möchte immer etwas noch nie zuvor Gesehenes kreieren.

WAS SIND IHRE ZIELE?

Meine Arbeiten können auch in andere Kunstbereiche übergehen, beispielsweise in Form von bildender Kunst, Kunsthandwerk oder Schmuck, Mode, Produktdesign oder Innenarchitektur. Ich mag die Herausforderung neue Pfade zu beschreiten, anstatt mich auf eine Kunstform zu beschränken.

DIE BEIDEN KUNSTWERKE AUF DIESER SEITE HABEN JEWEILS EINEN DURCHMESSER VON 12,7 CM x 17,7 CM x 5,08 CM.

THE TWO WORKS ON THIS PAGE HAVE A DIAMETER OF 12.7 CM x 17.7 CM x 5.08 CM EACH.

WER HAT SIE BESONDERS BEEINFLUSST?

Joseph Cornell, Tara Donovan. Mir gefällt, wie sie Alltagsgegenstände in beeindruckende Kunstwerke verwandeln.

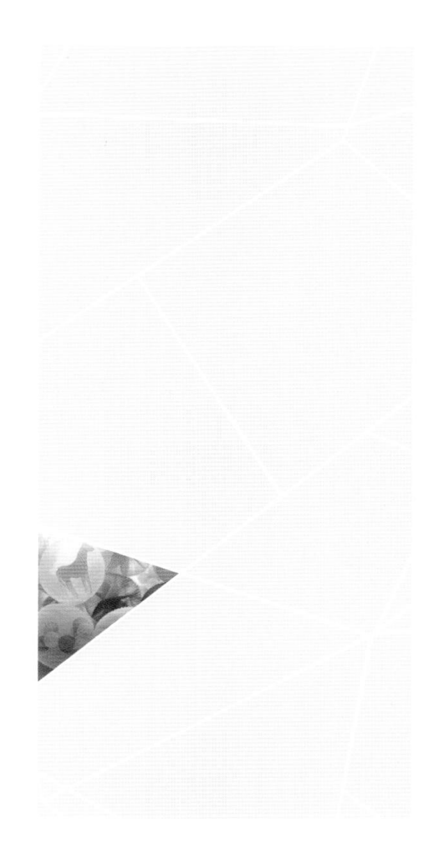

CAN ART CHANGE THE WAY WE SEE THE WORLD?

I believe that art's important purpose is to bring beauty into the world. Artist Isamu Noguchi once said, "we are a landscape of all we have seen." Then it is up to the artist to continually shape and represent and to share our experiences.

THE MOST REMARKABLE REACTION OF YOUR AUDIENCE?

When people say, "I have never seen anything like that in my life!" That to me is the ultimate compliment. I always want to create something I have never seen before.

WHAT INFLUENCED YOU IN A SPECIAL WAY?

Joseph Cornell, Tara Donovan. I like the way they utilize everyday materials, transformed into remarkable art.

WHAT ARE YOUR AMBITIONS?

The work I am doing can cross over into different fields, e. g. fine art, craft, or jewelry, fashion, product or interior design. I like the challenge of exploring different avenues instead of limiting myself to one category.

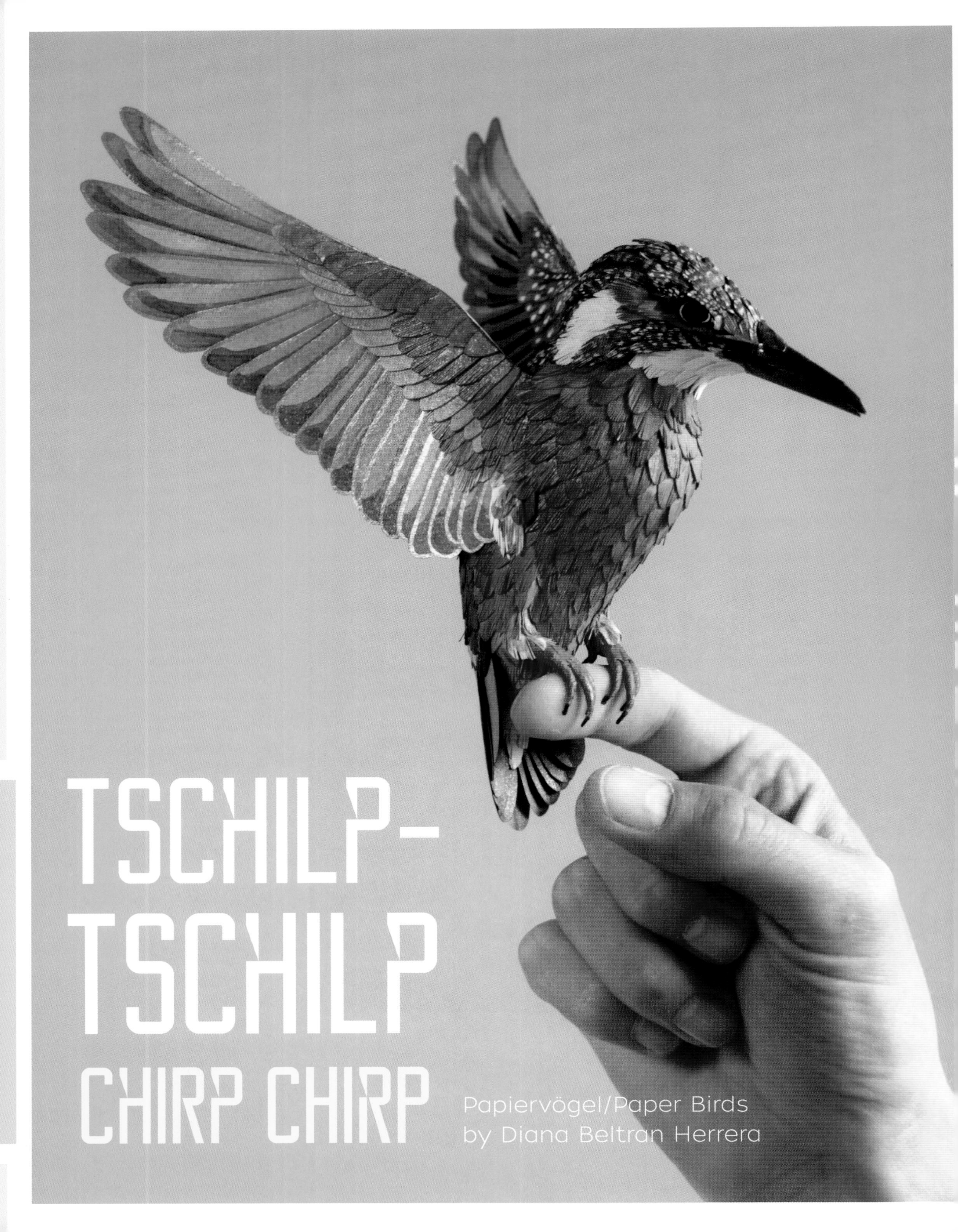

TSCHILP-TSCHILP CHIRP CHIRP

Papiervögel/Paper Birds
by Diana Beltran Herrera

KREATIVES SCHAFFEN

Ich arbeite nun schon längere Zeit mit Papier, und es gibt verschiedene Techniken, dieses Material zu bearbeiten. Man kann es auf verschiedene Weise schneiden und Objekte und Körper entweder durch Schneiden, Falten oder Kleben oder auch durch das Zerschneiden in einzelne Teile, die anschließend zu einem Ganzen zusammengeklebt werden, kreieren. Für meine Arbeiten verwende ich gerne Fragmente eines Materials, die dann neu zusammengesetzt werden. Das Papier ist so einfacher zu handhaben und wenn doch einmal etwas schiefgeht, sind die Fragmente leicht zu ersetzen. Arbeitet man mit einem großen Ganzen, wäre das nicht möglich.

VITA DER KÜNSTLERIN

Ich habe einen Bachelor in Design von der Jorge Tadeo Lozano Universität in Bogotá sowie einen Master Abschluss in bildender Kunst von der UWE (University of the West of England) in Bristol, England. Ich lebe und arbeite in Bristol.

pineee@gmail.com
www.dianabeltranherrera.com

INWIEFERN IST IHRE KUNST EXTREM?

Die Technik erfordert eine Menge Geduld und Planung. Es ist zeitaufwendig, das Papier in gleich große Stücke zu schneiden und diese dann wieder zusammenzukleben.

DIE BEMERKENSWERTESTE REAKTION IHRES PUBLIKUMS?

Die Menschen unterstützen mich und meine Arbeit sehr. Einige meiner Arbeiten haben die Fähigkeit, sich auf sehr persönliche Erfahrungen zu beziehen, die Menschen tief im Inneren zu berühren. Das ist großartig, es ist eine Form der Kommunikation.

MEIN KREATIVES SCHAFFEN UMFASST EINE GROSSE ANZAHL AN VERSCHIEDENEN VÖGELN. AUF SEITE 120 SIEHT MAN EINEN EISVOGEL (20 CM x 25 CM). LINKS IST EIN TURAKO (100 CM x 70 CM) ZU SEHEN. UND SEITE 125 ZEIGT EINEN SÄGERACKEN (28 CM x 8 CM x 8 CM).

MY WORK COMPREHENDS QUITE A HUGE GROUP OF BIRD SCULPTURES. ON PAGE 120 YOU CAN SEE A KINGFISHER (20 CM x 25 CM). ON THE LEFT THERE IS A TURACO (100 CM x 70 CM). AND PAGE 125 SHOWS A MOTMOT (28 CM x 8 CM x 8 CM).

WER HAT SIE BESONDERS BEEINFLUSST?

Es gibt viele Künstler, Designer, Architekten und Kreative, die mich jeden Tag beeinflussen. Als ich meine Arbeit jedoch ernstzunehmen begann, waren es die schon seit meiner Kindheit existierende Leidenschaft und mein Bedürfnis, selbst etwas herzustellen. Ich schätze den amerikanischen Künstler Richard Tuttle, er hilft mir, in allem die Bedeutung des Wesentlichen zu erkennen.

WORKS OF ART

I have worked with paper for some time now and there are different techniques when you approach this material. Cutting can be done in different ways and objects and volumes can be created either from cutting, folding and gluing, or from cutting and assembling different parts to create a whole. In my work, I like to break down the material to reconfigure it again. It makes the paper easy to handle. And if there is something that goes wrong, you can replace it easily, which doesn't happen when you work with the whole piece.

ARTIST'S VITA

I obtained a BA in Design at Jorge Tadeo Lozano University in Bogotá, Colombia, and then a MA in fine arts at UWE, Bristol, UK. I live and work in Bristol.

IN WHAT WAY IS YOUR ART EXTREME?

It takes a lot of patience and also planning. It does take time to break down the paper into similar pieces and then glue it together again

THE MOST REMARKABLE REACTION OF YOUR AUDIENCE?

People are very supportive of me and my work. Some of my works have the ability to relate to very personal experiences and to touch something so deep inside someone. I think it's great, it is a form of communication.

DIESE ARBEIT NENNT SICH „KOHLMEISE" UND IST 15 CM x 14 CM x 8 CM.

THIS WORK IS CALLED "GREAT TIT" AND IT IS 15 CM x 14 CM x 8 CM.

KANN KUNST UNSERE SICHTWEISE VERÄNDERN?

Ich bin der Meinung, dass Kunst neue Perspektiven eröffnen und auch unsere Einstellung verändern kann, wie wir unsere Realität wahrnehmen. Kunst ist wie eine alternative Geschichte. Ein Ort, wo alle Anschauungen Gültigkeit haben und real sein können. Kunst hat eine große Bedeutung, denn alles ist möglich.

WAS SIND IHRE ZIELE?

Ich habe Freude an meiner Entwicklung und an meinem täglichen Tun. Ich arbeite, weil es mir Spaß macht und es ist großartig, meine Arbeit mit anderen teilen zu können. Ich glaube, ich möchte mich weiterentwickeln und noch großartigere Dinge erreichen, wenn die Zeit dafür gekommen ist. Im Moment geht es mir darum, dazuzulernen.

WHO INFLUENCED YOU IN A SPECIAL WAY?

There are a lot of artists, designers, architects and creative people that influenced me everyday. Although when I started taking my work seriously, the passion came from my childhood and the need I had for making things. I really enjoy the American artist Richard Tuttle because he has helped me to see the importance in everything from the essence.

CAN ART CHANGE THE WAY WE SEE THE WORLD?

To me, art can open up new points of view and ideas of how we perceive our reality, it is like an alternative story. It is a place where all ideas are valid and can be real. It definitely has a power because everything can be possible.

WHAT ARE YOUR AMBITIONS?

I enjoy my process and what I do everyday. I work because I like to do it and it is great to be able to share what I do with other people. I guess I want to grow more and be able to achieve greater things, but when the time is right. To me at the moment it's about learning.

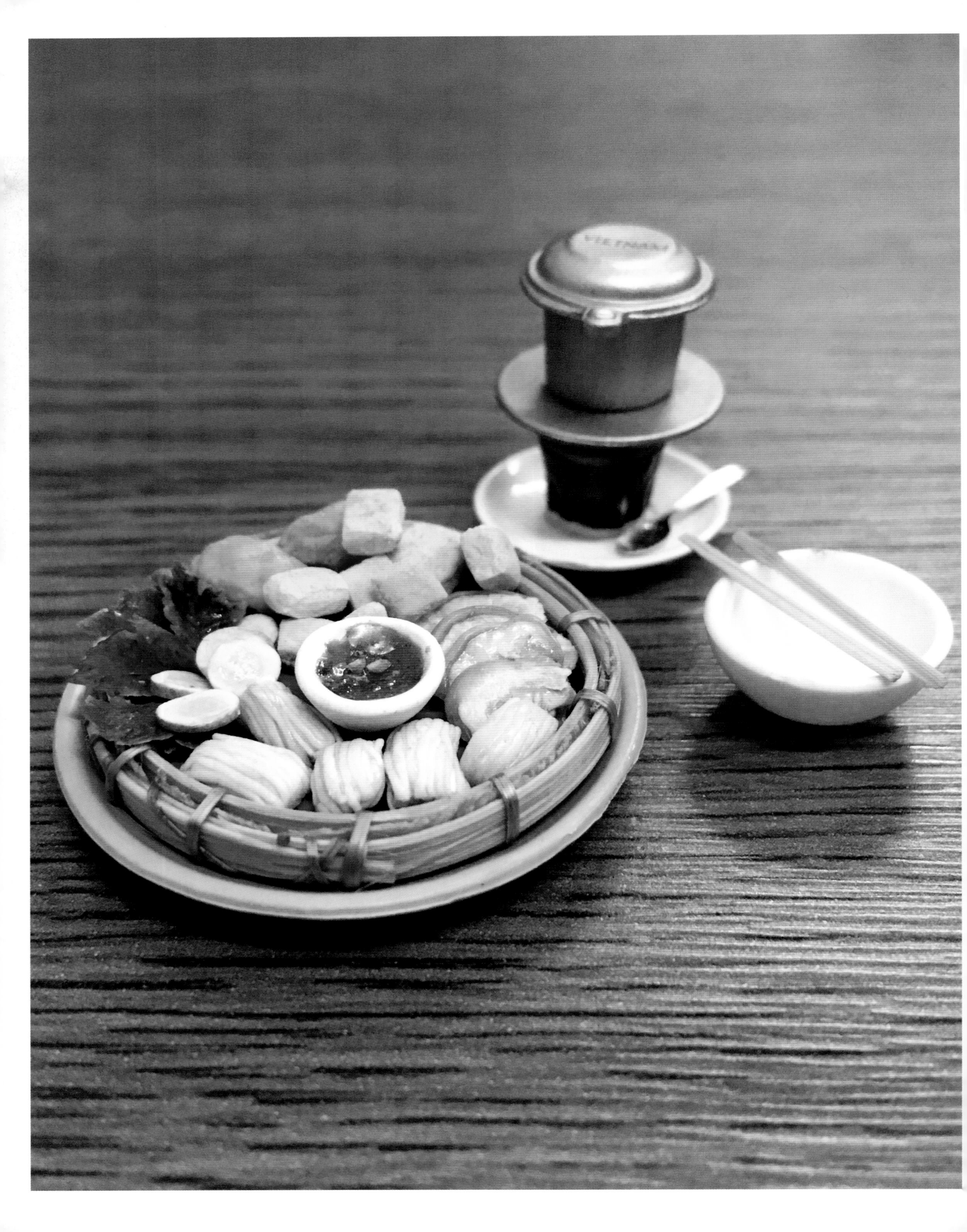

KLEIN, ABER FEIN
SMALL BUT NICE

Miniaturkochen/
Miniature Cooking by
Phan Ngoc Thien Thanh

VITA DER KÜNSTLERIN

Ich bin in Ho-Chi-Minh-Stadt, Vietnam, geboren und aufgewachsen. Hier, am DPI Center, habe ich mich auf Grafikdesign spezialisiert.

KREATIVES SCHAFFEN

Meine Arbeiten werden zum Großteil aus verschiedenen Modelliermassen gefertigt, ich verwende aber auch weitere Materialien wie Moosgummi, Schrumpffolie etc. Meine Objekte haben meist einen Maßstab von 1:12. Dies ist die traditionelle Größe für Modelle und Miniaturen, bei dem zwölf Einheiten (wie beispielsweise Inches oder Zentimeter) des Originals als eine Einheit am Modell dargestellt werden. Ich verwende meist Acrylfarben.

Thanhphan301090@gmail.com
www.facebook.com/pungpungthanh

BÚN BÒ HUẾ IST EINE BELIEBTE VIETNAMESISCHE NUDELSUPPE MIT SCHWEINEFLEISCH UND RINDFLEISCH. AUF SEITE 126 SIEHT MAN BUN DAU, TOFU-REISNUDELN MIT EINER GARNELENPASTE.

BÚN BÒ HUẾ IS A POPULAR VIETNAMESE NOODLE SOUP WITH PORK AND BEEF. ON PAGE 126 YOU CAN SEE BUN DAU, TOFU RICE NOODLES WITH SHRIMP PASTE.

ARTIST'S VITA

I was born and raised in Ho Chi Minh City, Vietnam. Here, at the DPI center, my specialty is graphic design.

WORKS OF ART

My work is mostly made from modeling clay and some special type of clays. I also use different materials like foam paper, plastic shrink paper, etc., for support. My products are mostly on a scale of 1:12. This is a traditional scale (ratio) for models and miniatures, in which twelve units (such as inches or centimeters) on the original is represented by one unit on the model. As for color, I usually use soft pastel (pigment) acrylic colors.

IN WHAT WAY IS YOUR ART EXTREME?

I can say this is a process with several required steps before you can start "cooking this dish". From searching for references, observing details from outside to inside to finding ingredients. Then I should be thinking about which type of clay to use to achieve the best final effect and to make the texture look almost realistic. Of course, the challenge is sculpting the clay and coloring it. Depending on the chosen type of clay, it requires different ways of blending colors and creating the food's texture.

INWIEFERN IST IHRE KUNST EXTREM?

Es gibt viele einzelne Arbeitsschritte, bevor man mit dem „Kochen" beginnen kann. Zuerst sucht man Referenzobjekte, schaut sich die inneren und äußeren Details genauer an, sucht die Zutaten heraus. Dann geht es um die Frage, welche Modelliermasse am besten geeignet ist, um ein optimales Ergebnis zu bekommen und die Oberflächenstruktur besonders realistisch wirken zu lassen. Herausfordernd sind das Modellieren und auch das Bemalen. Je nach verwendeter Modelliermasse müssen die Farben unterschiedlich eingeblendet und die Strukturen entsprechend herausgearbeitet werden.

DIE BEMERKENSWERTESTE REAKTION IHRES PUBLIKUMS?

Die meisten sind überrascht, wenn sie das erste Mal meine Werke sehen. Da schwingt dann auch etwas Zweifel mit. Jemand sagte mal zu mir, ich hätte diese Dinge doch bestimmt im Geschenkeshop gekauft – man traute es mir nicht zu, so etwas anzufertigen. Mir ging es übrigens ähnlich, als ich zum ersten Mal derartige Miniatur-Speisen sah. Wenn die Menschen aber feststellen, dass es handgemachte Objekte sind, ist die Begeisterung groß.

COM TAM ODER BRUCHREIS IST EIN VIETNAMESISCHES GERICHT AUS GEBROCHENEN REISKÖRNERN, HIER ZUSAMMEN MIT SCHWEINESTREIFEN UND SCHWEINEHAUT.

COM TAM OR BROKEN RICE IS A VIETNAMESE DISH MADE FROM BROKEN RICE GRAINS, HERE TOGETHER WITH SHREDDED PORK AND PORK SKIN.

KANN KUNST UNSERE SICHTWEISE VERÄNDERN?

Ich weiß es nicht, aber ich hoffe, dass diese Kunstform auf positive Weise auf der ganzen Welt populär wird. Meiner Meinung nach soll doch jede Kunstrichtung den Menschen Freude bringen, zum Nachdenken anregen und ihre Kreativität fördern, um die Welt mit anderen Augen zu sehen.

WAS HAT SIE BESONDERS BEEINFLUSST?

Der japanische Künstler Tomo Tanaka war eine große Inspiration für mich, wie auch Sugarcharmshop, eine Künstlerin, die aus Modelliermasse Miniatur-Essen herstellt.

WAS SIND IHRE ZIELE?

Ich habe vor, einen eigenen Kanal mit Tutorials zu den Miniaturen ins Netz zu stellen. Zudem möchte ich gerne einen Blog schreiben und meine Produkte künftig auch zum Kauf anbieten. Und es gibt noch einige Kunstwerke aus Modelliermasse, die ich so schnell wie möglich fertigstellen möchte.

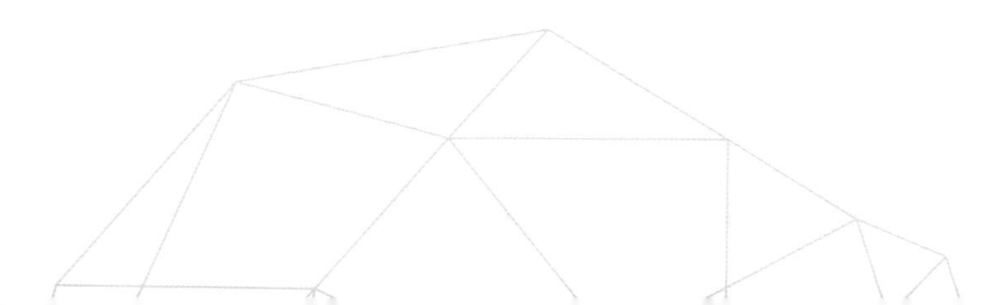

THE MOST REMARKABLE REACTION OF YOUR AUDIENCE?

Most of the people who see it for the first time have the same reaction, that is surprise mixed with a small amount of doubt. Someone told me they thought I had bought these items in a gift shop (because they didn't think I could create something like that, which was my reaction when I saw clay food for the first time). But once the people know it is real, they're supportive and love my artwork.

CAN ART CHANGE THE WAY WE SEE THE WORLD?

I don't know, but I hope this art form will become popular all over the world in a positive way. In my opinion, not only clay art, but any kind of art, is always intended to bring joy to people and open their minds to be creative and see life and the world from a different angle.

WHAT INFLUENCED YOU IN A SPECIAL WAY?

Tomo Ranaka (Japanese artist) and Sugarcharmshop have been an inspiration for modeling clay food.

WHAT ARE YOUR AMBITIONS?

I intend to produce a personal channel offering miniature clay tutorials, write a blog and to sell my products in the future. Besides, I hope I will be finishing some art projects for clay art ASAP.

GESCHICHTEN AUS HOLZ

STORIES MADE OF WOOD

Holzlasern/Laser-Cut Wood
by Martin Tomsky

VITA DES KÜNSTLERS

Ich habe schon immer gerne gezeichnet, vermutlich hat es zu Hause mit Büchern, Drucken, Comics, Spielen und meinen älteren Geschwistern seinen Anfang genommen. 2008 habe ich mein Studium der Illustration an der Camberwell Hochschule für Kunst abgeschlossen. Nach dem Uniabschluss bekam ich einen Job in einem Modellbaugeschäft, dort lernte ich alles zum Thema Material und Laserschnitt. Ich war gerade dabei, mich als Illustrator zu etablieren und erledigte eigene Arbeiten sowie Aufträge in der Freizeit, als ich Beschwerden an der Hand bekam und ein RSI-Syndrom festgestellt wurde. So konnte ich nicht weiter in dem Stil zeichnen, den ich jahrelang entwickelt hatte. Ich wollte nicht aufgeben und veränderte meinen Zeichenstil zu einem lockereren, skizzenhaften Zeichenstil und begann, Arbeiten zu designen, die per Laserschnitt kreiert werden.

KREATIVES SCHAFFEN

Ich kreiere per Laserschnitt Relief-Kunstwerke und Schmuck aus gebeiztem Sperrholz.

Martin@tomsky.co.uk | www.tomsky.co.uk

ICH NENNE DIESES WERK „BADEHAUS" (290 MM × 390 MM). ES IST EINE ILLUSTRATION VON DER WELT AUS „CHIHIROS REISE INS ZAUBERLAND", EINEM JAPANISCHEN ANIMATIONS- UND FANTASYFILM.

I CALL THIS WORK "BATHHOUSE" (290 MM × 390 MM). IT IS AN ILLUSTRATION OF THE WORLD OF "SPIRITED AWAY", JAPANESE ANIMATED FANTASY FILM.

ARTIST'S VITA

I've always loved to draw, so I guess it started at home from books, prints, cartoons, games and my older siblings. I completed a degree in illustration at Camberwell College of Arts. After finishing university, I got a job at a model shop, where I learnt all about laser cutting and materials. I was trying to become an illustrator, doing personal work and commissions in my spare time, when I got repetitive strain injury in my hand and could no longer draw in the style that I had spent years developing. Refusing to give up, I switched up my style into a looser, sketchy way of drawing and started designing work to create using the laser cutter.

WORKS OF ART

I create relief artworks and jewelry made from layers of laser cut, stained plywood.

IN WHAT WAY IS YOUR ART EXTREME?

It's a long process! Sketching, designing, redrawing it again as vectors and continually refining it as you go. I also only really have a vague idea of what the final piece will look like before I assemble it, and if anything goes wrong, then I may have to recut the whole thing.

THE MOST REMARKABLE REACTION OF YOUR AUDIENCE?

My first ever laser piece did very well online when I posted it for the first time and of the hundreds of comments about it, one person wrote a poem about it. It was a great feeling to know that my work could inspire that!

KANN KUNST UNSERE SICHTWEISE VERÄNDERN?

Durchaus, aber es hängt von der Kunstrichtung ab. Bücher, Spiele und Filme haben hier das größte Potenzial, da sie uns in die Erzählung einbeziehen und wir so unser Weltbild erweitern können. Darauf folgen meiner Meinung nach Fotografie und Design, da sie einzelne Bilder oder Gedanken kommunizieren, die zum Nachdenken anregen können, sodass wir unsere Werte infrage stellen. Und letztlich die bildenden Künste, Malerei, Bildhauerei und Skulpturen, sie sind gänzlich subjektiv und können bei einigen Menschen einen tief greifenden Eindruck hinterlassen. Kunst insgesamt ist eine Reflexion der Gesellschaft, in der wir leben, und bietet damit die Möglichkeit, beim Blick auf die Welt das Verständnis für notwendige Veränderungen zu schärfen.

WAS SIND IHRE ZIELE?

Ich würde gerne eine große Solo-Ausstellung machen, in der ich eine von mir geschaffene Welt präsentiere, mit einer übergeordneten Geschichte, durchzogen von vielen kleinen Geschichten. Zu den Wunschvorstellungen gehören auch, ein großformatiges Kunstwerk für den Außenbereich zu gestalten, die Innenräume einer heiligen Stätte zu designen (ich denke da an eine naturwissenschaftliche Kirche) sowie eine Zusammenarbeit mit Modedesignern zur Entwicklung hochwertigen Modeschmucks zu realisieren, ein wenig wie Alexander McQueen.

DIE BEMERKENSWERTESTE REAKTION IHRES PUBLIKUMS?

Mein allererstes mit dem Lasercutter gearbeites Werk hat sich online sehr gut gemacht, nachdem ich es das erste Mal ins Netz stellte. Es gab Hunderte von Kommentaren, aber eine Person hatte ein Gedicht darüber geschrieben. Es war ein wunderbares Gefühl, dass eine meiner Arbeiten jemanden dazu inspirieren konnte!

INWIEFERN IST IHRE KUNST EXTREM?

Es ist ein langwieriger Prozess! Skizzieren, designen, als Vektoren neu zeichnen und dabei ständig verfeinern. Vor dem Zusammensetzen der einzelnen Teile habe ich lediglich eine vage Idee, wie das fertige Stück aussehen soll. Tritt ein Fehler auf, muss ich eventuell alles neu schneiden.

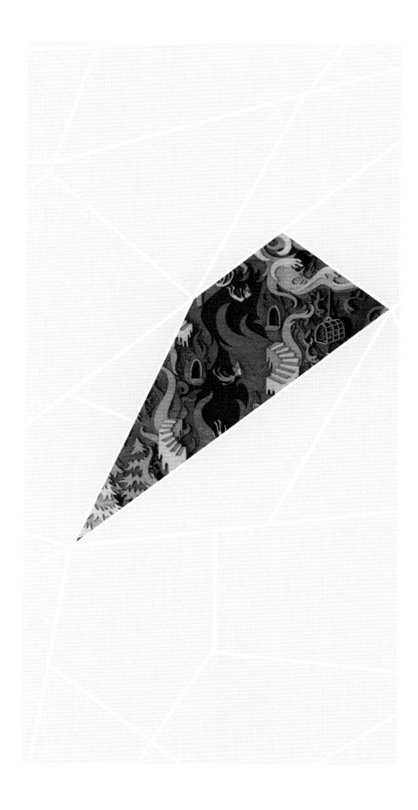

DAS WAR EIN GESCHENK FÜR MEINE PARTNERIN. ES IST VOLL VON INSIDERN UND PERSÖNLICHEN BOTSCHAFTEN (410 MM x 300 MM).

THIS WAS A BIRTHDAY GIFT MADE FOR MY PARTNER, CRAMMED FULL OF IN-JOKES AND PERSONAL REFERENCES (410 MM x 300 MM).

CAN ART CHANGE THE WAY WE SEE THE WORLD?

Certainly, but it depends on the art form. Books, games and films have the greatest potential for this, as they draw us into another person's narrative, enabling us to expand our worldview. Photography and design probably come next as they communicate single images or ideas that can be thought about and make us question our values. Finally fine art, painting, sculpture are entirely subjective and can have a profound effect on some individual viewers. All art is a reflection of the society we live in, so in that aspect there is potential to look at the world and understand what needs to change.

WHAT ARE YOUR AMBITIONS?

I'd like to create a large solo exhibition depicting a world of my creation, with a single overarching narrative as well as a multitude of small stories running through it. Potential pipe dreams include creating large scale artwork for outdoors, designing the interior of a holy place (I was thinking of a kind of church of science and nature) and working with fashion designers to create some high concept fashion jewelry, something a little like Alexander McQueen.

Köstliche Kunst
delicious art

Kuchen als Kunstobjekte/
Art-inspired Cakes
by Olga Noskova

VITA DER KÜNSTLERIN

Ich komme aus Russland und lebe in der schönen Stadt Ufa. Ich habe als Wirtschaftsfachfrau gearbeitet, sehnte mich aber nach etwas, woran ich jeden Tag Spaß hatte. So wollte ich das Backen französischer Macarons lernen, doch dann entdeckte ich diese wunderbaren Mousse-Torten. Es war Liebe auf den ersten Blick! Perfekt und unheimlich lecker. Alles war neu für mich: Die Kombination der einzelnen Tortenschichten, der Aufbau und das Dekorieren. Gelernt habe ich von verschiedenen, unglaublich talentierten Konditormeistern. Da ich besser als meine Vorgänger werden wollte, begann ich, zu experimentieren und zu kreieren. Inzwischen habe ich einen langen Weg hinter mir und dennoch hat die Welt der Mousse-Torten nicht an Spannung verloren. Es gibt so viele Möglichkeiten, um zu experimentieren, kreativ zu sein und sich inspirieren zu lassen.

KREATIVES SCHAFFEN

Ich kreiere Mousse-Torten. Meine Spiegelglanzglasur spiegelt die Umgebung, eine exakte Anordnung der Bestandteile und Minimalismus im Design wider, und nicht zuletzt eine unvergessliche Kombination der Aromen – all das trägt zu meinen makellosen Torten bei. Jede Torte ist einzigartig, keine Torte ist wie die andere. Mein Credo ist, ausschließlich natürliche und hochwertige Zutaten zu verwenden. Meiner Meinung nach sind die Menschen fasziniert von meinen Torten, weil ich ein bisschen Liebe, Zärtlichkeit, Freude, Glück und auch meine Seele in jede einzelne Torte einfließen lasse.

noskovaaolga@gmail.com | www.own-cake.com

FÜR MICH IST ES WICHTIG, NICHT NUR ENERGIE AUS DEM UNIVERSUM ZU ZIEHEN, SONDERN AUCH ENERGIE ZU GEBEN, UND ZWAR DURCH MEINE TORTEN. ICH MÖCHTE SIE MIT DER GANZEN WELT TEILEN. ICH MÖCHTE DIE MENSCHEN DURCH DIE SCHÖNHEIT MEINER TORTEN GLÜCKLICH MACHEN.

FOR ME IT IS IMPORTANT TO NOT ONLY GAIN ENERGY FROM THE UNIVERSE, I WANT TO GIVE IT, AND I DO IT THROUGH MY CAKES. I WANT TO SHARE THIS WITH THE ENTIRE WORLD. I WANT TO MAKE PEOPLE HAPPY THROUGH THE BEAUTY OF MY CAKES.

ARTIST'S VITA

I'm from Russia and live in the beautiful city of Ufa. I was an economist but I wanted to find something that would bring me pleasure on a daily basis so I decided to learn to bake French Macarons. But then I saw these wonderful mousse cakes. It was love at first sight! Perfect and incredibly tasty! Everything was new to me: the combination of layers, the assembly and decoration of the cake. I learned from a variety of incredibly talented chefs, like a sponge absorbing all their knowledge and experience. I decided to do better than my predecessors. I began to create and to experiment. Now, after I've come a long way, the world of mousse cakes continues to be just as interesting and exciting to me. There are so many directions and inspirations for experimenting and being creative.

WORKS OF ART

I create mousse cakes. My mirror glaze reflects the world around us, conciseness of parts and minimalism in design, and most importantly, a memorable combination of flavors - all making my cakes absolutely flawless. Each cake is unique and not like any other. My credo is to use only natural and quality ingredients. I think people are fascinated because I put a bit of love, tenderness, happiness, joy and my soul in every one of my cakes.

INWIEFERN IST IHRE KUNST EXTREM?

Nach vielen Experimenten, Versuchen und Irrtümern habe ich das perfekte Rezept für die Glasur gefunden. Meine Glasur ist wie ein Spiegel, der alles drumherum reflektiert. Sie ist ebenmäßig, glänzend und perfekt. Meine Technik ist mein Geheimnis. Sie ist mein Schlüssel zur Perfektion.

DIE BEMERKENSWERTESTE REAKTION IHRES PUBLIKUMS?

Eine Tages wachte ich auf und war auf der ganzen Welt bekannt. Die Zahl meiner Instagram-Follower stieg auf 613.000. Ich konnte es nicht glauben! Die britische Zeitung „Independent" schrieb, meine Torten seien „absolut makellos". So beschrieb es auch BuzzFeed und fügte hinzu, sie seien „zu gut, um sie zu essen."

KANN KUNST UNSERE SICHTWEISE VERÄNDERN?

Ich möchte nicht nur schöne und leckere Torten backen, sondern sie sollen auf dem gleichen Niveau mit den Werken von Künstlern oder Musikern stehen und von den Menschen als ein Kunstwerk bewundert werden. Ich träume von einer Ausstellung am Piccadilly Circus in London, wo Sammlungen moderner Kunst gemeinsam mit meinen Torten gezeigt werden.

WAS SIND IHRE ZIELE?

Ich stecke mitten in den Verhandlungen zum Verkauf des Franchise-Unternehmens und in den Vorbereitungen zur Eröffnung einer Konditorei in der Dubai Mall in Dubai. Ich möchte in verschiedenen Ländern Cafés eröffnen, sodass jeder die Möglichkeit hat, meine Torten zu probieren. Ich habe viele Anfragen zum Unterrichten erhalten. Die Menschen würden so gerne mein Geheimrezept für die Spiegelglanzglasur erfahren, und ich biete bereits einige Kurse an. Demnächst möchte ich auch im Internet Kurse anbieten, für diejenigen, die nicht vor Ort teilnehmen können.

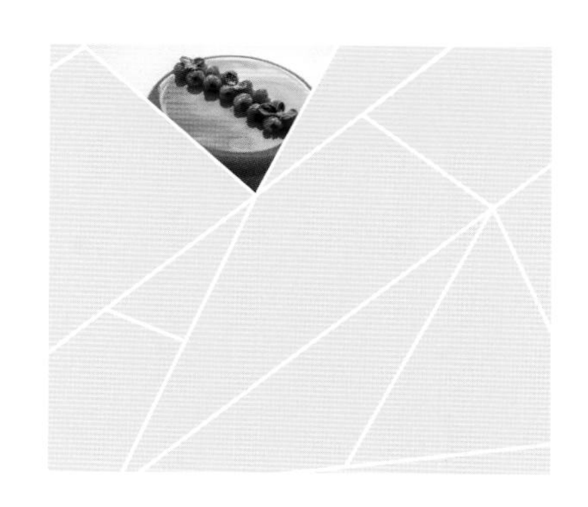

IN WHAT WAY IS YOUR ART EXTREME?

After much experimentation, trial and error, I found my perfect recipe for the glaze. My glaze is like a mirror, you can see your reflection and the world around it. It's smooth, shiny and perfect. My technique is my secret. This is my key to perfection.

THE MOST REMARKABLE REACTION OF YOUR AUDIENCE?

One day I woke up famous in the world. My Instagram increased to 613K followers. I could not believe what had happened to me! The British "Independent" wrote about my cake being "absolutely impeccable". BuzzFeed called my work "absolutely flawless" and stated that they are "too good to be eaten."

CAN ART CHANGE THE WAY WE SEE THE WORLD?

I want my cakes not only to be beautiful and delicious, but to be on the same level with the work of artists or musicians. And people will admire my cakes as works of art. My dream is to have an exhibition at the Piccadilly Circus in London, where collected works of modern art and my best cakes will be in one place together.

WHAT ARE YOUR AMBITIONS?

I am actively negotiating for the sale of the franchise and to open my confectionery in The Dubai Mall in Dubai. I want to open cafés in different parts of the world, so that everyone has the opportunity to try my cakes. I got a lot of requests from around the world to hold master classes. People hope to discover my secret mirror glaze recipe and I've already started to conduct master classes. Also in the near future, I plan to run online master classes for those who cannot come to me.

VITA DES KÜNSTLERS

Nach dem Abschluss der Oberschule habe ich ein Animationsinstitut besucht, habe aber abgebrochen, da sie sich nur auf die 3D-Animation konzentrierten. Mich interessierten jedoch alle zweidimensionalen Kunstformen. Während dieser Zeit füllte ich meine Skizzenbücher, und nachdem ich das Animationsinstitut verlassen hatte, widmete ich meine Zeit ausschließlich dem Anfertigen von Zeichnungen. Ich lebe in Ahmedabad (Gujarat), Indien, und arbeite von zu Hause aus.

KREATIVES SCHAFFEN

Die Idee entsprang vor ungefähr zwei Jahren, als ich eines Tages beim Anfertigen meiner Graffitis die Schablonen betrachtete und mir bewusst wurde, dass sie seitenverkehrt waren. Ich verfolgte diesen Ansatz und war fasziniert von meiner eigenen Arbeit. Zuerst war es ein Hobby, nachdem ich jedoch eine ausreichende Anzahl von Werken für eine Ausstellung zusammen hatte, stellte ich 84 Scherenschnitte in der Kanoria Kunsthochschule in Ahmedabad aus. Das Anfertigen von Scherenschnitten erfordert eine ruhige Hand, das hatte ich mir vermutlich schon bei der Herstellung von Schablonen angeeignet. Sechs Monate arbeitete ich an der Komposition der Designs, der Verwendung des optimalen Papiers, und ich erweiterte meine fachlichen Kenntnisse, etwa wie man das Papier hält oder welches Messer verwendet werden muss. Ich verwende 120 g/m² Papier, ein Skalpell und Bleistifte, das hängt jedoch immer vom jeweiligen Kunstwerk ab. Am Anfang brauchte ich zur Fertigstellung eines Scherenschnitts drei bis vier Tage. Nun, nach zwei Jahren Erfahrung, habe ich für die bislang filigranste Arbeit 15 Stunden benötigt.

PAPIER POESIE

PAPER POETRY

Filigrane Papierschnitte/Delicate Papercut by Parth Kothekar

www.instagram.com/parthkothekar

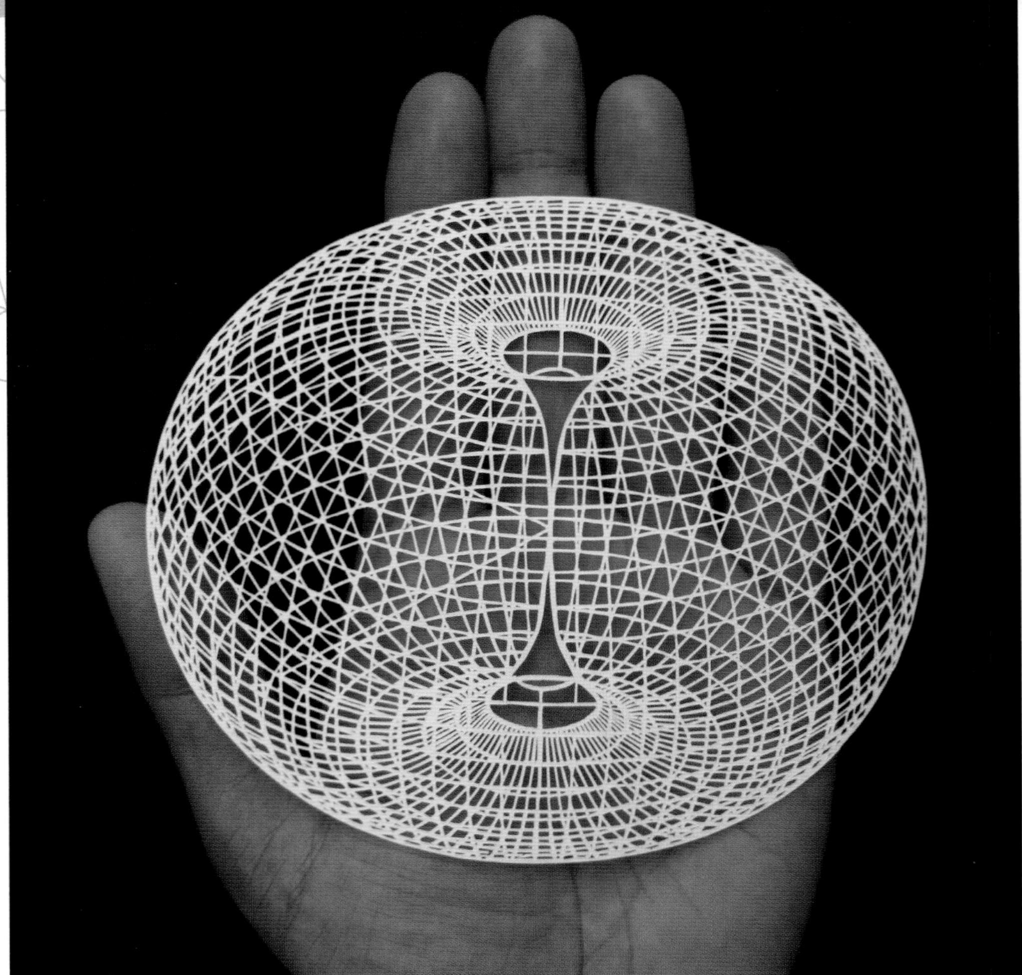

DER GEOMETRISCHE KÖRPER OBEN HAT DIE MASSE 12,7 CM x 11,43 CM. DER „BAUM DES LEBENS" VON SEITE 138 UMFASST 17,78 CM x 17,75 CM.

THE GEOMETRICAL BODY HAS THE DIMENSIONS 12.7 CM x 11.43 CM INCHES. THE "TREE OF LIFE" ON PAGE 138 IS 17.78 CM x 17.75 CM.

ARTIST'S VITA

After completing high school, I enrolled at an animation institute, but I dropped out as they stressed only on 3D-animation studies while it was 2D-art forms that interested me. During all this, I filled up my sketch books, and once I quit the animation institute I began sketching full time. I live in Ahmedabad (Gujarat), India, and work from home.

WORKS OF ART

The idea germinated out of my graffiti practice, about two years ago, when one day I pictured the stencils to be inversed. I followed the idea and was fascinated by my own work. Initially it was a hobby; once I had enough artworks on hand to exhibit them, I conducted an exhibition at the Kanoria Center of Arts, Ahmedabad, displaying 84 paper cuts. It takes a steady hand to create paper cuts, which I think I had attained during my practice of cutting out stencils. But to know and study the composition of what to make and which paper to use, and the technical know-how like how to hold the paper or which blade to use, took me six months. I use 120 g/m² paper, a surgical knife and a pencil. It depends upon the artwork. Initially it took me three to four days to make one artwork, but after two years of practice, the most intricate one I have completed recently was done in 15 hours.

IN WHAT WAY IS YOUR ART EXTREME?

I am presented with different challenges at different stages. For example, to create a black art work, I have to visualize it in my head and work on it on white paper; so until the end, that is until I paint the paper cut black, I am unsure of the final output. This is challenging both during the sketching stage and cutting stage, because if I make a single wrong cut, I have to do it all over again. But now with two years of practice, I have gotten the hang of it. Shadow playing with light creates three-dimensional effects through the paper cuts, this adds much more life to the art works.

INWIEFERN IST IHRE KUNST EXTREM?

Während der verschiedenen Arbeitsschritte gibt es unterschiedliche Herausforderungen. Um beispielsweise ein schwarzes Kunstwerk anzufertigen, muss ich es im Kopf visualisieren, dann jedoch auf weißem Papier ausarbeiten. Bis zur Finalisierung, also bis ich den Scherenschnitt mit schwarzer Farbe bemale, bin ich mir nicht sicher, wie das Endergebnis ausfallen wird. Das macht das Skizzieren und Schneiden so spannend, denn wenn ich nur einen falschen Schnitt setze, muss ich von vorn anfangen. Doch jetzt, nach zwei Jahren, habe ich den Dreh raus. Schattenspiele und Licht kreieren dreidimensionale Effekte in den Scherenschnitten, das lässt die Kunstwerke lebendig erscheinen.

WER HAT SIE BESONDERS BEEINFLUSST?

Bobsmade, eine deutsche Künstlerin, war eine erste Inspiration, da alle ihre Arbeiten von Hand bemalt wurden. Das machte sie einzigartig. Ihre Sorgfältigkeit und Perfektion waren mein Vorbild. Allerdings werde ich hauptsächlich von meinen eigenen Werken inspiriert.

DIE BEMERKENSWERTESTE REAKTION IHRES PUBLIKUMS?

Die Resonanz ist durchaus verblüffend. Für gewöhnlich ist es ein Aufschrei, wenn Menschen die Kunstform realisiert haben. Viele sind sprachlos, bei anderen sprudeln die Fragen nur so heraus, und einige haben mich sogar schon als Heiligen bezeichnet! Häufig spiegeln sich meine Emotionen und meine Verbundenheit zu meiner Arbeit in den Betrachtern wider.

KANN KUNST UNSERE SICHTWEISE VERÄNDERN?

Ja, denn alles um uns herum ist Kunst, es ist nur eine Frage der Betrachtung. Ich möchte normale Alltagsgegenstände und Abfall in Emotionen, Liebe und Frieden verwandeln, sodass Menschen eine Beziehung zu diesen Dingen aufbauen können und motiviert werden, ihre positiven Schwingungen zu verbreiten.

WAS SIND IHRE ZIELE?

Ich probiere derzeit auch andere Möglichkeiten für meine Scherenschnitte aus, etwa die Kombination verschiedener Medien wie Schatten und den Aufbau mehrerer Ebenen. Ich sporne mich an, etwas zu kreieren, das über das bereits Geschaffene hinausreicht. Bestimmte Ziele habe ich nicht, denn ich weiß nicht, wohin der Weg mich führen wird. Ich möchte einfach nur weiterhin neue Dinge erschaffen.

DIES IST EINE SERIE VON MINIATURFEDERN. JEDE FEDER IST CA. 3,81 CM HOCH UND 2,54 CM BREIT.

THIS IS A SERIES OF MINIATURE FEATHERS. EACH FEATHER IS 3.81 CM HIGH AND 2.54 CM WIDE.

WHO INFLUENCED YOU IN A SPECIAL WAY?

Bobsmade, a German artist, inspired me initially as each of her products were hand painted which made them one-of-a-kind. Her neatness and perfection is what I strived for. However my core inspiration is my work itself.

THE MOST REMARKABLE REACTION OF YOUR AUDIENCE?

The reactions are most intriguing. A usual reaction is an exclamation sound that follows as soon as they understand the art form. Many are left speechless, many are brimming with questions, some have even called me a saint! I often see my emotions and attachment towards my work personified in them.

CAN ART CHANGE THE WAY WE SEE THE WORLD?

Yes, everything around us is art, it's just the way how we look at things. I want to change the normal day-to-day objects and waste into emotions, love and peace, so that people can connect with them and are motivated to spread positive vibes.

WHAT ARE YOUR AMBITIONS?

I am experimenting with other possibilities of paper cuts, trying to combine different mediums like shadows and layers with them. I am pushing myself forwards to invent something beyond what I already have. I don't want to achieve anything, as I clearly don't have any idea of what I want to reach, I just want to keep making new things.

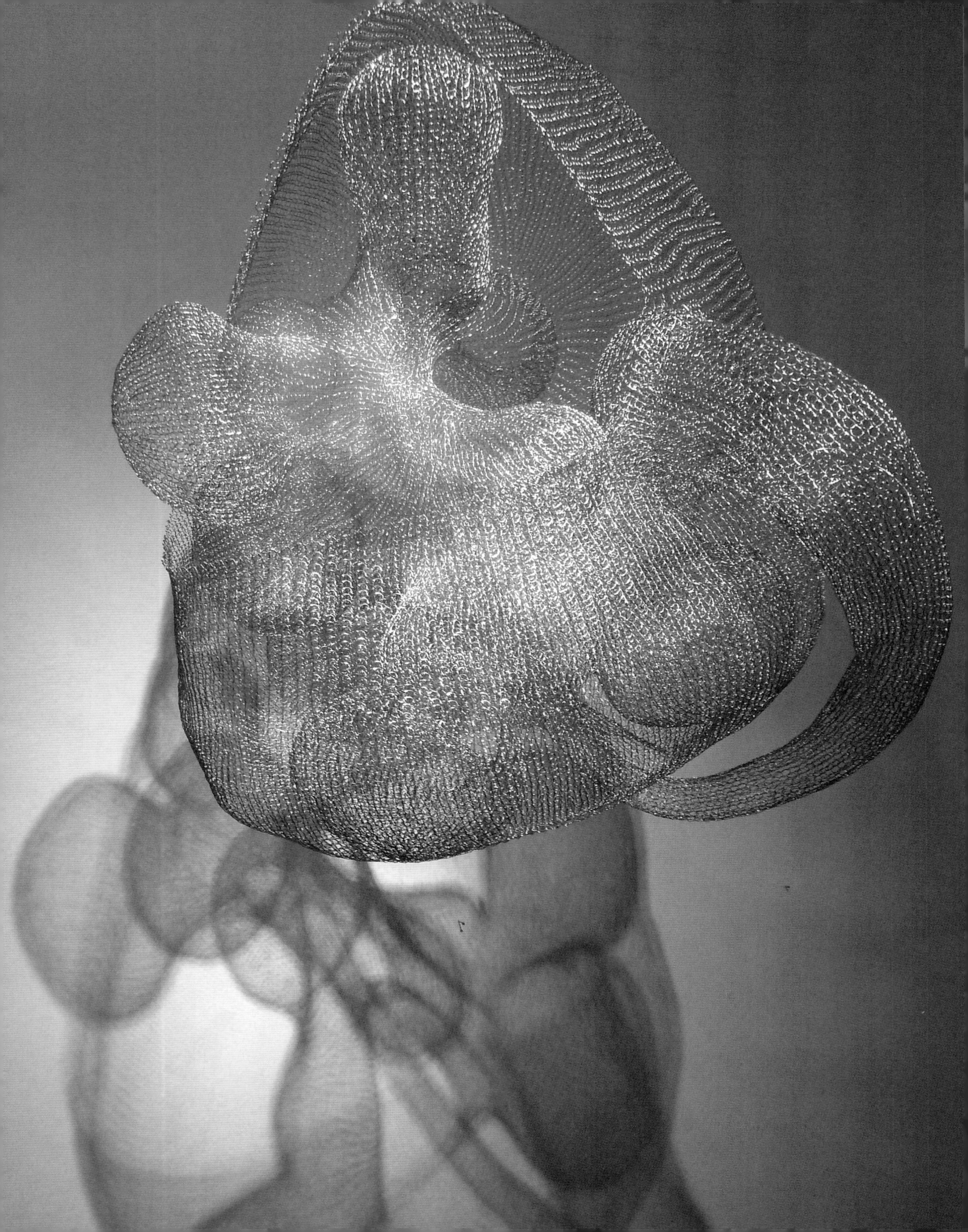

drahtiges geschmeide

wiry jewelry

Drahtkunst/
Wire Art
by Blanka
Šperková

VITA DER KÜNSTLERIN

Mein Nachname Šperk bedeutet in der tschechischen und slowakischen Sprache „Schmuck". Ich studierte Bildende Kunst in Bratislava und Marionettentheater sowie Zeichentrickfilm und Marionettenfilm in Prag. Seit 1974 lebe ich als freischaffende Künstlerin in Brünn und arbeite in mehreren Bereichen der angewandten Kunst: Design und Regie von Zeichentrickfilmen – ich habe mehr als 40 Filme gedreht – Gestaltung von Kulissen für Marionettentheater, Buchillustrationen, Drahtskulpturen, Schmuckdesign.

KREATIVES SCHAFFEN

Mit den Fingern stricke ich versilbertes, vergoldetes und farblackiertes Kupfer, Edelstahldraht, Kabel – mein Schaffen reicht von sehr kleinen Ohrringen und Objekten hin zu großdimensionalen Arbeiten aus Kabeln (300 cm x 300 cm x 300 cm). Ich habe eine einzigartige Technik des Fingerstrickens entwickelt, bei der man keine Stricknadeln oder andere Werkzeuge braucht. Mit einer einfachen Schlinge erschaffe ich sowohl freie Skulpturen als auch Schmuck. Meine Arbeiten sind in tschechischen und slowakischen Staatsgalerien ausgestellt oder gehören zu Privatsammlungen auf der ganzen Welt.

blankasperk@email.cz | www.amanita-design.net

ARTIST'S VITA

My surname Šperk in Czech and Slovak language means "jewelry". I studied line of graphic art in Bratislava plus line of puppet art and studio of cartoon and puppets film in Prague. Since 1974, I have lived in Brno as a freelance artist. I work in several branches of applied arts: design and direction of animated films (shot about 40 films), scenery for puppet's theaters, illustration of books, sculptures made of wire, jewelry.

WORKS OF ART

I work with finger knitted, silver plated, gilded, color lacquered copper, stainless wire, cables. Out of this I create everything – from very small earrings and objects to big dimensional works from cables (300 cm x 300 cm x 300 cm). I have worked extensively with wire since 1975. I do not, however, use traditional tinker techniques. I have created a unique technique of finger knitting, which uses neither knitting needles nor other tools. Using a basic loop, I create both free sculptures and jewelry. My works are exhibited in Czech and Slovak state galleries and in private collections at home and around the world.

INWIEFERN IST IHRE KUNST EXTREM?

Ich mag die luftige Transparenz des gestrickten Drahts, um daraus Formen entstehen zu lassen, die ein ausdrucksstarkes Zusammenspiel zwischen Licht und Schatten darstellen.

DIE BEMERKENSWERTESTE REAKTION IHRES PUBLIKUMS?

Ich kann mich nicht erinnern. Aber am häufigsten werde ich gefragt, wie viel Zeit ich für die Arbeiten benötige. Ich antworte dann: Es dauert so lange, bis es fertig ist.

LINKS DER DRAHT, MIT DEM ICH ARBEITE. DANEBEN BEFINDET SICH MEINE SKULPTUR „REVERS-AWERS" (20 CM x 20 CM x 20 CM). OBEN SIEHT MAN EINE LAMA-KETTE MIT OHRRINGEN.

ON THE LEFT THE WIRE, I'M WORKING WITH. NEXT TO IT MY SCULPTURE "REVERS-AWERS" (20 CM x 20 CM x 20 CM). BELOW YOU CAN SEE A LAMA'S NECKLACE AND EARRINGS.

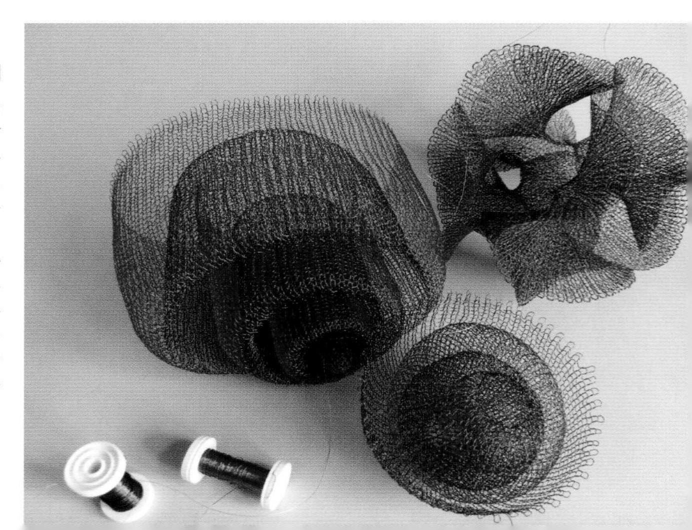

KANN KUNST UNSERE SICHTWEISE VERÄNDERN?

Da habe ich meine Zweifel. Ich bin sehr skeptisch.

WAS SIND IHRE ZIELE?

Spaß am Leben zu haben und mit meinen Kunstwerken anderen Freude zu bereiten, solange es möglich ist.

WER HAT SIE BESONDERS BEEINFLUSST?

Im Jahr 1970 begann ich, mit Draht zu experimentieren. Inspiriert wurde ich dabei von den traditionellen Drahttechniken der slowakischen Kesselflicker.

IN WHAT WAY IS YOUR ART EXTREME?

I like the airy transparency of knitted wire to create forms that demonstrate an expressive interplay between light and shadow.

THE MOST REMARKABLE REACTION OF YOUR AUDIENCE?

I can't remember what it was. But what my audience is mostly asking me is, "how long does it take?" My answer is: "Not before it is done."

CAN ART CHANGE THE WAY WE SEE THE WORLD?

I doubt it. I am very skeptic.

WHAT ARE YOUR AMBITIONS?

To have the joy of life and to give pleasure to others with my work as long as possible.

WHO INFLUENCED YOU IN A SPECIAL WAY?

I began to experiment with wire in 1970, inspired by traditional wire techniques used by Slovak tinkers.

HEISSE HÄNDE

HOT HANDS

Kerzenhände/
Candle Hands by
Justinas Bružas

VITA DES KÜNSTLERS

Ich bin in Vilnius, Litauen, geboren und aufgewachsen. Auch heute noch lebe ich in Vilnius, wo ich bei der Kreativagentur „MILK" als Digital Account Manager arbeite. Ich habe keine künstlerische Ausbildung. Im Kunstunterricht in der Schule war ich zwar recht gut, an der Universität habe ich jedoch Informatik studiert.

KREATIVES SCHAFFEN

CandleHand ist eine Kerzenmarke, die Kerzen in Form von Handgesten herstellt. Wir stellen 100 % handgemachte Kerzen in der Größe einer echten Hand her. Zurzeit bieten wir sechs verschiedene Gestenformen an, die in fünf verschiedenen Farben erhältlich sind. Unsere Produkte werden aus hochwertigem Paraffin hergestellt, haben eine lange Brenndauer und verbreiten einen angenehmen Duft.

info@candlehand.com
www.candlehand.com

ES MACHT EINFACH SPASS, HÄNDE ZU GESTALTEN, UND ES IST EINE FREUDE ZU SEHEN, DASS DIE MENSCHEN DIE FORMEN DER KERZEN MÖGEN. NEBEN DER ‚FCUK YOU'-HAND HABEN WIR DIE MODELLE ‚YOU ROCK', ‚TRIUMPH', ‚OK', ‚PISTOLEN-FINGER' AND ‚FEIGENHAND'.

IT IS JUST FUN MAKING THESE HANDS, AND A PLEASURE TO HEAR THAT PEOPLE LIKE THESE CANDLE SHAPES. BESIDES THE 'FCUK YOU' HAND, WE HAVE THE DESIGNS 'YOU ROCK', 'VICTORY', 'OK', 'GUN FINGERS' AND 'FIG HAND'.

INWIEFERN IST IHRE KUNST EXTREM?

Es war eine Herausforderung und hat sehr viel Zeit in Anspruch genommen, die Kerzen wie eine echte Hand aussehen zu lassen. Wir verbrauchten mehr als 200 kg Paraffin, bis wir die perfekte Gießform hatten. Nun sieht man auf den Kerzen jedes kleinste Detail der Hautstruktur. Nur die Farbe ist ein Hinweis darauf, dass es sich um eine Kerze und keine echte Hand handelt.

ARTIST'S VITA

I was born and raised in Vilnius, Lithuania, where I still live. I am now working at the creative agency 'MILK' as a digital account manager. I don't have an artistic education. I was quite good at arts in school, but I chose computer science studies at the university.

WORKS OF ART

CandleHand is a hand gesture candles brand. We are making 100 % handmade candles which have the same size as a real hand. Currently we have six different hand gesture shapes, which are available in 5 different colors. Our products are made from high quality paraffin wax and burn for a long time, spreading a pleasant scent.

DIE BEMERKENSWERTESTE REAKTION IHRES PUBLIKUMS?

Es gibt viele verschiedene Reaktionen auf die Kerzen, die meisten davon sind positiv. Die Leute lachen, wenn sie die Kerzen als Geschenk von Familie oder Freunden erhalten. Vor allem dann, wenn sie die ‚Fcuk you' Kerze zum Geburtstag oder zu Weihnachten bekommen. Teil jeder Reaktion ist dabei immer: ‚Wow, wie können die so realistisch hergestellt werden?'

WAS HAT SIE BESONDERS BEEINFLUSST?

Mein Vater brachte mich zur Kerzenherstellung. Irgendwann zeigte er mir, wie man Kerzen gießt. Ich fand das sehr spannend und es hat mir Spaß gemacht. Seitdem hat mich die Kerzenherstellung interessiert.

WAS SIND IHRE ZIELE?

Wir planen noch verschiedene weitere Handgesten in unser Sortiment aufzunehmen. Vielleicht werden wir demnächst alle Gesten der Gebärdensprache anbieten können. Unser Ziel ist es, neue, einzigartige und noch nie zuvor gesehene Kerzenformen zu entwickeln und zu produzieren.

IN WHAT WAY IS YOUR ART EXTREME?

It was challenging and a long-term process to make these candles look like real hands. In order to obtain perfect hand models, more than 200 kg of paraffin were used. Now our candles exactly reflect every ion of the skin´s texture. Only the color reveals that this is a candle, not a real hand.

THE MOST REMARKABLE REACTION OF YOUR AUDIENCE?

There are a lot of different reactions to these candles. Most of them are really good. People start laughing when they receive a candle as a gift from their family or friends. Especially when they receive the "Fcuk you"-gesture candle as a birthday or Christmas present. Almost all reactions include, "wow, they are made so realistically".

WHAT INFLUENCED YOU IN A SPECIAL WAY?

My dad was the person who influenced me in candle making. At some point he showed me how to make candles and it was quite interesting and fun for me. Since then I have been interested in the production of candles.

WHAT ARE YOUR AMBITIONS?

In the future, we are planning to offer more different hand gestures. Maybe soon we will have all sign language gestures. It is also our ambition to search for and produce new and unique shapes of candles.

Streetart mit Nadel und Faden

Street art with needle and thread

Straßensticken/
Street Embroidery
by Danielle Clough

VITA DER KÜNSTLERIN

Ich wurde in Kapstadt, Südafrika, geboren, wo ich auch heute noch lebe. An der Red and Yellow School für Werbung habe ich bildende Kunst, Art Direction und Grafikdesign studiert.

KREATIVES SCHAFFEN

Zuerst habe ich mit Nadel und Faden auf Stoff „gekritzelt". Mein Stil und meine Technik haben sich dann langsam daraus entwickelt. Eigentlich nutze ich die Fäden, um etwas „auszumalen". Ich sticke mit der Freestyle-Technik und bunten Fäden. Auf diese Art fertige ich Bilder von Blumen, Menschen oder anderen Dingen an wie beispielsweise Fast Food, Emojis, Vögeln, aber auch Referenzen zur Popkultur. Ich arbeite mit unterschiedlichen Maßstäben, von Miniatur-Stickereien über traditionelle Stickereien auf Stoff für Schmuck oder Wandbehänge bis hin zu großformatigen Arbeiten auf ausgedienten Tennisschlägern, Hühnerdraht und Zäunen. Ich verwende alles, was ich finden kann: Stickgarn, Wolle und Seile.

hello@danielleclough.com | www.danielleclough.com

DIESE BLÜTE WAR MEINE ERSTE GRÖSSERE ARBEIT AUF EINEM HASENDRAHT. ES IST EINE BLÜTE DES ZUCKERBUSCHS, EINER PFLANZENGATTUNG AUS DEM SÜDLICHEN AFRIKA.

THIS BLOSSOM WAS THE FIRST BIG PIECE CREATED ON CHICKEN WIRE. IT IS A BLOSSOM FROM THE KING PROTEA, A FLOWERING PLANT DISTRIBUTED IN SOUTHERN PARTS OF SOUTH AFRICA.

ARTIST'S VITA

I was born Cape Town, South Africa, where I still live. I did a Visual Arts matric and studied art direction and graphic design at The Red and Yellow School of advertising.

WORKS OF ART

I started by 'doodling' on fabric with a needle and thread. My style and technique slowly evolved from there. Essentially I just color in with thread. I embroiderer using a freestyle technique with bright thread to create images of flowers, portraits of people, and other images including fast food, emojis, birds and pop culture references. I work on different scales, exploring miniatures, more traditional embroidery on fabric for jewelry and wall art, to large works on vintage rackets, chicken wire and fences. I use any and everything I can find, embroidery floss, wool and rope.

IN WHAT WAY IS YOUR ART EXTREME?

I think the main challenge for me is having patience because embroidery is so time consuming. When working on fences and rackets, there are no tutorials on how to do them, so when I make mistakes its often hours of work that I have to redo. It can be frustrating.

INWIEFERN IST IHRE KUNST EXTREM?

Man muss viel Geduld aufbringen, denn das Sticken ist sehr zeitaufwendig. Wenn ich an Zäunen oder Tennisschlägern arbeite, gibt es keine Tutorials, wie man am besten vorgeht. Mache ich einen Fehler, muss häufig die Arbeit vieler Stunden korrigiert werden. Es kann frustrierend sein.

DIE BEMERKENSWERTESTE REAKTION IHRES PUBLIKUMS?

Das ist schwer zu sagen. Es gab so viele tolle Momente, die mich umgehauen haben. Beim Upfest (einem Street Art Festival, an dem ich 2016 teilgenommen hatte) hat jemand versucht, eine komplette Blume von einem Zaun zu stehlen. Das war ein erinnerungswürdiges, wenn auch etwas ungewöhnliches Kompliment.

DIESES WERK ENTSTAND BEIM UPFEST IN BRISTOL, EUROPAS GRÖSSTEM STREET-ART-FESTIVAL MIT ÜBER 300 TEILNEHMERN.

THIS WORK WAS CREATED AT UPFEST IN BRISTOL, EUROPE'S LARGEST STREET ART FESTIVAL WITH OVER 300 ARTISTS PARTAKING.

KANN KUNST UNSERE SICHTWEISE VERÄNDERN?

Design und Kunst sind in allem enthalten, was wir tun – von unseren Stiften bis zu den Stühlen, auf denen wir sitzen. Kreativität bringt Vielfalt in unser Leben, und mit der Vielfalt kommen Verständnis und Empathie. Kunst schafft Engagement und Austausch. Ich glaube nicht, dass wir uns durch die Betrachtung eines Gemäldes oder das Lesen eines Buches verändern, doch wenn wir stets von Kreativität und Vielfalt umgeben sind, unterstützt es uns meiner Meinung nach dabei, unsere Gedanken und unsere Herzen zu öffnen.

WAS SIND IHRE ZIELE?

Ich würde gerne mehr reisen und träume davon, an einem Künstlerförderungsprogramm teilzunehmen. Jedoch habe ich festgestellt, dass die besten Dinge passieren, wenn ich intuitiv steuere, und nicht aufgrund von Erwartungen.

THE MOST REMARKABLE REACTION OF YOUR AUDIENCE?

It's hard to say! There have been so many instances of kindness that have floored me. At Upfest (a street art festival I partook in 2016) someone tried to steal an entire flower off a fence, which was a memorable (somewhat inconvenient) compliment.

CAN ART CHANGE THE WAY WE SEE THE WORLD?

Design and art is in everything we do. From our pens to the chairs we sit on. Creativity brings diversity to our lives, and with diversity comes understanding and empathy. It creates engagement and conversation. I don't think we can be changed by looking at a painting, or reading one book, but if we are constantly surrounded with creativity and variety, I think that will help open our minds and hearts.

WHAT ARE YOUR AMBITIONS?

I would like to travel more and dream of doing an artist residency, but I have found that the best things come when I navigate by intuition, and not by expectations.

Chris Maynard

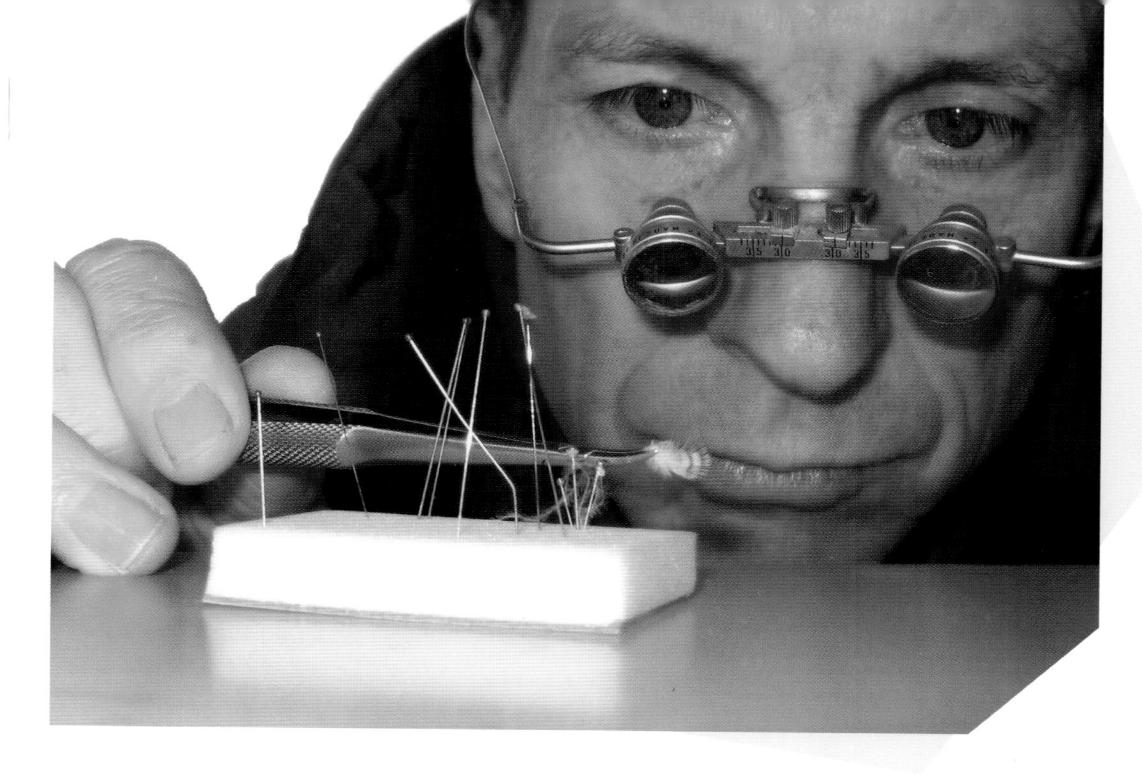

chris@featherfolio.com
featherfolio.com

VITA DES KÜNSTLERS

Meine Kunst ist für mich wie eine Vogelstange, von der aus ich in Ruhe die Welt betrachten kann. Seit ich zwölf Jahre alt bin, arbeite ich mit Federn. Meine Technik habe ich kontinuierlich mit Chirurgenschere, Pinzette und Lupe verfeinert, bis ich 2010 meine Kunst erstmals der Öffentlichkeit präsentierte. Seitdem interessieren sich immer mehr Menschen auf der ganzen Welt für meine Feder-Kunstwerke, darunter Kunstsammler und Vogelliebhaber. Ich lebe und arbeite in der Nähe von Olympia, Washington.

KREATIVES SCHAFFEN

Ich schnitze filigrane Kunstobjekte aus Federn. Jeder Künstler versucht, die Essenz des Lebens einzufangen. Da ich Vögel darstelle, ergibt es Sinn, ihre Federn zu verwenden, denn in jeder abgeworfenen Feder bleibt ein wenig vom Wesen des Vogels erhalten, zu dem sie einst gehörte. Ich grenze die Feder von ihrem Hintergrund ab, sodass ihre Rundungen und Formen betont werden und sie je nach Intensität, Qualität und der Richtung des Lichts Schatten werfen. Im Gegensatz zur Farbpalette eines Künstlers ist die Farbauswahl bei Federn recht limitiert. Nichtsdestotrotz erhalte ich die natürlichen Farben und Muster jeder Feder. Federn werden oft als lieblich und filigran wahrgenommen, dabei sind sie eigentlich ziemlich robust, da sie einen Vogel bedecken, ihm Schutz gewähren und ihn ein Jahr lang zum Fliegen bringen müssen, bis sie abgeworfen werden. In gleicher Weise sollen meine Federschattenboxen bewusst filigran erscheinen, jedoch ebenso ihre Widerstandsfähigkeit jahrelang wahren.

Federkunst/
Featherfolio by
Chris Maynard

KUNST, SO LEICHT WIE EINE FEDER

ART AS LIGHT AS A FEATHER

ICH MAG ES, WENN ICH DIE FEDER VON DEM VOGEL BENUTZE, DEN ICH PORTRÄTIERE, WIE BEI DIESEM PFAU (28 CM x 36 CM).

I LIKE IT, WHEN I AM ABLE TO USE THE FEATHER OF THE BIRD THAT I AM PORTRAYING, LIKE THIS PEACOCK (28 CM x 36 CM).

ARTIST'S VITA

My work with feathers gives me a satisfying perch from which to view the world. I have been working with feathers since I was twelve. In the upcoming years I refined my technique with tiny eye surgery scissors, forceps and magnifying glasses. My first exhibition was in 2010. Since then my feather shadowboxes have been recognized by art collectors, bird lovers, and a wide and interesting variety of people from around the world. Today I live and work near Olympia, Washington, USA.

WORKS OF ART

I carve feathers into intricate art. Any artist attempts to capture an essence of life. Since I am portraying birds, using their feathers makes sense because each shed feather keeps something of the essence of the bird it came from. I set the feathers apart from their backgrounds so their curves and shapes are enhanced and cast shadows according to the intensity, quality and direction of light. Unlike a painter's palette, the choice of colors in feathers is quite limited. Nevertheless, I keep the natural colors and patterns of each feather. Feathers are often perceived as endearingly delicate, but they are actually quite tough, having to keep a bird clothed, sheltered, and in flight for a year until they are shed. In the same vein, my feather shadowboxes are meant to appear delicate but maintain their integrity for many years.

INWIEFERN IST IHRE KUNST EXTREM?

Mit Pinseln malenden Künstlern oder Bildhauern steht bei der Schaffung ihrer Kunstwerke eine breite Auswahl an Linien, Formen und Farben zur Verfügung. Die Federn selbst bestimmen die Grenzen der für mich zur Verfügung stehenden Linien, Formen und Farben. Daher sind die Platzierung und das Design von entscheidender Bedeutung.

DIE BEMERKENSWERTESTE REAKTION IHRES PUBLIKUMS?

Ich bin dankbar, dass Menschen überall auf der Welt einen Sinn in meiner Kunst sehen. Letzten Winter, zum Jahresende, erhielt ich einen Brief von einer mir bis dahin unbekannten Frau. Sie beschrieb die schlimmen Dinge, die sich im Laufe ihres Jahres ereignet hatten, aber auch dass sie, nachdem sie meine Kunstwerke gesehen hatte, ein Gefühl der Freude verspürt hatte, was lange nicht mehr der Fall gewesen war. Auf dem Brief waren Spuren ihrer Tränen zu sehen. Ich hatte auch Tränen in den Augen.

KANN KUNST UNSERE SICHTWEISE VERÄNDERN?

Wenn ich nicht überzeugt wäre, dass meine Kunst Bewunderung und Staunen hervorruft, die Anerkennung und das Verständnis der Natur fördert und neue Wege zur Betrachtung von Vögeln und Federn aufzeigt, würde ich damit aufhören. Häufig teilen mir die Menschen beim Verlassen einer Ausstellung oder nach einem Gespräch mit, dass sie nie wieder einen Vogel in der gleichen Weise betrachten werden.

WAS HAT SIE BESONDERS BEEINFLUSST?

Drei wunderbare, wenn auch anstrengende Schwestern ließen mich in meiner Kindheit, in den hohen, feuchten Wäldern in der Nähe unseres Hauses nach einer Auszeit suchen. Dort lag ich dann im Moos und schaute zu den Baumwipfeln empor. Einmal flog ein Vogel über mich hinweg, und ich beobachtete, wie sich eine Feder löste und ganz langsam bis zu mir hinunter schwebte.

WAS SIND IHRE ZIELE?

Da es sich bei meiner Kunst um ein neues Medium, einen neuen Prozess und eine neue Technik handelt, habe ich mir zum Ziel gesetzt, die Anerkennung für diese Kunstform zu steigern, indem ich meine Kunst in großen Sammlungen, in den besten Museen und Galerien auf der ganzen Welt zeige.

IN WHAT WAY IS YOUR ART EXTREME?

A brush painter or sculptor has a wide range of shapes and lines and forms and colors to choose from when making their art. My limiting lines and forms and colors are the feathers themselves. So the placement of each piece, the design, becomes of critical importance.

THE MOST REMARKABLE REACTION OF YOUR AUDIENCE?

I am grateful that people around the world find meaning in my art. Last winter at the year's end, I received a letter from a woman that I did not know. She described the awful things that had happened during the year and after seeing my art, it gave her a sense of joy that she had not felt for a long time. There were tear stains on the letter. It made me teary.

CAN ART CHANGE THE WAY WE SEE THE WORLD?

If I didn't think that my art could encourage awe and wonder; foster appreciation and understanding of the natural world, and promote new ways of seeing birds and feathers, I would quit. I have often had people tell me, as they are leaving my show or my talk, that they will never look at birds in the same way again.

WHAT INFLUENCED YOU IN A SPECIAL WAY?

Three wonderful but bothersome sisters encouraged me to take respite in the tall damp woods surrounding our home. There I would lie in the moss looking up through the trees. Once, as a bird flew high overhead, I watched a feather come loose and slowly drift all the way down to me.

WHAT ARE YOUR AMBITIONS?

Since my art is a new medium, process, and technique, my goal is to have this form continue to grow in recognition through its presence in major collections, the best museums, and galleries around the world.

SÜSS, SÜSSER, KUNST!

SWEET, SWEETER, ART!

Kuchendekoration/
Cake Decoration
by Laura Loukaides

VITA DER KÜNSTLERIN

Als ich mit dem Dekorieren von Torten begann, wusste ich nicht, dass dazu Kurse angeboten werden, deshalb stöberte ich in Zeitschriften und schaute mir online Videos an, um die Grundlagen zu lernen. Ich habe mir alles selbst beigebracht, vom Formen der Torten bis hin zur Airbrush-Technik.

KREATIVES SCHAFFEN

Ich arbeite vor allem mit Torten, Fondant, Blütenpaste und Rice Krispies. Manchmal brauche ich jedoch weitere Elemente, die aus Modellierschokolade, Keksen, Süßigkeiten oder reinem Zucker hergestellt werden. Ich arbeite gerne mit verschiedenen Stilrichtungen. Das kann sich von einfachen, niedlichen Designs bis zu realistischeren Torten in Form von Tierskulpturen erstrecken. Mir macht das Kreieren realistisch wirkender Torten, die Esswaren oder Gegenstände darstellen, sehr viel Spaß, da ich mit verschiedenen Farben und Texturen experimentieren kann. Auch wenn mir alle Richtungen der Tortenkunst gefallen, ist der Realismus der Stil, mit dem ich am liebsten arbeite.

lauraloukaidescakes@outlook.com
www.lauraloukaidescakes.co.uk
www.facebook.com/LauraLoukaidesCakes

KUCHEN KANN NICHT NUR SÜSS SCHMECKEN, SONDERN AUCH SÜSS AUSSEHEN!

CAKE DOES NOT ONLY TASTE SWEET, IT ALSO CAN LOOK SWEET!

ARTIST'S VITA

When I first started cake decorating, I didn't know you could take classes so I took to magazines and online videos to learn the basics of cake decorating. I am completely self-taught in cake sculpting and airbrushing.

WORKS OF ART

I mostly work with cake, fondant icing, gumpaste and Rice Krispy Treats, but some cakes require the use of additional elements made from modeling chocolate, cookies, sweets and pure sugar. I like to work with a few different styles for my work. It can range from simple cute designs to more realistic animal cake sculptures. I also really enjoy creating realistic food cakes and subjects as it gives you the chance to experiment with different colors and textures. Although I enjoy most forms of cake art, realism is the style I most enjoy working with.

IN WHAT WAY IS YOUR ART EXTREME?

Cake can sometimes be very challenging to work with, especially in warmer weather, but any time of the year can have its downside when working with cake. The warmer weather can make buttercream melt easily, causing cakes to slide and not be supported correctly, humidity can also cause sugar flowers to wilt and not dry properly. Working in the winter is slightly easier, but can also have its challenges. I would say two of the most challenging elements of cake art is temperature control and support. If both of those are off, the cake is at risk.

INWIEFERN IST IHRE KUNST EXTREM?

Torten können eine große Herausforderung darstellen, vor allem bei warmen Temperaturen. Jede Jahreszeit hat jedoch ihre Nachteile, wenn es um das Dekorieren von Torten geht. Warme Temperaturen lassen die Buttercreme schmelzen, dann verrutschen die Torten, da ihnen der Halt fehlt. Luftfeuchtigkeit lässt Zuckerblumen welken und nicht richtig durchtrocknen. Die Arbeit im Winter ist etwas einfacher, hat aber auch ihre heiklen Momente. Die zwei größten Herausforderungen bei der Tortenkunst sind das Kontrollieren der Temperatur und der Torte Halt zu geben – stimmt beides nicht, ist die Torte in Gefahr.

DIE BEMERKENSWERTESTE REAKTION IHRES PUBLIKUMS?

Bei einem Wettbewerb bekam ich sehr gute Resonanzen zu meiner riesigen Food-Stapeltorte. Zu sehen, wie meine Torten mit kritischem Blick betrachtet werden, kann angsteinflößend sein, doch is es sehr schön, dass mein Design anderen Freude bereitet.

KANN KUNST UNSERE SICHTWEISE VERÄNDERN?

Ja, ich glaube, dass Kunst unsere Sicht auf die Welt verändern kann. Ich habe in den letzten Jahren einige eindrucksvolle Illustrationen und Skulpturen gesehen, bei denen man wirklich innehalten musste und zum Nachdenken animiert wurde. Das Bild selbst kann durchaus simpel sein, aber die Botschaft kommt an. Manchmal bedarf es keiner Worte, um eine nachdrückliche Botschaft in die Welt zu schicken.

WAS SIND IHRE ZIELE?

Ich hoffe, so lange wie es geht, an meinen Torten und Tutorials arbeiten zu können, aber in der Zukunft möchte ich auch reisen und überall auf der Welt das Tortendekorieren unterrichten.

ICH KREIERE AUCH SCHUH- ODER TASCHENKUCHEN, WIE DIESE VERZIERTE SCHULTERTASCHE. GENAU WIE DIE TORTE AUF SEITE 158 UND DIE WELPEN LINKS WURDE SIE MIT EINER GOLDMEDAILLE BEI „CAKE INTERNATIONAL" AUSGEZEICHNET.

I ALSO DESIGN SHOE OR BAG CAKES LIKE THIS BEADED SATCHEL. JUST LIKE THE CAKE ON PAGE 158 AND THE PUPPIES LEFT THIS CAKE WON A GOLD MEDAL AT CAKE INTERNATIONAL.

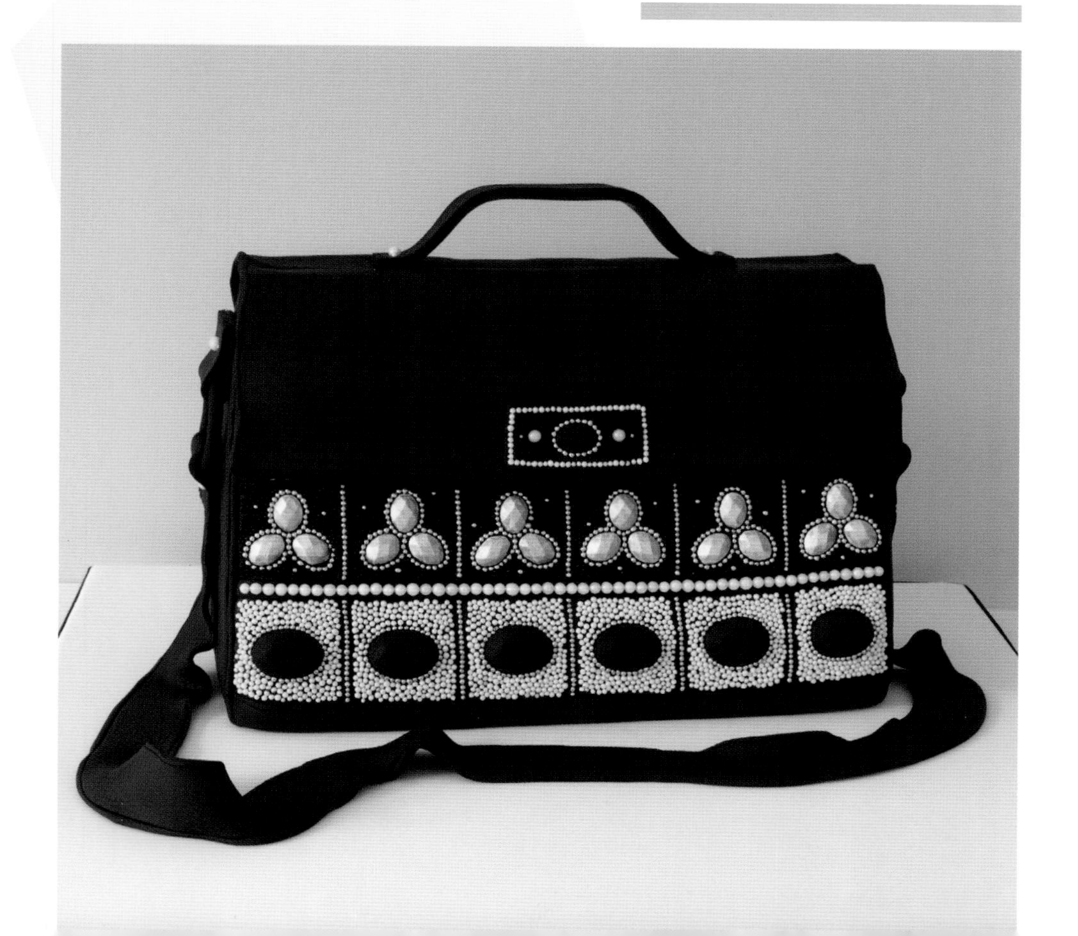

THE MOST REMARKABLE REACTION OF YOUR AUDIENCE?

My giant food stack cake got a very good reaction when it was on display at the competition. It can be scary seeing people look at your work, but it is lovely to see people enjoying my design.

CAN ART CHANGE THE WAY WE SEE THE WORLD?

I do believe art can change the way we see the world. I have seen some very powerful illustrations and sculptures over the last few years which really make you stop and think. The image may be simple, but the message instantly hits you. Sometimes you don't need words to put a strong message out into the world.

WHAT ARE YOUR AMBITIONS?

I hope to continue working on cakes and tutorials for as long as I can, but in the future I would love to travel and teach cake decorating all over the world.

Häkelporträts/
Crocheted Portraits
by Jo Hamilton

VITA DER KÜNSTLERIN

An der Kunsthochschule in Glasgow habe ich einen Bachelor in Bildender Kunst, Fachbereich Zeichnen und Malerei, gemacht. Das Stricken und Häkeln brachten mir meine Mutter und Oma als Kind bei. Nach dem Abschluss zeichnete und malte ich weiterhin, auch häkelte ich, doch hatte dies nichts mit meiner künstlerischen Tätigkeit zu tun. Meist häkelte ich Mützen für Freunde. Ein paar Jahre nach meinem Umzug nach Portland, Oregon, wurde ich von einer Ausstellung in einer regionalen Galerie dazu inspiriert, mich an „Häkel ein Gemälde" zu versuchen. Was ich noch am selben Tag begonnen hatte, entwickelte sich zu meiner ersten Stadtansicht, die frei nach der Stadt Portland entstanden ist und zu meinen bislang größten Werken zählt (1,60 m x 2,90 m). Ungefähr zu dieser Zeit begann ich, Porträts meiner Kollegen aus dem Restaurant, in dem ich damals arbeitete, anzufertigen. Im Jahr 2009 stellte ich die Stadtansicht und zwölf Porträts aus.

KREATIVES SCHAFFEN

Meine Werke sind aus den verschiedensten Garnen mit festen Maschen gehäkelt. Ich arbeite vor allem großformatig (meine Porträts sind meist in doppelter Lebensgröße) und zweidimensional. Fast alle Garne habe ich im Laufe der letzten 20 Jahre in Secondhand-Läden gefunden; vermutlich habe ich Tausende Wollknäuel in meinem Atelier. Ich arbeite mit Farben und nicht tonal und baue das Bild Masche für Masche von innen nach außen auf. Meine Bilder sind Darstellungen von Menschen, die sonst nicht ins Blickfeld rücken, wie die Bewohner des örtlichen AIDS-Pflegeheims, in dem ich ehrenamtlich tätig bin. Meine Landschaften decken das Fortschreiten des Städteabbaus auf, die Aktbilder erscheinen maskulin. Mich interessieren die sich verändernden Geschlechterrollen und -identitäten in der zeitgenössischen Kunst, im Kunsthandwerk und in der Gesellschaft sowie die Enthüllung der Voreingenommenheit einer geschlechtsspezifischen Betrachtungsweise.

IInfo@johamiltonart.com
www.johamiltonart.com

ARTIST'S VITA

I studied Fine Art, department of drawing and painting at the Glasgow School of Art. When I was a child I learned to knit and crochet from my Mum and Gran. After graduation I continued to draw and did quite a bit of writing. I also still crocheted but it was unconnected to my art practice; mostly I made hats for my friends. A few years after moving to Portland, Oregon, I was inspired by an exhibition at the local craft gallery to try to 'crochet a painting'. What I began the same day eventually became my first cityscape loosely based on Portland, and one of my largest works to date (63 x 114 inches). Around the same time I began to make portraits of my coworkers at the restaurant where I worked back then. In 2009, I showed the finished cityscape and twelve portraits.

WORKS OF ART

My work is crocheted from all different kinds of yarn, using single crochet. It tends to be large scale (my portraits are about twice life-size) and mostly two-dimensional. Nearly all of my yarn has been collected from secondhand shops over the last twenty years; I must have thousands of balls in my studio. I work with color rather than tonally, and build the work knot by knot from the inside out. My portraits depict less-seen people, like residents of the local AIDS care facility where I volunteer, my landscapes reveal the progress dismantling the city, and nudes appear to be male. I am interested in the shifting of gender roles and identity in contemporary art, craft and society and in unmasking the biases of the gendered gaze.

IN WHAT WAY IS YOUR ART EXTREME?

The greatest challenge is the number of hours it takes to make the work - it can feel like an endurance test at times. It's also unworkable to make a rough sketch or plan of anything in yarn. I just have to start making the actual piece and work out any technical problems as I go.

INWIEFERN IST IHRE KUNST EXTREM?

Die größte Herausforderung sind die vielen Arbeitsstunden - manchmal fühlt es sich an wie ein Belastungstest. Genauso ist bei der Arbeit mit Garn das Anfertigen einer groben Skizze oder eines Planes einfach ausgeschlossen. Ich kann nur mit dem eigentlichen Stück beginnen und technische Probleme während des Arbeitsprozesses lösen.

DIE BEMERKENSWERTESTE REAKTION IHRES PUBLIKUMS?

Ich habe gesehen, dass meine Werke schon mehrere Menschen zum Weinen gebracht haben.

DIESE ARBEIT NENNT SICH „MASKS: CLOCKFACE" (1,45 M x 1,35 M). AUF SEITE 163 SIEHT MAN MICH DARAN ARBEITEN. DAS WERK RECHTS HEISST „HAWTHORNE BRIDGE RISING" (1,8 M x 1,35 M) UND DAS WERK AUF SEITE 162 „EITHER SIDE OF THE FREMONT" (0,79 M x 1,78 M).

THIS WORK IS TITLED "MASKS: CLOCKFACE" (1.45 M x 1.35 M). YOU CAN SEE ME WORKING ON IT ON PAGE 163. THE WORK ON THE RIGHT IS "HAWTHORNE BRIDGE RISING" (1.8 M x 1.35 M) AND THE WORK ON PAGE 162 "EITHER SIDE OF THE FREMONT" (0.79 M x 1.78 M).

KANN KUNST UNSERE SICHTWEISE VERÄNDERN?

Ja, ich bin der Meinung, dass Kunst und andere, nonverbale und nicht-kommerzielle Kommunikationsformen uns unkonventionelle Lebensweisen und alternative Erfahrungen des Menschseins bieten können, um so die Gegebenheiten einer etablierten Gesellschaft infrage zu stellen. Kunst verbindet und gewährt uns den Zugang zu einer größeren, tiefgründigeren und vielleicht auch langfristigeren Betrachtungsweise der Realität.

WAS SIND IHRE ZIELE?

Ich möchte noch mindestens die nächsten vierzig Jahre meine Kunst ausüben können. Gerne würde ich meine Arbeit einem breiteren Publikum auch außerhalb der USA präsentieren, vor allem würde ich sie gerne in Brasilien, Südafrika und Europa ausstellen. Darüber hinaus würde ich gerne mehr Kunst auf öffentlichem Raum kreieren und zur Installation meiner Werke die Welt bereisen.

THE MOST REMARKABLE REACTION OF YOUR AUDIENCE?

I have seen it make people cry a number of times.

CAN ART CHANGE THE WAY WE SEE THE WORLD?

Yes. I think that art and other non-verbal non-commercial forms of communication can offer us unconventional approaches to life and alternative experiences of being human, questioning what is offered by established society. Art can also connect us and provide us access to a larger, more profound and perhaps longer-term view of reality.

WHAT ARE YOUR AMBITIONS?

I hope to keep making my art for at least the next forty years. I would like to show my work more widely outside of the United States and I'm especially interested in getting it over to Brazil, South Africa and Europe. I would like to make more public art, and to travel to install it in community spaces worldwide.

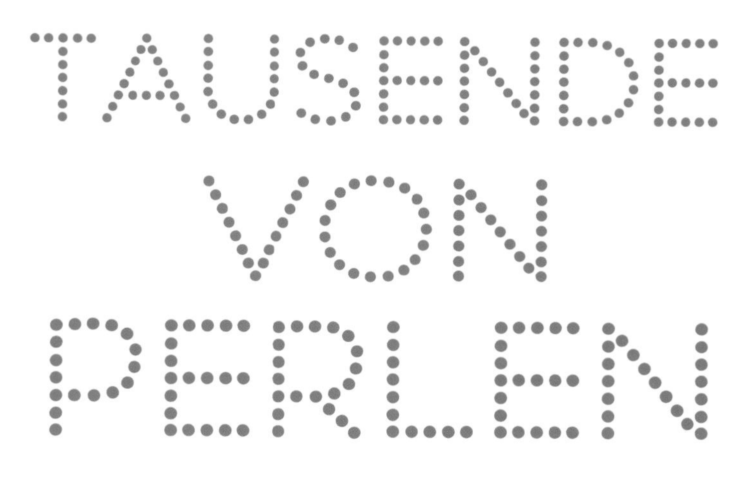

TAUSENDE VON PERLEN

THOUSANDS OF BEADS

Perlenkunst/Beaded Art
by Jan Huling

VITA DER KÜNSTLERIN

Ich wurde in Chicago, Illinois, geboren, zog aber schon als kleines Kind nach St. Louis, Missouri. Ich studierte an der Drake Universität in Des Moines, Iowa, sowie am Kunstinstitut in Kansas City, Missouri, und lebe und arbeite heute in Hoboken, New Jersey. Zum Perlenkleben brachte mich meine Schwester, als sie mir 2001 einige von ihr mit Perlen verzierte PEZ-Spender zeigte. Ich fand sie lustig und bezaubernd und wollte das ebenfalls ausprobieren. Mein erstes Projekt war ein Kazoo, ein kleines Musikinstrument, auf dem ich bei einem Wiedersehen mit meiner alten Hippie-Band vom College spielen wollte.

KREATIVES SCHAFFEN

Als ich mit dem Perlenkleben begann, wusste ich, dass ich mein Medium gefunden hatte. Es schien mir etwas zu sein, dem ich meinen ganz individuellen Stempel aufdrücken konnte. Am Anfang steht immer ein Fundobjekt, das mich inspiriert. Diese Objekte können aus den verschiedensten Materialien sein, solange es ein festes Material ist. Ich verwende Böhmische Rocailles in der Größe 11/0, aber auch Knöpfe, Münzen, Cabochons, Swarovski-Kristalle, kaputten Schmuck und alle möglichen Dinge. Ich ziehe die Perlen zu einem Muster auf, trage eine feine Linie des Klebstoffs auf das Objekt auf, klebe einen Perlenstrang auf und ziehe den Faden heraus. Diese Schritte wiederholen sich, bis das Objekt vollständig bedeckt ist.

janhuling@yahoo.com
www.janhuling.com

DER AFFE (121,92 CM x 38,1 CM x 60,96 CM) GEHÖRT ZU MEINEN LIEBLINGSSTÜCKEN. ES HAT SO VIEL SPASS GEMACHT, AN DIESER FORM ZU ARBEITEN!

THE MONKEY (121.92 CM x 38.1 CM x 60.96 CM) IS ONE OF MY FAVORITES. WHAT A FUN SHAPE TO WORK ON, FULL OF PERSONALITY!

ARTIST'S VITA

I was born in Chicago, Illinois, but moved to St. Louis, Missouri, when I was very small. I studied at Drake University in Des Moines, Iowa, and the Kansas City Art Institute in Kansas City, Missouri, and now live and work in Hoboken, New Jersey. My sister got me started gluing beads around 2001, when she showed me some Pez (candy) dispensers that she had beaded. I thought they were funny and adorable, so I wanted to try it. My first project was a kazoo to play at a reunion with my old college hippie band!

WORKS OF ART

When I started to glue beads on stuff, I knew I'd found my medium. It seemed like something that I could put my mark on in a very individual way. I start out with found objects that inspire me to adorn with beads. These objects can be made out of almost anything as long as they are solid. I use Czech glass 11/0 seed beads as well as buttons, coins, cabochons, Swarovski crystals, broken jewelry, all kinds of stuff. I string the beads in patterns, put a very fine line of Aleene's Quick Dry Tacky Glue down on the object, glue down one line of beads and pull out the thread. Then, obviously, I repeat until the object is completely covered.

IN WHAT WAY IS YOUR ART EXTREME?

My work is very meticulous and slow. I often think of each piece as a Zen-like exercise, the building of the patterns is similar to creating mandalas.

INWIEFERN IST IHRE KUNST EXTREM?

Meine Werke erfordern sorgfältiges Arbeiten, deswegen geht es nur langsam voran. Häufig betrachte ich die Arbeit als eine Zen-Übung: Das Gestalten der Muster ist ähnlich wie das Zeichnen eines Mandalas.

KANN KUNST UNSERE SICHTWEISE VERÄNDERN?

Ich glaube fest daran, dass Kunst die Art und Weise verändern kann, wie wir die Welt sehen. Auf individueller Ebene gibt sie uns Hoffnung und Inspiration, sie bewegt unser Innerstes und motiviert uns, uns noch mehr anzustrengen, noch mehr zu erreichen und noch mehr Dingen auf den Grund zu gehen. Kunst ist absolut wichtig für diese Welt, sie war es immer und wird es immer sein.

WAS SIND IHRE ZIELE?

Ich wünsche mir, dass mich meine Arbeit an Orte bringt, an denen ich noch nie war, sowohl physisch als auch auf metaphorischer Weise. Im Juni 2018 werde ich einen Workshop in Südfrankreich leiten, bereits Anfang des Jahres habe ich in Puerto Vallarta, Mexiko, einen Workshop durchgeführt. Das hat Spaß gemacht! Ich arbeite auch auf eine Ausstellung am American Visionary Art Museum in Baltimore, Maryland, im November 2017 hin. Ich bin so dankbar für alle Möglichkeiten, die sich mir durch meine künstlerische Tätigkeit eröffnet haben.

THE MOST REMARKABLE REACTION OF YOUR AUDIENCE?

When I had the opportunity to show my art at a fine art gallery in New York's Chelsea district a woman came in and studied each piece for a long time. She didn't speak with me, no questions, just gazed at each piece. Then she turned to me with tears in her eyes, hugged me hard and left. It was very moving. Oh, and taking my work out of the craft fair atmosphere and putting it in a fine arts venue proved to be the way to gain respect for it! People will pay the big bucks for "fine art".

CAN ART CHANGE THE WAY WE SEE THE WORLD?

I absolutely believe that art can change the way we see the world! On an individual level, it gives us hope and inspiration, it moves our souls and encourages us to try harder, to reach further, to dig deep. Art is absolutely vital to the world, always has been and always will be.

WHAT ARE YOUR AMBITIONS?

I want my work to take me to places I've never been, both physically and metaphorically. In June of 2018 I'll be teaching a workshop in the South of France, having taught one earlier this year in Puerto Vallarta, Mexico. What fun! I'm also working towards a show at the American Visionary Art Museum in Baltimore coming up in November 17. I'm so grateful for all the opportunities that have been opened to me through my artwork.

KLEIDER-GRÖSSE XXXS

Mini-Stricken/Tiny Knitting
by Althea Crome

DRESS SIZE XXXS

VITA DES KÜNSTLERS

Ich bin in Fort Collins, Colorado, geboren. Als ich sechs Jahre alt war, ging ich mit meinen Eltern für ein Jahr nach Kyoto, Japan. Dann zogen wir zurück in die USA nach Yellow Springs, Ohio, einen liebenswerten Ort. Während der Schulzeit probierte ich verschiedene Techniken aus: Keramik, Zeichnen, Schmuckherstellung und andere Dinge. Als ich dann aufs College ging, entdeckte ich meine wissenschaftliche Seite und studierte Atemtherapie. Während meiner Collegezeit erlernte ich auch das Stricken, das zu einem lebenslangen Hobby und meiner Leidenschaft wurde. Ich lebe seit 2001 in Bloomington, Indiana.

KREATIVES SCHAFFEN

Das Stricken war eine dringend benötigte künstlerische Auszeit von dem sehr wissenschaftlichen Umfeld am College. Im Jahr 2000, nach der Geburt meiner Drillinge, entdeckte ich eine weitere alte Leidenschaft aufs Neue, die seit meiner Kindheit brachgelegen hatte: die Faszination für Miniaturen. Ich baute ein Puppenhaus für meine Kinder, bemerkte jedoch, dass es nicht das war, mit dem ich spielen wollte, sondern die Miniaturen. Es dauerte nicht lange, bis meine Leidenschaft für das Stricken mit meiner Faszination für Miniaturen verschmolz – und daraus entstand eine für mich neue und spannende Kunstform: Miniaturen Stricken! Im Herzen bin ich eine Geschichtenerzählerin, und ich meine, dass die Verwendung eines Kleidungsstücks als „Leinwand" einem ansonsten inaktiven Objekt eine lebhafte Dimension verleiht. Indem ich das Bild um das Kleidungsstück herumlaufen lasse, zwinge ich den Betrachter, das Stück zu umkreisen, es von Naht zu Naht zu erleben und dabei einer Geschichte oder einem Thema von der einen auf die andere Seite zu folgen.

altheacr@gmail.com
www.bugknits.com

ARTIST'S VITA

I was born in Fort Collins, Colorado. When I was six years old, I went with my family to Kyoto, Japan, for a year, where both of my parents taught English. Then we moved back to the US and settled in Yellow Springs, Ohio, a charming village. I dabbled in art making through high school - ceramics, drawing, jewelry and other things, but by the time I got to college, I was exploring my scientific side and ended up studying to be a respiratory therapist. While in college, I also learned to knit, which became a lifelong hobby and passion. I live in Bloomington, Indiana, and have been here since 2001.

WORKS OF ART

Knitting provided a much needed artistic respite from the very science oriented field I had decided to make my career. In 2000, after giving birth to triplets, I rediscovered another passion that had lain dormant since childhood: my fascination with miniatures. I began to build a dollhouse for my children but discovered that it was not the structure I wanted to play with, but the magical miniatures that were inside. It was not long after that that my love of knitting merged with my fascination with miniatures and a new and thrilling art form emerged for me - miniature knitting! I am a storyteller at heart and I find that using a garment as a 'canvas' adds an animated dimension to an otherwise dormant object. By making the image wrap around a garment, the viewer is forced to orbit the piece and experience it from seam to seam, following a story line or theme from one side to the other.

IN WHAT WAY IS YOUR ART EXTREME?

When I create a miniature garment, the process takes months and sometimes even years. When I have an idea for an image I want to knit, I usually draw it out and then first create a chart for the image on my computer. This can take an extremely long time and usually requires a lot of tweaking. Once I am satisfied with the image I produced on the computer, I design the garment around it. After everything is designed on the computer, I select my threads. When I am on a roll, I can knit for 14 hours a day. The excitement of seeing the image emerge keeps me motivated.

INWIEFERN IST IHRE KUNST EXTREM?

Wenn ich ein Kleidungsstück im Miniaturformat kreiere, dauert dieser Prozess Monate, manchmal sogar Jahre. Habe ich eine Idee für ein Strickprojekt, zeichne ich dieses meist auf und erstelle dann zunächst am Computer eine Graphik. Das ist sehr zeitaufwendig und bedarf etlicher Anpassungen. Bin ich schließlich mit dem auf dem Computer erstellten Bild zufrieden, designe ich das Drumherum. Ist das Design auf dem Computer abgeschlossen, wähle ich die Fäden aus. Habe ich gerade einen guten Lauf, kann ich 14 Stunden am Tag stricken. Die Spannung, zu sehen, wie das Bild Realität wird, motiviert mich.

WER HAT SIE BESONDERS BEEINFLUSST?

Ich habe es meiner Mitbewohnerin am College, Maureen, zu verdanken, dass ich Stricken und das Lesen von Strickanleitungen lernte. Als ich die Grundlagen beherrschte, suchte ich nach neuen Herausforderungen und bat die Inhaber der Wollgeschäfte in meiner Gegend, mir bei der Auswahl anspruchsvoller und interessanter Strickmuster behilflich zu sein - mit Zopfmustern und Farbwechseln.

WAS SIND IHRE ZIELE?

Hauptberuflich Künstlerin zu sein, ist nichts für schwache Nerven. Wir können uns schon glücklich schätzen, wenn wir unsere Rechnungen bezahlen können. Aber etwas zu tun, das wir lieben, ist die Anstrengung wert. Ich würde gerne weiterhin meine Arbeiten in Galerien und Museen ausstellen und zudem im Filmgeschäft arbeiten. Meine Arbeit an dem im Stop-Motion-Verfahren hergestellten Animationsfilm „Coraline" hat viel Spaß gemacht.

DIE BEMERKENSWERTESTE REAKTION IHRES PUBLIKUMS?

Ich liebe es, wenn Leute sagen: „Das haut mich um." Ich liebe es, wenn der Betrachter erst überlegen muss, wie etwas wohl gearbeitet wurde. Dabei gibt es drei typische Missverständnisse beim Betrachten meiner Arbeiten: 1. Man bräuchte ein ausgeprägtes Sehvermögen. 2. Man müsse sehr geduldig sein. 3. Man müsse kleine Hände haben. In allen drei Punkten könnte die Realität unterschiedlicher nicht sein. Ich bin furchtbar kurzsichtig und muss seit meinem sechsten Lebensjahr eine Brille tragen. Ich bin sehr ungeduldig, aber vermutlich deshalb so produktiv, weil ich es nicht abwarten kann, die Bilder auf dem Gestrick entstehen zu sehen.

KANN KUNST UNSERE SICHTWEISE VERÄNDERN?

Ich bin absolut der Meinung, dass Kunst eine wunderbare Möglichkeit darstellt, Einfluss auf die Welt zu nehmen. Natürlich mache ich mir keine Illusionen, dass meine eigene Kunst die Welt verändern wird, aber sie bringt vielen Menschen Freude, erweitert ihre Fantasie und zaubert ein bisschen Magie in ihren Tag, und das reicht mir.

ICH LIEBE ES, HANDSCHUHE ZU STRICKEN! FÜR DIESES FORMAT BRAUCHT MAN UNGLAUBLICH KLEINE NADELN. ICH HABE MIR MEINE SELBST AUS EDELSTAHL HERGESTELLT. SIE SIND SO SCHMAL, DASS MAN MIT IHNEN 80 MASCHEN PRO ZOLL MACHEN KANN.

I LOVE KNITTING GLOVES! TO ACHIEVE THIS IN SO SMALL A SCALE, RIDICULOUSLY THIN KNITTING NEEDLES ARE REQUIRED. I MAKE MY OWN KNITTING NEEDLES OUT OF STAINLESS STEEL WIRES THAT ARE SO THIN THEY CAN ACCOMMODATE MORE THAN 80 STITCHES PER INCH.

THE MOST REMARKABLE REACTION OF YOUR AUDIENCE?

I love it when people say that it "blows their mind". I love that the viewer has to wonder how it was done. People have three common misconceptions about me, based on seeing my work: 1. I must have great eyesight. 2. I must be very patient. 3. I must have tiny hands. Nothing could be further from the case in all three instances. I am horribly nearsighted and have had to wear glasses since I was six years old. I am very impatient and I believe that is why I have been so prolific, because I am terribly eager to see the images emerge from the piece I am working on.

WHO INFLUENCED YOU IN A SPECIAL WAY?

I will always credit my college roommate Maureen for teaching me to knit and read patterns. Once I learned the basics, I sought out challenges and would consult the local knitting store owners to help me pick out challenging and interesting patterns – with cables and color changes.

WHAT ARE YOUR AMBITIONS?

Being a full-time artist is not for the weak of heart. We're lucky if we can pay our bills, but to be able to do something we love is worth the struggle. I would love to continue to show in galleries and museums as well as work on movies. My work in the stop motion animated movie "Coraline" was a delight.

CAN ART CHANGE THE WAY WE SEE THE WORLD?

I absolutely believe art is an amazing way to impact the world. Of course I have no delusions that my own art will change the world, but it does provide a lot of pleasure to people, expands their imaginations and adds a bit of magic to their day and that's good enough for me!

3500 VOGELHÄUSER

BIRDHOUSES

Vogelhaus-Streetart/
Birdhouse Street Art
by Thomas Dambo

VITA DES KÜNSTLERS

Ich habe schon immer Dinge gebaut und kreiert. Ich habe eine dreijährige Ausbildung als Grafikdesigner absolviert und ein fünfjähriges Masterstudium in Interaktionsdesign. Heute lebe und arbeite ich in Kopenhagen, Dänemark. Ich habe in den letzten Jahren tonnenweise Streetart und Graffiti produziert. Mein Vogelhaus-Projekt nahm seinen Anfang mit einem Haufen Sperrholz, den ich ergattert hatte. Einige Wochen dachte ich darüber nach, was daraus wohl werden könnte, und irgendwann kam mir der Gedanke, dass ein großangelegtes Streetart-Vogelhaus-Projekt großartig wäre. Damals, das ist ungefähr acht oder neun Jahre her, machte ich viel Graffiti, und zwar immer nachts, um der Polizei zu entgehen. Bei Vogelhäusern bestand dieses Problem nicht. Ein Vogelhaus hat eine Funktion im Gegensatz zu der meisten Straßenkunst, die nur eine Botschaft vermittelt oder rein ästhetisch ist. Die Funktion eines Vogelhauses ist, einem Vogel ein Zuhause zu bieten, und damit hat es die Berechtigung, an einem Laternenpfahl oder einem Baum zu hängen. Aus dem großen Holzstapel baute ich 250 Vogelhäuser und brachte sie im Laufe von 14 Tagen quer durch Dänemark an. Seitdem habe ich viele weitere Vogelhäuser gebaut, insgesamt wahrscheinlich 3.500 Stück.

KREATIVES SCHAFFEN

Aus meiner Sicht ist das Vogelhaus-Projekt teils Kunst, teils funktionelles Vogelhaus. Bringe ich ein Vogelhaus an einem Laternenpfahl an einer belebten Straße an, wird kein Vogel einziehen, aber es wird uns daran erinnern, dass wir diese Welt mit Vögeln und anderen Tieren teilen, daher sollten wir unsere Städte vielleicht nicht um die Autos herum bauen. Hänge ich jedoch ein Vogelhaus in einem Park auf, dann werden sich dort Vögel einnisten. Ich arbeite ausschließlich mit Recyclingmaterial. Ich möchte der Welt zeigen, dass unser Abfall Träume erfüllen und etwas Tolles werden kann. Müll kostet nichts, es gibt unendlich viel davon und ist überall zu haben, das ist besonders für jemanden wie mich, der daraus große Dinge bauen will, von Vorteil.

Dambo@thomasdambo.com | www.Thomasdambo.com

ARTIST'S VITA

I have always been building and creating stuff. I have an education as a graphic designer (three years), and a master in interaction design (five years). Today I live and work in Copenhagen, Denmark. My birdhouse project started with a huge pile of plywood I scavenged. For several weeks, I was thinking about what to do with it, and at some point, I thought it would be awesome to do a big street art birdhouse project. At that time, it must have been eight or nine years ago, I did a lot of graffiti; I would always do it at night to avoid the police. I knew this would not be a problem with birdhouses. A birdhouse has a function, unlike most street art, that only has a message or an aesthetic. The function of a birdhouse is to be the home for a bird. This is the justification for the birdhouse to be on a light pole or in a tree. I turned the big pile of plywood into 250 birdhouses and put them all up across Denmark within two weeks. Since then, I have made many more birdhouses and I now believe I have made around 3500 in total.

WORKS OF ART

For me, the birdhouse project is part art, part functional birdhouse. If I put a birdhouse on a light pole next to a busy road, no birds will move in, but it will tell the story that we should remember that we are sharing this world with birds and other animals, so maybe we should not build our cities around our cars. If I put a birdhouse in a tree in a park, birds will move in. I work solitarily in recycled materials. I want to show the world that our trash can make dreams come true and do amazing stuff. Also, trash is free, there is an unlimited supply of it and you can find it everywhere, which is very practical when you are like me and like to build really big things all the time.

IN WHAT WAY IS YOUR ART EXTREME?

I never know exactly what I will find and how much of it, because it is trash. I try to go around this by working in a free and more improvised way. I never have an exact drawing, I have a rough concept and then I build and freestyle until I'm done.

INWIEFERN IST IHRE KUNST EXTREM?

Ich weiß nie, was ich finden werde und wieviel. Das versuche ich zu umgehen, indem ich freier und improvisierter vorgehe. Ich habe nie eine genaue Zeichnung, sondern nur ein grobes Konzept, und dann baue und freestyle ich, bis ich fertig bin.

DIE BEMERKENSWERTESTE REAKTION IHRES PUBLIKUMS?

Für mein Camouflage-Vogelhaus-Projekt habe ich viele Vogelhäuser in einem kleinen Stadtteil aufgehängt. Jedes Vogelhaus war passend zur Oberfläche bemalt, an der es aufgehängt wurde. Eines war beispielsweise mit Ziegeln bemalt, das andere wie ein Holzzaun und eines wie ein Straßenschild. Zuvor hatte ich in dieser Nachbarschaft an den Türen geklingelt, um von den Hausbesitzern die Erlaubnis einzuholen. Alle machten fröhlich mit, nur ein Mann wurde sehr ärgerlich und beschuldigte mich, ein Betrüger zu sein, der nur sein Haus betreten wollte, um es später auszurauben. Als ich am nächsten Tag ein Vogelhaus für einen Nachbarn bemalte, sprach er mich auf der Straße an und erklärte mir, er habe mit seinen Kindern gesprochen und die fänden es toll, wenn ich doch ein Vogelhaus für ihr Haus machen würde. Ich habe eines für sie gemacht und am nächsten Tag zog eine kleine Meise ein.

DIESES WERK BEFINDET SICH AN DER FASSADE MEINES WORKSHOP-HAUSES. ETWA VIER VOGELFAMILIEN LEBEN MOMENTAN DARIN UND ERFREUEN DIE PASSANTEN MIT IHREM GESANG.

THIS MURAL IS MADE ON THE BUILDING OUTSIDE OF MY WORKSHOP. CURRENTLY AROUND FOUR BIRD FAMILIES ARE LIVING HAPPILY IN THE MURAL, SINGING SONGS FOR ANYONE PASSING BY.

KANN KUNST UNSERE SICHTWEISE VERÄNDERN?

Davon bin ich überzeugt, auch wenn ich dazu nichts wirklich Schlaues sagen kann. Ich hoffe jedoch, dass meine Kunst aus Abfall andere Menschen inspirieren wird, ihren eigenen Müll wertzuschätzen und zweimal darüber nachzudenken, ob sie etwas wegwerfen.

WAS SIND IHRE ZIELE?

Ich hoffe auf finanzielle Unterstützung, sodass ich einige Lehrer einstellen kann, die einen Recycling-Workshop für Schulkinder in meiner Werkstatt abhalten können. Ich würde auch gerne ein Recycling-Kunstfestival ins Leben rufen. Zudem möchte ich meinen YouTube-Kanal erweitern sowie die Welt bereisen und dabei Videos drehen, wie ich aus dem Abfall großer Unternehmen Kunst entstehen lasse.

THE MOST REMARKABLE REACTION OF YOUR AUDIENCE?

For my camouflage birdhouse project, I put up a lot of birdhouses in a small neighborhood. All birdhouses were painted to fit the surface on which they were hanging, so one would be painted like bricks, one like a wooden fence and one like a sign. When I made these houses, I went around and rang the doorbells of people's houses to get their permission. Everybody was happy to join, but one guy got really mad and accused me of being a scam artist who just wanted to come into his house to see what he had, so that later I could steal it. The next day, he came up to me on the street while I was painting a birdhouse for another house, and he told me he spoke to his kids about it and they would really like it if I would make a birdhouse for their house anyway. I made one for them and the next day a little titmouse had moved in!

CAN ART CHANGE THE WAY WE SEE THE WORLD?

I believe that, though I don't really have anything clever to say. But I hope my trash art will inspire other people to see the value in their own trash. And think twice before they throw something out.

WHAT ARE YOUR AMBITIONS?

I hope to get funding so I can hire some teachers to do a daily recycling workshop for school kids in my workshop. I would like to create a recycle art festival. And I would like to make my YouTube channel grow and travel around the world and make videos of me making art from waste from big corporate trashcans.

VITA DES KÜNSTLERS

Ich bin in Weston-super-Mare, England, geboren und aufgewachsen. In der Oberschule erreichte ich Bestnoten in Kunst und Technologie, sodass ich aufs College ging und einen Abschluss in Grafikdesign machte. Dann wurden jedoch zwei meiner besten Freunde ermordet. Dieser Verlust und das Gefühl, mit meiner Kunst in eine Sackgasse geraten zu sein, brachten mich auf den falschen Weg - den des Alkohols und der Drogen. In der Zeit zwischen meinem 19. und 32. Lebensjahr habe ich nur selten einen Bleistift in die Hand genommen. Doch 2009 wendete sich alles zum Besseren, als mich mein Freund George zu einer Ausstellung des britischen Streetart-Künstlers Banksy mitnahm. Es hat mich einfach umgehauen, wie er lebensgroße Figuren so schnell auf die Straße bringen konnte. Für mich war das ein massiver Weckruf und der Wendepunkt in meinem Leben. Ich begriff, dass ich mein Talent weggeworfen hatte. Ein paar Monate später stellte ich mich meinen Dämonen und suchte mir Unterstützung beim Kampf gegen die Sucht. 2016 zog ich nach Deutschland, wo ich nun als freischaffender Künstler arbeite.

KREATIVES SCHAFFEN

Ich arbeite mit der Schablonentechnik, die ich mir selbst beigebracht habe - immer darauf bedacht, kein Klon von Banksy zu werden. Meine frühen Arbeiten waren recht dunkel, sie reflektierten sozusagen mein vorheriges Leben, aber der Sinn für Humor, den ich mir auch in den dunkelsten Zeiten erhalten hatte, ist ebenfalls in meinen Arbeiten sichtbar.

www.instagram.com/jps_artist
jamiescanlon4@gmail.com

Streetart statt Drogen

Street Art instead of Drugs

Schablonengraffiti/
Stencil Graffiti
by Jamie Scanlon

DIE BEIDEN JETSKI-FAHRER NENNEN SICH „DAS PARADIES ZIEHT INS VIERTEL". DEN LEBENSGROSSEN ALIEN AUF SEITE 178 HABE ICH AN EINE VERLASSENE FABRIK IN DER NÄHE VON WELLINGTON GEMALT.

THE JET SKIERS ARE TITLED "PARADISE FALLS IN THE HOOD". THE LIFE-SIZED ALIEN ON PAGE 178 WAS PAINTED IN 2014 AT AN ABANDONED FACTORY NEAR WELLINGTON.

ARTIST'S VITA

I was born and raised in Weston-super-Mare, England. I went to secondary school and excelled in art and technology acquiring an A in both subjects. After that I went on to college and a got a BTEC in graphic design. Sadly, after the murders of two of my best friends and seeming to hit a dead end on where to go with the art, I went down the wrong path into drinking and drug addiction and rarely picked up a pencil between the age of 19 and 32. My life took a turn for the better in 2009 when my friend George talked me into going to the Banksy museum show in Bristol. I loved how he could put full size characters on the street so quickly. It was a massive wake up call and the turning point in my life. I realized I had thrown my own talent away. A few months later I faced my demons and sought help for my addiction and started to teach myself stencils, determined not to be a clone of Banksy. I now live in Germany. I moved here in 2016 and I'm a freelance artist.

DIE BEMERKENSWERTESTE REAKTION IHRES PUBLIKUMS?

Da muss ich an mein Gogo-Yubari Werk nach einer Figur aus dem Film „Kill Bill" mit einer Kette denken (siehe rechts). Es wurde sofort zum viralen Hit, und selbst ich war überrascht wie gut es funktioniert hat, denn häufig gibt es kein Test-Sprayen, bevor ich auf die Straße gehe.

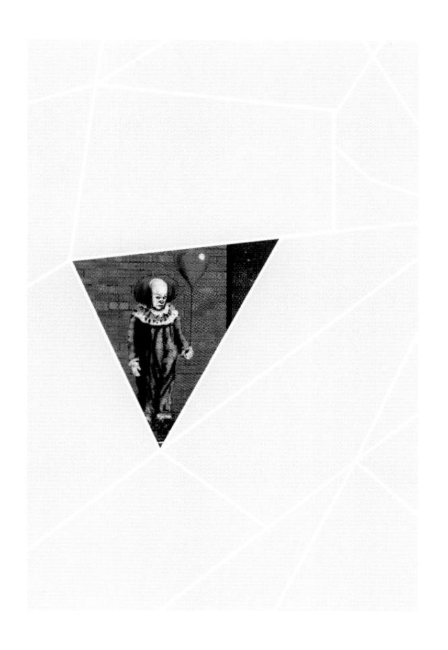

KANN KUNST UNSERE SICHTWEISE VERÄNDERN?

Meiner Meinung nach zeigt Trumps Wahlsieg, dass Streetart kaum einen Einfluss auf die Weltpolitik hat. Ich habe vor seinem Wahlsieg wahrscheinlich Hunderte von Anti-Trump Werken gesehen und wusste, dass sie ihn damit unwissentlich unterstützen. Ich glaube jedoch, dass Kunst Menschen glücklich machen kann, und das ist eine gute Sache.

WAS SIND IHRE ZIELE?

Ich möchte, dass sich die Menschen an mich als einen der Großen erinnern. Ich hoffe, eines Tages Eminem zu treffen und unter sicheren Bedingungen in Detroit zu malen. Es ist nicht leicht, in dieser schwierigen Welt etwas zu erreichen. In den letzten Monaten gab es ein paar gute Wendungen. Mein Skizzenbuch hat viele neue Einträge, einige sind soweit, umgesetzt werden zu können. Ich will einfach mit einem großen Knall zurückkommen.

DAS MÄDCHEN MIT DEN FLIEGENDEN BALLONS TRÄGT DEN TITEL „SCHAU NICHT ZORNIG ZURÜCK" UND WURDE AN DIE PARK ROW IN BRISTOL GEMALT.

THE GIRL ON SWING WITH BALLOONS IS TITLED "DON'T LOOK BACK IN ANGER" AND WAS PAINTED ON PARK ROW IN BRISTOL.

WORKS OF ART

I work with stencils, a technique I learned all by myself – determined not to be a clone of Banksy. A lot of my early works were pretty dark, a reflection of my life before so to speak. The sense of humor I managed to maintain through some of the darkest times also comes out in my work.

THE MOST REMARKABLE REACTION OF YOUR AUDIENCE?

I'd have to say the Gogo Yubari piece after a character from the movie "Kill Bill" (see page 180), with the chain. It went viral right away and even I was surprised how well it worked, as very often there is no test spray before I hit the street.

CAN ART CHANGE THE WAY WE SEE THE WORLD?

I think Trump's victory shows street art has very little effect on changing the world politics. I must have seen a hundred anti-Trump pieces before his win and knew that they were unwittingly promoting him. I do think art can make people happy and that's a good thing.

WHAT ARE YOUR AMBITIONS?

To be remembered as one of the greats and hopefully one day meet Eminem, and also to paint safely in Detroit. It's a very difficult world to make it in. I've had a break the past few months but the idea book has a lot of new ones and I have a couple ready to paint. I just want to make sure I come back with a bang.

DIE LIBELLE HAT (WIE AUCH DIE ANDEREN MODELLE AUF DEN FOLGENDEN SEITEN) DIE MASSE 18 MM x 18 MM. SIE IST NACH DER VORLAGE EINES MODELLS VON KUNIHIKO KASAHARA ENTSTANDEN. DIE SPINNE IST EIN MODELL VON PHAM DINH TUYEN.

THE DRAGONFLY HAS (LIKE THE OTHER FOLDINGS ON THE FOLLOWING PAGES) THE DIMENSIONS OF 18 MM x 18 MM. IT WAS FOLDED AFTER A MODEL BY KUNIHIKO KASAHARA. THE SPIDER IS A MODEL BY PHAM DINH TUYEN.

DIE KLEINEN DINGE DES LEBENS

THE LITTLE THINGS IN LIFE

Mikro-Origami/
Micro Origami
by Anya Midori

VITA DER KÜNSTLERIN

Geboren wurde ich in Leipzig. Hier lebte ich bis zum Ende meiner Ausbildung und zog dann mit 21 Jahren nach Potsdam. Eine Ausbildung zur Ergotherapeutin habe ich in Leipzig gemacht. Dort habe ich bereits viele kreative Techniken kennengelernt und oft versucht, diese „in ganz klein" umzusetzen. Eine Ausbildung zur Origamikünstlerin gibt es in Deutschland leider nicht. Meine Fähigkeiten im Origami sind durch eine Vielzahl von Faktoren gewachsen: Selbststudium durchs Internet, Anleitungen aus diversen Origamibüchern, gemeinsames Falten mit Origamifreunden oder auf internationalen Origami-Conventions. Natürlich ist es auch wichtig, zu Hause viel zu falten und neue Modelle immer kleiner werden zu lassen. Heute lebe ich mit meinem Freund, seinem Sohn und unserer gemeinsamen Tochter in Potsdam. Hier arbeite ich als Origamikünstlerin von zu Hause aus. Oft werde ich für Events, Messen, Firmenveranstaltungen oder Feste gebucht.

KREATIVES SCHAFFEN

In meiner Ausbildung zur Ergotherapeutin erlernte ich sehr viele verschiedene Handwerkstechniken mit den unterschiedlichsten Materialien. Das Medium Papier, speziell die Papierfalttechnik, hat mich dabei am meisten fasziniert. Papier findet man immer und überall, wo man sich gerade befindet. Das Falten von Papier ist die einzige Technik, die mir einfällt, bei der das vorhandene Material von Anfang bis Ende gleich bleibt, es nur in seiner Form verändert wird. Vereinfacht gesagt hat man immer ein quadratisches Blatt Papier und unendliche Möglichkeiten, dieses in ein Kunstwerk zu verwandeln. Ich habe mich auf das Falten ganz winzig kleiner Origamiminiaturen spezialisiert. Die Größe hängt von der Komplexität des Modells ab, misst aber häufig ein Quadrat mit der Kantenlänge von 18 mm bis 9 mm. Das allerkleinste Modell, das ich je gefaltet habe, war ein Kranich aus einem Quadrat von 2 mm x 2 mm.

kontakt@faltsucht.de | www.faltsucht.de

ARTIST'S VITA

I was born in Leipzig, Germany. That's where I lived until I completed my education. At the age of 21, I moved to Potsdam. I was trained as an occupational therapist in Leipzig, Germany. There I encountered many creative techniques and attempted to craft them in very small sizes. There is no training available in Germany to become an Origami artist. My skills in Origami have been honed due to several factors: Self-studies on the internet, instructions from several Origami books, folding together with Origami friends or with participants at international Origami conventions. And of course it is important to fold a lot at home and to keep downsizing new designs. Today I live in Potsdam, Germany, with my partner, his son and our daughter. I work as an Origami artist from our home. I am often booked for events, fairs, company events or festivities.

WORKS OF ART

During my training as an occupational therapist, I learned many different craft techniques, working with various materials. The medium of paper, particularly the paper folding technique, fascinated me the most. Paper is everywhere, whereever you are, and it doesn't require special tools that need to be bought for lots of money or large storage spaces. In simple terms, you always have a square piece of paper and endless possibilities to turn that into a piece of art. I have specialized in folding very tiny Origami miniatures. The size depends on the complexity of the model, but often its a square with an edge length of 18 mm to 9 mm. The smallest model I have ever folded was a crane, folded from a square measuring 2 mm x 2 mm.

IN WHAT WAY IS YOUR ART EXTREME?

To create a beautiful piece of art it is important to always make exact folds with a sharp crease. I demand the same of my miniatures. Every crease is sharp and folded accurately, so the designs are recognizable when finished. Lots of practice and patience is required. For me the challenge is to make increasingly smaller designs or to create more complex models as miniatures.

INWIEFERN IST IHRE KUNST EXTREM?

Um ein schönes Kunstwerk anzufertigen, ist es wichtig, die Falten immer exakt und genau mit einer scharfen Linie zu falten. Diesen Anspruch habe ich auch für meine winzigen Miniaturen. Jede Linie wird sehr genau und scharf gefaltet. Nur so lassen sich meine Figuren am Ende noch gut erkennen. Viel Übung und Durchhaltevermögen sind dabei erforderlich. Für mich ist die besondere Herausforderung immer kleiner zu falten oder komplexere, schwierigere Modelle als Miniatur herzustellen.

DIE KLEINE RATTE HABE ICH NACH EINEM MODELL VON ERIC JOISEL GEFALTET.

THE TINY RAT WAS FOLDED AFTER A MODEL BY ERIC JOISEL.

DIE BEMERKENSWERTESTE REAKTION IHRES PUBLIKUMS?

Für mich ist es immer wieder spektakulär zu beobachten, wie sich eine Familie meinen Kranich aus 2 mm x 2 mm ansieht. Meist rätselt die Mutter, welche Figur es sein könnte. Der Vater behauptet erst, dass der Krümel doch niemals im Leben gefaltet sein kann, während die Kinder ganz begeistert rufen: „Da sind die Flügel und der Schwanz, und den Kopf kann ich auch sehen!" Der Vater sieht sich auf mein zustimmendes Lächeln den „Krümel" noch einmal an und schüttelt ungläubig den Kopf: „Das ist doch irre, sowas kann man doch gar nicht falten."

KANN KUNST UNSERE SICHTWEISE VERÄNDERN?

Ja, natürlich! Ich achte mehr auf die „kleinen Dinge" des Lebens. Selbst künstlerisch tätig zu sein und etwas zu (er)schaffen, lässt mein Bewusstsein für die Dinge, die Menschen um mich herum gestalten und entstehen lassen, größer werden. Ich kann ein Handwerk viel besser schätzen und den Produzenten für seine Fähigkeiten bewundern. Es wäre schön, wenn wir von dem Massenkonsum wegkommen und uns mehr ganz individuelle Einzelstücke, die genau zu uns und unserer Persönlichkeit passen, gönnen würden. Jedes Kunstwerk erzählt seine eigene Geschichte und lässt den Besitzer somit viel intensiver daran Freude haben. Ebenso trägt jedes Werkstück einen Teil seines Künstlers in sich. Dies zu entdecken, stärkt unser Gefühl für ein harmonisches Miteinander.

WER HAT SIE BESONDERS BEEINFLUSST?

Ralf Konrad - ein befreundeter Origamikünstler - „entdeckte" mich auf meinem ersten Origamitreffen, ganz schüchtern in der hintersten Ecke. Als ich ihm ganz verschämt einige Miniaturen zeigte, war er hin und weg von meinen Arbeiten und ihm war sofort klar, dass in mir großes Potenzial steckt.

WAS SIND IHRE ZIELE?

Für die Zukunft wünsche ich mir, am Ball zu bleiben und mein Hobby auch in den nächsten Jahren und vielleicht sogar Jahrzenten weiterhin mit viel Spaß und Freude als Beruf ausüben zu können.

DIESER DRACHE (NACH EINEM MODELL VON ROBERT LANG) IST SO KLEIN, DASS ER BEQUEM AUF EINEM MAISKORN PLATZ FINDET.

THIS DRAGON (AFTER A MODEL BY ROBERT LANG) IS SO SMALL THAT IT CAN SIT ON A CORN KERNEL.

THE MOST REMARKABLE REACTION OF YOUR AUDIENCE?

To me it is always spectacular to watch how a family observes my crane made from a 2 mm x 2 mm square. Often the mother is guessing what it could be. The father first declares that this crumb-sized being could never in a lifetime be folded, while the kids are enthusiastically shouting: "There are the wings and the tail and I can also see the head!" Following my confirming nod, the father takes a closer look at the little thing and shakes his head in disbelief, "that's totally crazy, you can't fold something like that."

CAN ART CHANGE THE WAY WE SEE THE WORLD?

Yes, of course! I pay more attention to the small things in life. To be creative and to create something myself raises my awareness for things that people around me design and create. I can appreciate artisanship and admire the creative person much more. It would be great if we could get away from mass consumption and rather grant ourselves individual pieces that are a perfect match for us and our personalities. Every piece of art tells its own story, therefore increasing the joy the owner experiences. At the same time, every piece contains a part of its artist. To discover this strengthens our senses for living together in harmony.

WHO/WHAT INFLUENCED YOU IN A SPECIAL WAY?

Ralf Konrad - a friend and Origami artist - "discovered" me during my first Origami meeting as I was shyly sitting in a back corner. As I bashfully showed him a few miniatures, he was blown away by my work and immediately realized that I have great potential.

WHAT ARE YOUR AMBITIONS?

I hope to continue to keep the ball rolling and to be able to continue my hobby as a delighting and fun profession for the next few years, or maybe even the next decades.

STRICKEN XXL

BIG KNITTING

Stricken mit Riesennadeln/
Knitting With Big Needles
by Kait Cliff

VITA DER KÜNSTLERIN

Geboren bin ich in Bellflower, Kalifornien, als Kaitlin Brink, mein Künstlername ist Kait Cliff (vormals Kait Brink). Aufgewachsen bin ich an verschiedenen Orten in Südkalifornien, z. B. in der Gegend von Los Angeles sowie in Orange County. Derzeit lebe ich in Kalifornien. Big Knitting habe ich als Herausforderung für mich selbst gewählt. Ich wollte sehen, ob ich etwas Kleines und Persönliches auch groß und geselliger gestalten kann, in einer sowohl glaubwürdigen als auch funktionalen Art und Weise. Daher auch die großen Nadeln, das Meta Mega Garn und das Big Knitting mit einer weiteren Person.

KREATIVES SCHAFFEN

Das Stricken hat die Fähigkeit, mich zu beruhigen und zu inspirieren. Wahrscheinlich bin ich wegen seiner haptischen und beruhigenden Eigenschaften beim Stricken geblieben: das Gefühl des Garns und des Gestricks, die Wiederholungen der Maschen, die gleichbleibenden Bewegungen und Muster. Vor der Ruhe kommt die Ausarbeitung der Strickanleitung, das Sammeln und Vorbereiten des Materials, die Anfertigung von Maschenproben, Versuche und Irrtümer bei der Verwendung unkonventioneller Materialien, die Selbstzweifel, und natürlich das teuflische Zaudern. Bei einem Big Knit verspüre ich andere Emotionen, da eine weitere Person beteiligt ist, beispielsweise Stolz, Kameradschaft, Führungskraft, Kooperation, Lehren, Dirigieren, Erwartung und Begeisterung. Der Maßstab verlangt unterschiedliche Dinge von Kopf und Körper. Da sind: körperliche Anstrengung und die Herausforderung, Körperwahrnehmung, Obsession, Durchhaltevermögen, Erregung, Hoffnung an Freude an jeder Reihe, die das Gestrick wachsen lässt, und am Ende ruhe ich mich mit dem fertiggestellten Gestrick aus. Die Präsenz des Werkes soll unabhängig und gestärkt werden, und vielleicht strahlt ein wenig davon auf mich ab.

clamandpurl@gmail.com
clamandpurl.com
www.instagram.com/clamandpurl

EINE STRICK-PERFOMANCE MIT DER TEXTIL-KÜNSTLERIN SARA DIVI BEI DER GARNER ARTS FESTIVAL TEXTILE SHOW. WIR HABEN DAFÜR MEINE AUS KIEFERNHOLZ GESCHNITZTEN NADELN VERWENDET (GRÖSSE: 114 MM/ US 228).

A KNITTING PERFORMANCE WITH FELLOW FIBER ARTIST SARA DIVI AT GARNER ARTS FESTIVAL TEXTILE SHOW. WE USED MY HAND CARVED PINE NEEDLES (SIZE 114 MM/US 228).

ARTIST'S VITA

I was born in Bellflower, California, as Kaitlin Brink, my married name is Kaitlin Clifford, my art name is Kait Cliff. I was raised all around Southern California, USA, i.e. LA County and Orange County. Today I live in Southern California. I chose to Knit Big to challenge myself. To see if I could take something small and personal and make it big and sociable, in a believable and functional way. Hence the big needles and Meta Mega Yarn and knitting big with another person.

WORKS OF ART

Knitting has the ability to calm & inspire me. I kept with knitting I think for the tactile soothing aspects. The feel of the wool/fabric, the repetition of stitch after stitch, matching in motions and patterns. Before the calm, there's the pattern writing, the material gathering and prepping, the gauge swatches, the trials and many errors of using unconventional materials, the self-doubts, and of course the Procrastination Beast. When I am making a Big Knit, because there is another person involved, I feel different things like pride, comradery, leadership, cooperation, teaching, directing, anticipation and excitement. The scale demands different things from the mind and body. There is: physical exertion and challenge, whole body awareness, obsession, perseverance, excitement, hope, and glee as each row grows the piece, and at the end I'll rest with the final knit. Letting its presence become independent and strong and perhaps soaking up some of that for myself.

IN WHAT WAY IS YOUR ART EXTREME?

Knitting Big, and Knitting Big as performance, requires a new relationship with knitting. The amount of physicality in Big Knitting; it's like wrestling a stubborn snake. It's a bit disorienting at first to move needles and yarn with your whole body. I pushed needles to the extreme by making them big. The US 228/114 mm hand carved pine needles are about 1.80 m tall. The average/common knitting needle is size US 8/5 mm and 20 cm long. Feels like using a telephone pole. Not recommended to attempt alone. Plus it's more challenging to Big Knit together. Instead of K2tog, 2 people K1 together.

INWIEFERN IST IHRE KUNST EXTREM?

Knitting Big, und dieses sogar als Performance, verlangt nach einer neuen Beziehungsebene beim Stricken. Der körperliche Einsatz beim Big Knitting ist wie der Kampf mit einer sturen Schlange. Zunächst fühlt man sich desorientiert, wenn Nadeln und Garn mit dem ganzen Körper bewegt werden. Meine Nadeln bringe ich an ihre Grenzen indem ich sie vergrößere. Die aus Kiefernholz handgearbeiteten Nadeln in der Stärke US 228/114 mm sind rund 1,80 m lang. Eine durchschnittliche Stricknadel hat die Nadelstärke US8/5 mm und ist rund 20 cm lang. Das fühlt sich an wie ein Laternenpfahl. Es wird nicht empfohlen, es alleine zu versuchen. Zudem ist es viel spannender, gemeinsam ein Big Knit anzugehen. Anstelle von „2 M re zus. str“ heißt es dann: „2 Menschen str 1 M zus“.

DIE BEMERKENSWERTESTE REAKTION IHRES PUBLIKUMS?

Lachen. Es ist schon vorgekommen, dass Menschen in die Cottage Street Open Studios kamen, das YouTube Video von uns beim Stricken der „Blanket of Blankets“ sahen und in Gelächter ausbrachen, einem überraschten, erfreuten und begeisterten Lachen, und ich verspürte eine Verbundenheit und Vertrautheit.

KANN KUNST UNSERE SICHTWEISE VERÄNDERN?

Absolut. Kunst schafft eine Verbindung zum Innersten anderer Menschen. Die Reise über diese Brücke kann uns verändern. Sind wir bereit, aus der vom jeweiligen Kunstwerk vorgegeben Perspektive eine Lehre zu ziehen, sie nicht nur per se anzunehmen und ihr zuzustimmen, und daraus zu lernen, etwas Neues oder Andersartiges zu sehen, und die Wahrheit so zu nehmen, wie der Künstler sie empfindet, dann besteht die Möglichkeit der Reflexion und der Frage an uns selbst, ob die Wahrnehmung des Künstlers auch der eigenen entspricht.

WAS SIND IHRE ZIELE?

Ich möchte alles stricken. Alles. Was es schon gibt, was es noch nicht gibt, was ich fühle und was ich sehen kann oder auch nicht sehen kann. Ebenso träume ich davon, das Meta Mega Garn die Wendeltreppe des Guggenheim Museums in New York herunterfließen zu lassen. Oder zwei Häuser damit zu umspannen. Oder es über einen Fußballsplatz zu spannen. Ich möchte das Meta Mega Garn überall an verschiedenen Orten und in verschiedenen Umfeldern verwenden. Außerdem würde ich gerne die Idee des gemeinsamen Strickens mit zwei Personen für ein Paar Stricknadeln vorantreiben.

HIER TRAGE ICH MEIN „META MEGA GARN". ES IST ÜBER 91 M LANG UND BESTEHT AUS AUSRANGIERTEN GARNRESTEN.

HERE I'M WEARING MY "META MEGA YARN". IT IS LONGER THAN 91 M AND CONSISTS OF DISCARDED YARN SCRAPS.

THE MOST REMARKABLE REACTION OF YOUR AUDIENCE?

Laughter. I've had women come into Cottage Street Open Studios, see the YouTube video of us knitting the "Blanket of Blankets" and they erupted in a laugh of surprise, glee, excitement, and I felt a connectedness and familiarity.

CAN ART CHANGE THE WAY WE SEE THE WORLD?

Absolutely. Art gives us the connection to others' innermost worlds. Travelling along that bridge can change us. If we can be open to learning from the perspective outlined for us in the work in question, not to agree or assimilate per se, but to learn or see something new or different, to let the truth that exists for the maker just be what it is, then there is the chance to reflect and ask yourself if any of the artists' truth is true for you, the viewer, as well.

WHAT ARE YOUR AMBITIONS?

I want to knit everything. All of it. What already exists, what doesn't exist, what I feel or what I see or cannot see. I also dream of having a Meta Mega Yarn flowing down the spiral walkway in the Guggenheim NY. Or spanning two houses. Or stretching across a football field. I want to see Meta Mega Yarns in a bunch of various locations and environments everywhere. Also, I really want to expand the idea of K2tog with two people for one set of needles.

ZWISCHEN FILZ UND MEER

BETWEEN FELT AND SEA

Realistische Filzpuppen/
Realistic Felt Dolls
by Deniz Demiray

VITA DER KÜNSTLERIN

Ich bin in Burhaniye geboren, einem kleinen Ort in der Türkei am Ägäischen Meer. Das Wort Deniz bedeutet „Meer". Ich liebe das Meer, ich könnte in keiner Stadt wohnen, die weit vom Meer oder einem Ozean entfernt ist. Ich habe einen Abschluss von der Pädagogischen Fakultät. Eigentlich bin ich Oberstufenlehrerin für Naturwissenschaften, habe aber nur ein Jahr als Lehrerin gearbeitet und den Beruf vor zehn Jahren aufgegeben. Kunst hat mich schon immer interessiert, vor allem die Malerei. Einige Maltechniken habe ich von meinem Vater gelernt. Vor drei Jahren entdeckte ich dann die Kunst des Nadelfilzens im Internet, wo mit der Nadel gefilzte Tiere und Puppen gezeigt wurden. Mich hat das gleich fasziniert und ich begann, Videos über das Nadelfilzen anzuschauen. Ich habe hart daran gearbeitet, meine Techniken weiterzuentwickeln, und inzwischen meinen eigenen Stil gefunden.

KREATIVES SCHAFFEN

Wie der Name schon sagt, wird beim Nadelfilzen mithilfe einer speziellen Filznadel, die einen Widerhaken hat, Filzwolle in eine dreidimensionale Form oder ein zweidimensionales Bild verwandelt. Zum Filzen einer 10 cm großen Puppe sind unzählige Einstiche nötig. Man muss viel Geduld aufbringen. Zur Anfertigung einer Puppe stelle ich zunächst ein „Gerüst" aus Draht her. Ich fertige das Skelett aus fünf Teilen an: vier Teile für Arme und Beine, ein Teil für den Körper. Sind alle Teile fertiggestellt, werden sie zusammengefügt. Für den Kopf benötige ich kein Gerüst. Meine Puppen sind 70 cm groß; der Kopf ist 10 cm groß, der Körper 30 cm, und die Beine sind ebenfalls 30 cm lang. Mein bester Freund inspirierte mich zu meiner ersten Wollpuppe. Er war auch mein erster Kunde.

needlesea@hotmail.com | www.needlesea.com

FÜR EINE PUPPE DIESER GRÖSSE (SIEHE SEITE 191) BENÖTIGE ICH 30 TAGE. DAS SIND RUND EINE MILLION NADELSTICHE.

COMPLETING ONE DOLL IN THIS SIZE (SEE PAGE 191) TAKES ME 30 DAYS – AND NEARLY A MILLION PINCHES.

ARTIST'S VITA

I was born in Burhaniye, a small town in Turkey. It is located by the Aegean Sea. I grew up in the same town. Deniz means "sea" in English. I am in love with the sea. I can't live in a city far from the sea or an ocean. I graduated from the faculty of education. I am actually a secondary school science teacher, but I gave up teaching 10 years ago. I only worked as a teacher for one year. I have always been interested in art, especially painting. I learned painting techniques from my dad. I discovered the needle felting art three years ago on the Internet. There were needle felted animals and dolls. It quickly fascinated me. I started watching videos about needle felting. I've worked so hard to develop my techniques and I've finally created my own style.

WORKS OF ART

As its name emphasizes, needle felting is a process of converting a piece of wool fiber into 3D-shapes or 2D-paintings using a special barbed needle. To make a 10 cm tall doll, one has to apply thousands of pinches. Artists need to be patient. If you want to be a professional artist, you have to get the best materials. To make a doll, I first build the wire structure. I make the skeleton in five pieces; four pieces for arms and legs, one piece for the body. When all parts are completed, I assemble the pieces. I don't use a skeleton for the head. My dolls are 70 cm tall; the head measuring 10 cm, the body 30 cm and the legs 30 cm. My first wool doll was inspired by my best friend. He was also my first customer.

IN WHAT WAY IS YOUR ART EXTREME?

It is difficult to make the face of my doll look like the customer's face. I ask my customers for their photographs taken from all sides (front, left and right side). The pictures should be clear and in high resolution. I try to figure out the characteristics of their faces by examining the pictures. Sometimes I rework the doll's face over and over again.

INWIEFERN IST IHRE KUNST EXTREM?

Es ist schwierig, das Gesicht der Puppe so zu arbeiten, dass es wirklich wie das Gesicht des Auftraggebers aussieht. Ich bitte meine Kunden um Fotos, die sie von allen Seiten zeigen (von vorn, links und rechts). Die Bilder sollten scharf und hochaufgelöst sein. Ich betrachte die Bilder genau, um die individuellen Gesichtsmerkmale zu entdecken. Manchmal überarbeite ich ein Gesicht wieder und immer wieder.

DIE BEMERKENSWERTESTE REAKTION IHRES PUBLIKUMS?

Eine meiner Kundinnen brach in Tränen aus, als ich die Puppe übergab. Sie war ein großer Fan von 'Alice im Wunderland', und als sie den Karton öffnete und die Alice-Puppe sah, musste sie einfach weinen.

KANN KUNST UNSERE SICHTWEISE VERÄNDERN?

Kunst ist ein Weg, sich auszudrücken. In einer Gesellschaft, in der jede Person sich frei und ungehindert äußern kann, ist kein Platz für Gewalt. Ein Kunstwerk sagt mehr als tausend Worte. In meinem Land müssen wir uns neuerdings mit terroristischen Angriffen auseinandersetzen. IS, PKK und andere Terrorgruppen haben bereits hunderte unschuldige Menschen umgebracht. Drei Millionen Flüchtlinge sind von Syrien in die Türkei geflüchtet. Die Menschen brauchen Hoffnung, und Kunst ist Hoffnung. Sie verbindet uns mit dem Leben.

WAS SIND IHRE ZIELE?

Ich möchte die Aufmerksamkeit der Menschen wecken und neue Künstler unterstützen, die sich dieser Gemeinschaft anschließen möchten. Ich unterrichte, berate und unterstütze die Kommunikation zwischen den Künstlern. Wiederum will ich auch immer noch die Welt bereisen und andere Künstler kennenlernen. Die unterschiedlichen Kulturen beeinflussen die Kunst, und die Interaktion mit verschiedenen Kulturen nährt die eigene Kreativität.

THE MOST REMARKABLE REACTION OF YOUR AUDIENCE?

One of my customers cried when I delivered the commission to her. She was a big fan of "Alice in Wonderland" and when she opened the box and saw the Alice doll she couldn't help but cry.

CAN ART CHANGE THE WAY WE SEE THE WORLD?

Art is a way to express yourself. In a community where each person can state themselves freely and completely, there is no atmosphere for violence to grow. A piece of art can say more than a thousand words. In my country, we've nowadays been faced with terrorist attacks. IS, PKK and other terrorist groups have killed hundreds of innocent people. Three million migrants have moved to Turkey from Syria. People need hope and art is hope. It connects you to life.

WHAT ARE YOUR AMBITIONS?

I want to gain people's attention and help new artists to join this community. I teach my techniques, give advice and help them to communicate with each other. On the other hand, I've always wanted to travel all around the world and meet other artists. Culture influences art and interacting with different cultures feeds your creativity.

Faltkunst wird Strassenkunst

Folding art becomes street art

Origami-Streetart/
Origami Street Art by
Mademoiselle Maurice

VITA DER KÜNSTLERIN

Geboren bin ich in Haute-Savoie, Frankreich. In der Gebirgsregion bin ich auch aufgewachsen. Ich bin Autodidaktin. Meinen Abschluss habe ich an einer Hochschule für Architektur gemacht. Heute lebe und arbeite ich in Marseille, Frankreich. Meine Technik entdeckte ich, als ich ein Jahr in Japan verbrachte, dabei wurde ich von der Geschichte des kleinen Mädchens Sadako und ihren 1000 Kranichen inspiriert.

KREATIVES SCHAFFEN

In der Regel arbeite ich mit Hunderten von Elementen und mit den Farben des Regenbogens. Ich verwende recycelte oder auch handgearbeitete Gegenstände, beispielsweise Origamis. Ich arbeite am liebsten mit verschiedenen Materialien, bekannt bin ich aber vor allem für meine Werke mit Origamis. Hierbei kreiere ich Kompositionen an den grauen Wänden der Städte.

mademoisellemaurice.com

DAS IST EIN SELBSTPORTRÄT, DAS ICH IN ANGERS, FRANKREICH, GEMACHT HABE. ES IST 20 M LANG. DAS WANDGEMÄLDE AUF SEITE 194 IST 120 M LANG UND WURDE IN PARIS GEMACHT.

THIS IS A SELF-PORTRAIT I MADE IN ANGERS, FRANCE; IT IS 20 M LONG. THE MURAL ON PAGE 194 IS 120 M AND WAS MADE IN PARIS.

ARTIST'S VITA

I was born in Haute-Savoie, France, and was raised in the mountains. I'm an Autodidact and I graduated at a School of Architecture. Today I work and live in Marseille, France. I discovered my technique after spending one year in Japan. I was inspired by the legend of the 1000 cranes and by the Sadako story.

WORKS OF ART

I generally work with hundreds of elements in all rainbow colors. I work with recycled elements or with my hands, e. g. Origami. I like to work with different materials but I am known for my Origami work. I create compositions on the gray walls of the cities.

IN WHAT WAY IS YOUR ART EXTREME?

You need enough time to prepare everything!

THE MOST REMARKABLE REACTION OF YOUR AUDIENCE?

All reactions are different … but some tears of joy were really surprising and made me so emotional.

INWIEFERN IST IHRE KUNST EXTREM?

Man muss genug Zeit für die Vorbereitung haben!

DIE BEMERKENSWERTESTE REAKTION IHRES PUBLIKUMS?

Die Reaktionen sind immer unterschiedlich. Aber es gab auch schon Freudentränen. Das hat mich überrascht, es war sehr emotional.

KANN KUNST UNSERE SICHTWEISE VERÄNDERN?

Natürlich kann Kunst die Sicht auf die Welt verändern. Kunst ist die Grundlage von allem: Literatur, Poesie, Mathematik, Architektur, Design (Objekte, Kleidung). Zwar kann Kunst nutzlos erscheinen, aber es geht um die Poesie, die Form- und Farbgebung, und vor allem darum, den Menschen ein anderes Universum zu eröffnen, sie dazu zu bringen, Dinge aus neuen Perspektiven zu betrachten oder ihre Denkweisen infrage zustellen. Ich kenne keine homophoben oder rassistischen Künstler. Künstler wollen die Botschaft des Friedens, der Liebe und der Hoffnung verbreiten – zwar nicht immer, aber meistens. Oder sie wollen die schlechten, wirklich schlechten Dinge unserer verrückten Welt anprangern.

WER HAT SIE BESONDERS BEEINFLUSST?

Banksy und Mutter Theresa.

WAS SIND IHRE ZIELE?

Ich möchte weiterhin große Wandinstallationen kreieren, jedoch mit Metall-Origamis und Malerei, um beständigere Kunstwerke zu hinterlassen. Ein weiteres Ziel ist es, Menschen in Not zu helfen und die Natur zu schützen. Humanitäre Projekte und der Umweltschutz sind meine Priorität.

DIESES WANDGEMÄLDE NENNE ICH „DIE UHREN". ES BEFINDET SICH IN BODØ, NORWEGEN, UND UMFASST 4 M x 8 M.

I CALL THIS MURAL "THE CLOCKS" AND I MADE IT IN BODØ, NORWAY. THE DIMENSIONS ARE 4 M x 8 M.

CAN ART CHANGE THE WAY WE SEE THE WORLD?

Of course art can change the way of seeing the world, for sure. Art is at the basis of EVERYTHING! Literature, poetry, mathematics, architecture, design (objects, clothes) ... Now, art can appear like it's not useful, but it's about poetry, giving shapes and colors and most of all, bringing the people to another universe, and bringing them to maybe see things differently or to question themselves ... I never really see an artist being homophobic or racist. Artists seem to want to send messages about freedom, love and hope, not all the time, but generally speaking, or to denounce the bad, really bad, sides of our crazy world.

WHO INFLUENCED YOU IN A SPECIAL WAY?

Banksy and Mother Theresa.

WHAT ARE YOUR AMBITIONS?

I would like to continue to do big walls, but with metal Origamis and painting; to leave more perennial pieces. And one of my aims is to help people who need it, and to protect nature - humanitarian and environmental projects are my priority.

BEI WIND UND WETTER

COME RAIN OR SHINE

Riesige Stockskulpturen/
Giant Stick Sculptures
by Patrick Dougherty

VITA DES KÜNSTLERS

Ich habe einen Bachelorabschluss in englischer Literatur von der staatlichen Universität in Chapel Hill, North Carolina. Anschließend absolvierte ich ein Master-Studium und machte einen Abschluss in Gesundheitsmanagement an der staatlichen Universität Iowa in Iowa City. Darauf folgten zwei Jahre Weiterbildung an der künstlerischen Fakultät der staatlichen Universität von North Carolina, wo ich Bildhauerei und Kunstgeschichte studierte. Ich lebe in Chapel Hill, North Carolina, doch für den Aufbau meiner Werke reise ich viel: Drei Wochen im Monat verbringe ich an einem anderen Ort und errichte eine Skulptur aus Schösslingen.

KREATIVES SCHAFFEN

Ich baue großformatige Skulpturen komplett aus Jungholz, das heißt, aus frisch geschnittenen, biegsamen Zweigen. Es gibt keinen Draht, keine Bolzen, Schrauben oder andere Verbindungsstücke. Ich verwende große Schösslinge (mit einem unteren Stammdurchmesser von ca. 8 cm), die fest in den Boden gesteckt werden. Sie bilden die aufrechten Strukturen, die der Skulptur ihre Form geben. Zwischen die aufrecht stehenden Zweige flechte ich dann kleinere Zweige ein, so entsteht eine willkürliche Matrix, das ungefähre Gerüst der Skulptur. Darauf folgen die Zeichenphasen. Ich verwende dabei viele konventionelle Zeichentechniken, die auch mit Papier und Bleistift angewendet werden, beispielsweise das „x-en", Schraffieren und auffälliger Konturieren. Zum Abschluss kommt dann der letzte Schliff, sozusagen die kosmetische Behandlung, bei der ich etwaige Fehler durch das Abdecken mit winzigen Zweigen kaschiere. Die Skulptur ist häufig 6 m hoch oder höher und verfügt über Türen und Fenster, sodass der Besucher sie nicht nur betrachten, sondern sie auch betreten, erkunden, befühlen, berühren und sogar den holzigen Geruch riechen kann. Ich integriere verschlungene Pfade und versuche, dem Besucher an jeder Biegung des Weges eine inspirierende Aussicht zu ermöglichen.

stickwork@earthlink.net | www.stickwork.net

ARTIST'S VITA

I earned a Bachelor of Arts degree (BA) in English literature from the University of North Carolina at Chapel Hill, North Carolina. This was followed by an advanced degree (MA) in health administration from the University of Iowa, Iowa City, and finally two years of post-graduate education in the art department at the University of North Carolina with study in sculpture and art history. I live in Chapel Hill, North Carolina, but I travel a lot to build my work: I spend three weeks of each month at a different location constructing a sapling sculpture.

WORKS OF ART

I build large-scale sculptures completely of saplings; that is, freshly cut, bendable sticks. There are no bolts, screws, wire, or other connectors. I use large saplings (with a diameter of approximately three inches at the base) set firmly into the ground as the uprights that give the work its shape. I then weave smaller saplings, pulling one stick through another to build a haphazard matrix and to create the rough shape of the sculpture. Next comes the drawing phases. I use many of the drawing conventions that someone using a paper and pencil might employ, including "x"ing, hatch marks and dramatic emphasis lines. The final step is "fix up", a cosmetic treatment in which I erase certain mistakes by covering them with very small twigs. The resulting sculpture is often 6 m tall or taller and has doors and windows to allow visitors to enter and explore; not just to look, but to feel, to touch, and even to smell the woodsy aroma. I incorporate interesting winding pathways and try to create arresting views at every turn to spark the imagination.

IN WHAT WAY IS YOUR ART EXTREME?

Each project has its unique challenges. Sometimes it is finding the right material, which can be particularly challenging in tropical settings. Sometimes, it is weather, though we have not often been stopped, even by snow. Once, in Colorado, however, a snowstorm came up so strongly that we couldn't see to work, so that necessitated a break for half a day. Sometimes, it is the site and problems with city zoning and other requirements that enmesh us in paperwork before the real work can begin.

INWIEFERN IST IHRE KUNST EXTREM?

Jedes Projekt hat seine ganz eigenen Herausforderungen. Manchmal besteht sie darin, das optimale Material zu finden, und das ist gerade in tropischen Gefilden eine besondere Herausforderung. Manchmal ist es das Wetter, obwohl wir uns davon nur selten haben aufhalten lassen, sogar Schnee war kein Hindernis. Nur einmal, es war in Colorado, als ein heftiger Schneesturm aufzog, bei dem die Sicht so stark beeinträchtigt wurde, dass wir einen halben Tag pausieren mussten. Auch der Standort kann Probleme mit der Gemeindesatzung mit sich bringen oder mit anderen Regularien, bei denen wir in Papierkram verwickelt werden, noch bevor die eigentliche Arbeit beginnt.

KANN KUNST UNSERE SICHTWEISE VERÄNDERN?

Neben dem persönlichen Vergnügen, mit einem der einfachsten Materialien einer komplexen Welt zu arbeiten, bin ich der Meinung, dass eine gut konzeptionierte Skulptur die Fantasie beleben und vorbeigehende Menschen aufrütteln kann.

WAS SIND IHRE ZIELE?

Ich genieße meine Arbeit enorm und bin dankbar für die Spannung, die meine Entwicklung mit sich bringt. Ich bin glücklicherweise gesund und voller Tatendrang, Dinge zu erschaffen. Das Interesse an meinen Werken scheint ungebrochen und ich freue mich auf die Chancen und Möglichkeiten, die die nächsten Jahre mit sich bringen werden.

DIE BEMERKENSWERTESTE REAKTION IHRES PUBLIKUMS?

Bei meiner Arbeit kann man nicht einfach die Türen schließen, und es gibt keinen Ort, wo man sich verstecken kann. Die Arbeit findet in aller Öffentlichkeit statt - die Menschen können mich jederzeit ansprechen. Die Besucher erzählen dann von Vogelnestern, die sie entdeckt, oder von einem Eingeborenenstamm, über den sie etwas gelesen haben. Sie erinnern sich jedoch auch an einen schönen Waldspaziergang oder an ein schönes Erlebnis aus ihrer Kindheit. Zu meinen Favoriten zählt jedoch, wenn ein Paar auf dem Bürgersteig auftaucht und der Mann mit der Schulter gegen die Skulptur drückt, um zu sehen, ob sie belastbar ist. Die Frau verkündet dann: „Wir könnten hier wohnen." Meist lautet die Antwort des Ehemannes dann: „Nein, könnten wir nicht." Ich stelle mir gerne vor, wie die Frau einen Tag im Wald verbringen und mit den Tieren umherziehen möchte.

DIESE SKULPTUR NENNT SICH „RUF DER WILDNIS" (WEIDE UND WEINBLATT-AHORN, ROTHOLZIGER HARTRIEGEL UND BITTERKIRSCHE). SIE STAND 2002 BEIM MUSEUM OF GLASS, TACOMA, WASHINGTON, UND MISST 18 M x 3,7 M x 6 M.

THIS SCULPTURE IS CALLED "CALL OF THE WILD" (WILLOW PLUS VINE MAPLE, REDTWIG DOGWOOD AND BITTER CHERRY). IT STANDS 2002 AT THE MUSEUM OF GLASS, TACOMA, WA, AND IS 18 M x 3.7 M x 6 M.

CAN ART CHANGE THE WAY WE SEE THE WORLD?

Beyond the huge personal pleasure I gain from working with the simplest materials in a complex world, I believe that a well-conceived sculpture can enliven the imagination and stir those who pass nearby.

WHAT ARE YOUR AMBITIONS?

I enjoy my work immensely and appreciate the drama that maturing holds for me. Luckily I have good health and a huge appetite for making things. There seems to be unlimited interest in my work, and I look forward to the opportunities the next years will bring.

THE MOST REMARKABLE REACTION OF YOUR AUDIENCE?

In my work, there are no doors to close and no places to hide, the work is conducted in full public view and the public is free to talk to me. Those who stop by speak of bird nests they have seen or an indigenous tribe they have read about, but they also reminisce about a treasured walk in the woods and a cherished childhood experience. My favorite is when a couple appears on the sidewalk and as the husband pushes on the sculpture with his shoulder to see if it is strong enough, the wife declares, "We could live here". The husband's usual response is, "No, we could not" - I have come to imagine that it is her desire to step back into the forest for a day and roam with the other animals.

Spritzenkunst/Syringe Art
by Tobias Sylvester Vierneisel

VITA DES KÜNSTLERS

Ich bin Heidelberg geboren, heute lebe ich in Bonn. Meine Kunst begann mit einer Problemstellung. Ich wollte anfangs ein Objekt mit sehr präzisen Punkten erschaffen, und zwar am Computer. Da ich mit immer mehr Ebenen in der Photoshop-Software arbeiten musste, kam mein Rechner an seine Grenzen. Die Lösung war ein analoger Weg, und hier erschien mir der Farbauftrag mit einer Spritze am sinnvollsten. Seitdem perfektioniere ich die Technik, suche nach neuen Kombinationen mit anderen Techniken und Objekten, die eine gute Basis für ein Werk bieten.

KREATIVES SCHAFFEN

Das Besondere an meiner Technik „Dotting" ist das künstlerische Werkzeug, das zum Einsatz kommt. Medizinische Spritzen dienen dem präzisen und kontrollierten Farbauftrag der Farbe, sodass ornamentartige und mit minimalen Farbübergängen versehene Bildkompositionen entstehen. Keines der Ornamentelemente darf ein anderes berühren. Bewusste Weißflächen des Papiers bilden die Grenzen der Elemente zueinander. Mit der Auswahl des Objekts beginnt der Prozess des Skizzierens und des Findens einer optimalen Struktur. Stimmt die Struktur nicht, wirkt die gesamte Bildkomposition unausgeglichen und unsymmetrisch. Jede Arbeit erfordert daher ein Auseinandersetzen mit der Grundform des Objekts. Schnelle Striche lassen im nächsten Schritt Strukturelemente entstehen, die erweitert werden, bis eine erste mögliche Gesamtstruktur vorliegt. Dann folgt der Schritt des Farbauftrags und der Verarbeitung der nassen Farbe, sodass eine erste Version entsteht. Durch diese erste Version können mögliche Fehlstrukturen erfasst werden, die in der zweiten oder auch dritten Version angepasst und optimiert werden, bis eine erste finale Version vorliegt. Die finale Version entspricht dem Optimum meiner Vorstellung in Bezug auf das gewählte Objekt.

tv@farbtunnel.de | www.farbtunnel.de

ARTIST'S VITA

I was born in Heidelberg, today I live in Bonn. My art started with a problem. Initially, I wanted to create an object with very precise dots, on the computer. When I had to work with advanced levels of the Photoshop software, my computer reached its limits. The solution was taking the analog path and applying color with a syringe made the most sense to me. Since then I have been perfecting this technique, searching for new combinations with other techniques and objects that offer a good basis for a work of art.

WORKS OF ART

The artistic tools I use for my "dotting technique" are what makes this technique unique. Medical syringes allow a precise and controlled application of the water colors, so that an ornamental composition of elements joined by minimal color transitions is created. Deliberate white areas of the paper provide the borders so that the elements have no contact with one another. Upon choosing the object, the sketching and the search for the perfect structure begins. If the structure is incorrect, the overall image composition appears unbalanced and asymmetrical. Each work therefore requires an analysis of the basic shape of the object. As a next step, color is applied and the wet color worked into an initial version. This first version depicts possible defects, that are adapted and optimized in the second and third version, until the first final version has been achieved. The final version complies with the optimum of my idea, in relation to the chosen object.

IN WHAT WAY IS YOUR ART EXTREME?

Time is always the factor that is relevant to every work. Sketches, first structural designs, the combination of several concepts - all this takes a lot of time even in the phase of finding the structure. Once the color application begins, patience and inner tranquility are the deciding factors for a successful first result. Even the merest trace of restlessness or premature interaction with specific areas can, in the worst case, ruin several hours of work. The dotting technique requires slow, attentive and conscious work. The time factor becomes the core element of the creative work.

INWIEFERN IST IHRE KUNST EXTREM?

Zeit ist stets der Faktor, der für jede Arbeit ausschlaggebend ist. Skizzen, erste Strukturentwürfe, die Kombination aus mehreren Entwürfen - all das erfordert schon in der Phase der Strukturfindung viel Zeit. Beginnt der Prozess des Farbauftrags, entscheiden Geduld und innere Ruhe über ein erfolgreiches erstes Ergebnis. Schon der kleinste Unruhezustand oder ein verfrühtes Interagieren mit bestimmten Bereichen kann im schlimmsten Fall die Arbeit von Stunden zunichtemachen. Die Technik des Dottings verlangt ein langsames, achtsames und bewusstes Arbeiten. Der Faktor Zeit wird zum Kernelement der kreativen Arbeit.

DIE BEMERKENSWERTESTE REAKTION IHRES PUBLIKUMS?

Eigentlich war es nicht das Werk an sich, sondern das Werkzeug. Als ich mit dem Dotting anfing, war die Apothekerin in dem kleinen bayerischen Ort, in dem ich mit meiner Frau damals lebte, sehr skeptisch. Fast wöchentlich betrat ich die Apotheke und fragte nach Spritzen mit Kanülen in unterschiedlichen Größen. „Ich kaufe, was Sie da haben", war meine Aussage. Erst nach einer Weile kam ich auf die Idee, dass sie in mir einen Junkie sehen könnte. Ich klärte sie auf und sorgte so für Beruhigung. Seitdem reagieren Menschen mit Faszination auf die Technik und das Resultat. Aber auch eine gewisse Form von Abneigung oder Distanz erlebe ich, vielleicht weil medizinische Spritzen für Menschen eben doch etwas Bedrohliches mit sich bringen.

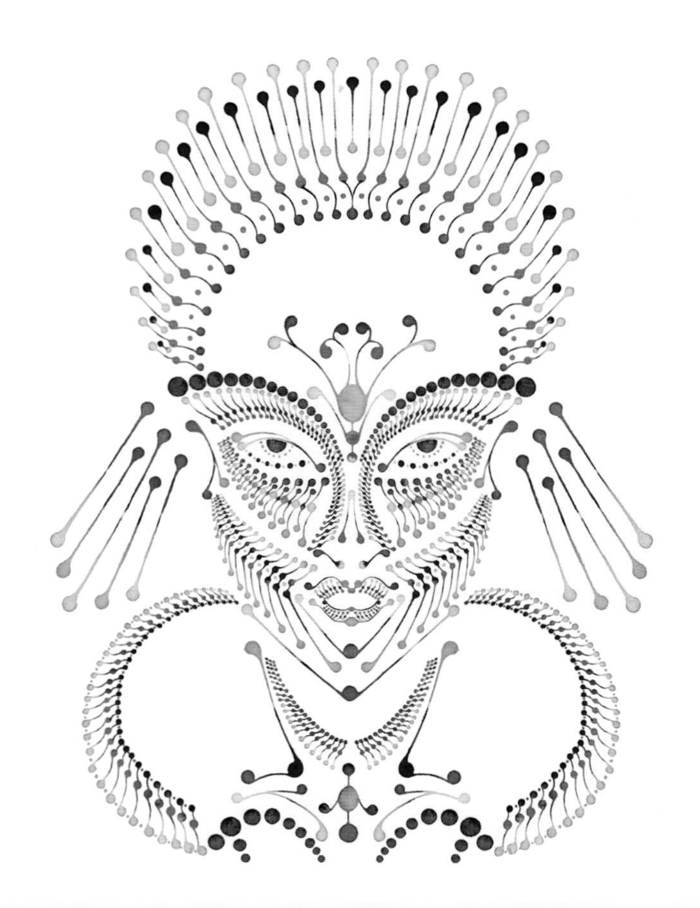

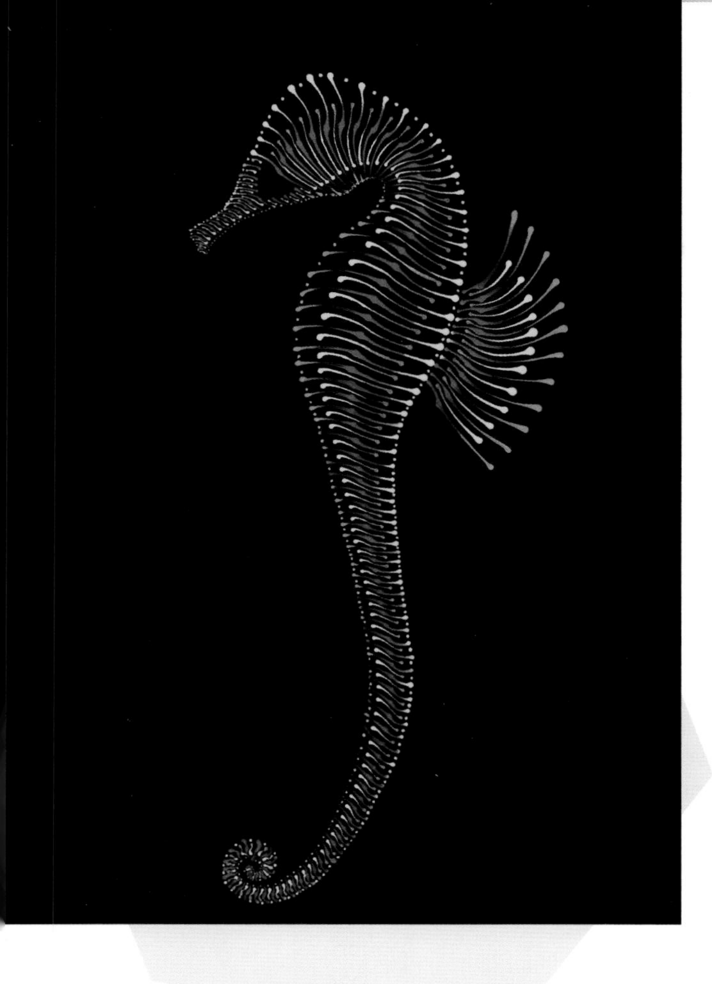

SEI ES EINE LIBELLE, EIN GESICHT ODER EIN SEEPFERDCHEN - WICHTIG IST IMMER DIE BESCHÄFTIGUNG MIT DER GRUNDFORM: WIE IST DAS OBJEKT AUFGEBAUT? WO SIND FLÄCHEN, WO SIND KANTEN, WO SIND ACHSEN? WAS KANN ERWEITERT UND VERÄNDERT WERDEN, UM DAS SURREALE ZU UNTERSTREICHEN?

BE IT A DRAGONFLY, A FACE OR A SEAHORSE, EVERY TIME THE ANALYSIS OF THE BASIC SHAPE OF THE OBJECT IS VERY IMPORTANT: HOW IS THE OBJECT CONSTRUCTED? WHERE ARE SURFACES, EDGES, AXES? WHAT CAN BE EXPANDED AND CHANGED TO UNDERLINE THE SURREAL?

KANN KUNST UNSERE SICHTWEISE VERÄNDERN?

Durch das „Was" und „Wie" seiner Arbeit beeinflusst und kontrolliert der Künstler unsere Sinne. Wir sind fasziniert, geschockt, verträumt oder verängstigt, wenn wir über unsere Sinne das wahrnehmen, was der Künstler uns zeigt. Je deutlicher die Sprache eines Künstlers, desto mehr reagieren die Menschen. Massenmedien, Informationsflut und die Digitalisierung beeinflussen uns mehr und mehr negativ, belasten unsere Sinne und damit unseren Geist. Hier kann Kunst eingreifen - sei es durch das, was sie darstellt oder durch ihren Entstehungsprozess. Kreativität, Muße und Langsamkeit oder die Wirkung der Kunst auf unsere Sinne kann uns aufwecken und zum Nachdenken oder sogar zum Nachmachen anregen.

WAS SIND IHRE ZIELE?

Ich würde es nicht Ehrgeiz nennen, sondern Bestimmung. Meine Arbeit soll durch ungewöhnliche und selbst erarbeitete Techniken und Herangehensweisen, durch neue Konzepte und Projekte als Gesamtwerk nach außen sichtbar sein. Aus diesem Grund wechsle ich zwischen Disziplinen und Bereichen, experimentiere mit analogen und digitalen Elementen in Form von Malerei, Grafik, Fotografie und Film.

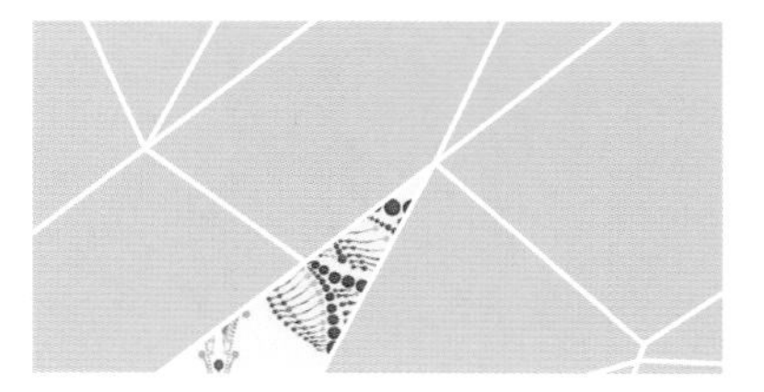

THE MOST REMARKABLE REACTION OF YOUR AUDIENCE?

Actually, it wasn't the work itself, but the tools. When I began with dotting, the pharmacist of the small Bavarian town where I lived with my wife was very sceptic. Almost on a weekly basis I stepped into the pharmacy asking for syringes with cannulas in varying sizes. I said, "I'll take what you have." It took me a while to realize that she might believe I was a junkie. I explained and thus calmed the waters. Since then people have reacted with fascination about both the technique and the resulting work. But I also experience a certain form of dislike or dissociation, maybe because medical syringes always seem somewhat menacing to people.

CAN ART CHANGE THE WAY WE SEE THE WORLD?

Through the "what" and "how" of his work, the artist influences and controls our senses. We are fascinated, shocked, dreamy or scared when our senses perceive what the artist is presenting. The more distinct the language of an artist is, the stronger people will react. Mass media, the flood of information and the digitalization are an increasingly negative influence, burdening our senses and therefore our mind. This is where art can intervene - by what it presents or through the development process. Creativity, leisure and slowness or the effect of art on our senses can awaken us, be thought-provoking or even inspire us to emulate!

WHAT ARE YOUR AMBITIONS?

I wouldn't call it ambition, but rather destiny. My work shall become visible to outsiders as an œuvre, on the basis of unusual techniques and approaches I have delevoped and through new concepts and projects. This is why I keep changing disciplines and realms, experimenting with analog and digital elements in the areas of painting, graphics, photography and film.

geschichten in ton

storytelling in clay

Keramikskulpturen/
Ceramic Sculptures
by Katharine Morling

VITA DER KÜNSTLERIN

Im Jahre 2003 nahm ich mein Bachelorstudium im Fachbereich Keramik auf. Nach dem Abschluss richtete ich mir ein Atelier ein, später zog ich dann nach London. Nach vier Jahren in meinem Londoner Atelier ging ich für ein Masterstudium der Keramik an das Royal College of Art. Dort konzentrierte ich mich stark auf das Zeichnen. Ich versuchte, Emotionen in meine Arbeit einfließen zu lassen, und begann, Zeit in einem Zeichenatelier zu verbringen. Im Laufe der Zeit entwickelte ich die Zeichnungen zu dreidimensionalen Objekten, da ich die skulpturelle Arbeit schätzte.

KREATIVES SCHAFFEN

Ich kreiere dreidimensionale Zeichnungen. Für die Herstellung verwende ich Tonplatten und Handarbeiten. Die monochromen Arbeiten werden hauptsächlich aus Porzellan oder Ton mit einem Porzellanüberzug gefertigt, vor dem Brennen wird ein schwarzer Überzug aufgetragen, um die Details herauszuarbeiten und den Objekten Leben einzuhauchen. Diese Arbeiten sind inspiriert von persönlichen Geschichten, die auf Erzählungen, Träume und Albträume anspielen.

katharine.morling@network.rca.ac.uk
katharinemorling.co.uk

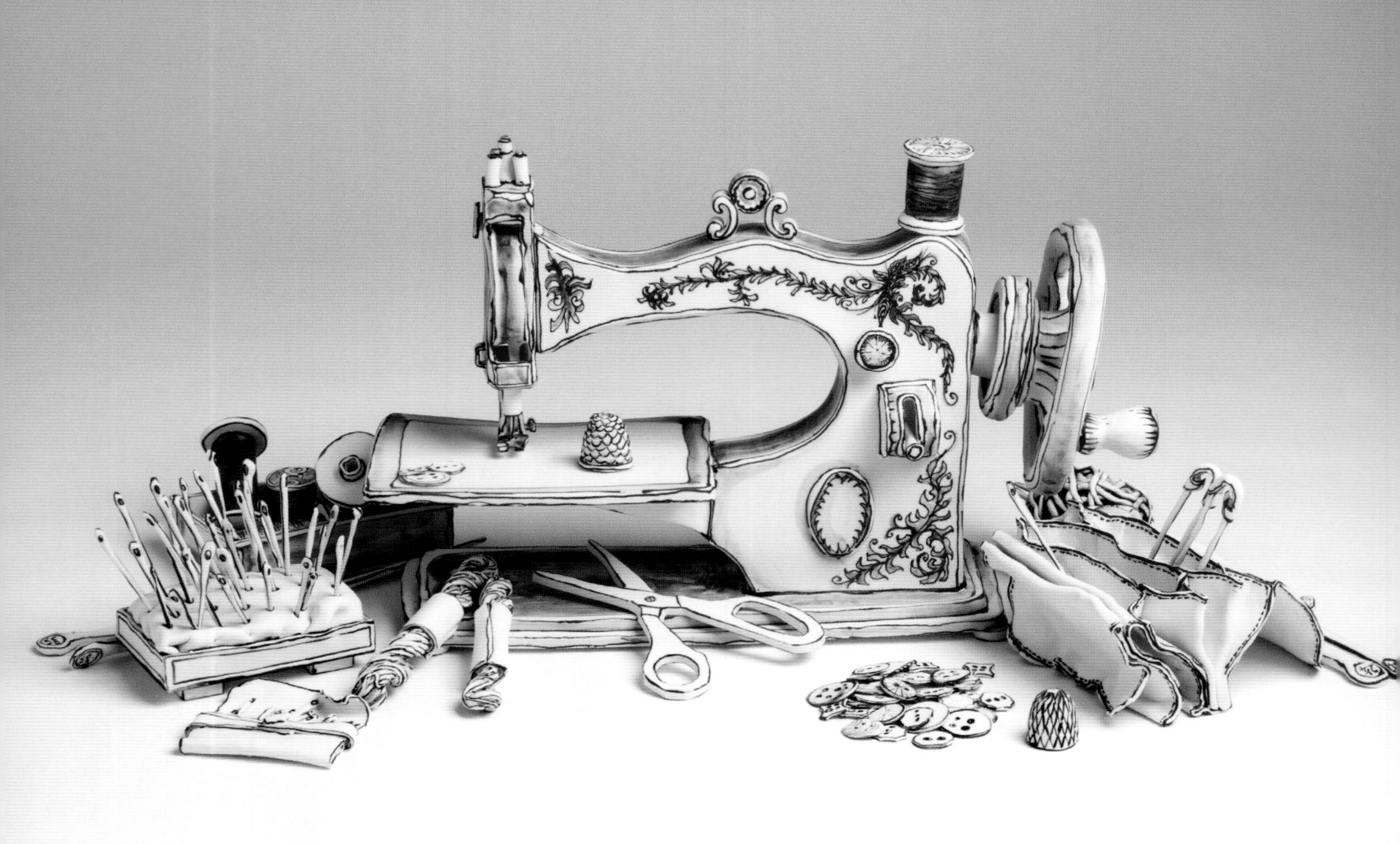

ARTIST'S VITA

I went to Falmouth College of Art in 2003 to do a BA in ceramics. When I graduated, I set up my own studio and eventually moved to London. After four years of being in my London studio, I returned to college to do a Masters in Ceramics at the Royal College of Art. I became really involved with drawing. I was trying to put emotions into my work and started spending time in the drawing studio. Gradually, I evolved the drawings into my 3D-work as I am drawn to working sculpturally.

WORKS OF ART

I create three-dimensional drawings. I make the works using slab and hand building. The monochrome works are mainly porcelain or crank covered in a porcelain coating. Before firing, a black coating is drawn on revealing details and bringing the works to life. These works are inspired by a personal narrative, which alludes to tales, dreams and nightmares.

INWIEFERN IST IHRE KUNST EXTREM?

Porzellan ist ein kompliziertes Medium, und bevor man mit der Arbeit beginnt, muss jedes Kunstwerk durchdacht sein, von seiner inneren Struktur bis zu seinem Ende, seine Verpackung und Handhabung.

ICH SEHE MEINE KUNSTWERKE ALS EINGEFRORENE WELTEN, DENN JEDES ERZÄHLT SEINE EIGENE GESCHICHTE - SEI ES DIE BOOMBOX RECHTS (43 CM x 40 CM), DIE NÄHMASCHINE OBEN (40 CM x 62 CM x 42 CM) ODER DIE SCHREIBMASCHINE AUF SEITE 206 (45 CM x 76 CM).

I SEE MY ARTWORKS AS CAPTURED WORLDS, BECAUSE EACH ONE IS TELLING ITS OWN STORY - BE IT THE BOOM BOX ON THE RIGHT (43 CM x 40 CM), THE SEWING MACHINE ABOVE (40 CM x 62 CM x 42 CM) OR THE TYPEWRITER ON PAGE 206 (45 CM x 76 CM).

DIE BEMERKENSWERTESTE REAKTION IHRES PUBLIKUMS?

Ich mag es, dass sich Menschen an meinen Arbeiten erfreuen. Manchmal haben meine Werke für sie eine andere Bedeutung als für mich. Ich sage ihnen das nicht, denn die von ihnen empfundene Bedeutung ist manchmal wichtiger.

KANN KUNST UNSERE SICHTWEISE VERÄNDERN?

Ja, denn sie bringt uns dazu, ein weiteres Mal hinzuschauen und die Dinge nicht immer nur in einer linear-reglementierten Weise zu betrachten. Kunst stellt die eigenen Überzeugungen infrage.

WER HAT SIE BESONDERS BEEINFLUSST?

David Hockney hat mich schon immer beeinflusst. Ich mag seine Arbeiten und finde ihn sehr interessant. Seine Werke sind unglaublich schön, und ich empfinde seine Erkenntnisse zur Perspektive, wie auch seine Recherchen zur Kunstgeschichte als sehr spannend.

WAS SIND IHRE ZIELE?

Ich möchte meine Zeit genießen, jeden Tag genießen, meine Arbeit genießen. Und ich möchte mich selbst mit der Arbeit weiterentwickeln.

IN WHAT WAY IS YOUR ART EXTREME?

Porcelain is a tricky medium and you have to think a piece through to even the final packing stage before you can begin working on how to handle it and what internal structure it needs.

THE MOST REMARKABLE REACTION OF YOUR AUDIENCE?

I really like that people find pleasure in my work. Sometimes my work means something very different to them than it did to me. I don't always tell them that, sometimes what it means to them is more relevant.

CAN ART CHANGE THE WAY WE SEE THE WORLD?

Yes, I think it makes you look again and not always see things in a linear prescriptive way. It challenges your beliefs.

WHO INFLUENCED YOU IN A SPECIAL WAY?

I have always been influenced by David Hockney. I like his work and find him very interesting. His work is incredibly beautiful and I find his discoveries into perspective and research into art history very inspiring.

WHAT ARE YOUR AMBITIONS?

I just want to enjoy my time, enjoy every day, enjoy my work and keep moving forward with the work.

DIE WELT IN BLAU

Jeanskunst/
Denim Art
by Ian Berry

THE WORLD IN BLUE

VITA DES KÜNSTLERS

Geboren und aufgewachsen bin ich in Huddersfield, Yorkshire, England. Ich bin Autodidakt, habe aber einen Abschluss in Grafikdesign. Heute lebe ich im Osten von London. Ich fühle mich vom Großstadtleben und urbanem Wohnen angezogen, wie auch von der Vielschichtigkeit, die dazwischen liegt. Urbane Themen interessieren mich sehr. Der Jeansstoff gibt mir die Möglichkeit, mit einem zeitgemäßen Material unsere Zeit zu porträtieren.

KREATIVES SCHAFFEN

Für meine Kunstwerke verwende ich ausschließlich Jeans, also Denim. Zuerst war es die Ästhetik dieses Stoffes, die mich faszinierte, doch als ich damit zu arbeiten begann, wurde ich mir meiner eigenen Emotionen zu diesem Stoff bewusst und entdeckte noch andere Verbindungen. Wenn die Menschen die Bilder gedruckt oder online sehen, denken sie häufig, es handele sich um ein Gemälde ohne Tiefe, bearbeitet mit Photoshop. Dabei sind es Lagen aus Denimstoff, die mit der Schere ausgeschnitten wurden. Es werden alle verschiedenen Schattierungen und Nuancen des Stoffes verwendet, um eine Szenerie oder ein Porträt zu kreieren. Ich verwende dieses Material als mein Medium, so, wie ein Künstler Farbe verwendet. Auch hier geht es um Licht und Schatten, doch haben die Arbeiten eine Tiefe und Perspektive, die die Menschen anspricht. Manchmal sind für die Erschaffung eines dreidimensionalen Bildes rund ein Dutzend Stoffschichten nötig. Beim Betrachter entsteht häufig das Gefühl, in das Bild hineingehen zu können.

maildenimu@gmail.com | www.ianberry.london

DIESE SZENE NENNT SICH „HAUSSCHÖNHEIT" (150 CM x 70 CM). SIE IST TEIL MEINER SERIE MIT DEM TITEL „HINTER VERSCHLOSSENEN TÜREN". SIE PORTRÄTIERT DAS MODERNE LEBEN MIT ALL SEINEN MATERIELLEN GÜTERN – ABER: DAS SIND NICHT DIE DINGE, DIE UNS GLÜCKLICH MACHEN.

THIS SCENE IS CALLED "HOUSE BEAUTIFUL" (150 CM x 70 CM). IT IS PART OF MY SERIES TITLED "BEHIND CLOSED DOORS" PORTRAYING MODERN LIFE, WITH ALL THE MATERIALISTIC TRAPPINGS; YET, THESE ARE NOT THE THINGS THAT MAKE US HAPPY.

ARTIST'S VITA

I was born and raised in Huddersfield, Yorkshire, UK. I'm a self-taught artist, but have a degree in Graphic Design. Today I'm living in East London. I'm attracted to urban life and living and the many layers of life within them. I'm very much interested in urban issues. With the denim, I feel like I am portraying contemporary life out of the material of our time.

WORKS OF ART

I make all of the art out of denim jeans only. At first it was the attraction to the aesthetic value of denim, but working with it, I soon became aware of my own feelings toward denim and then more so, seeing other connections to it. It's often hard for people to see in print or online, they think it is a painting, flat, photoshopped. It's none of these, but layers of denim, cut out with scissors, using all the varying shades and tones within those pieces to construct scenes or portraits. I use the material as my medium, as an artist uses paint. It's still about light and shade, while there is a depth and perspective in the work that draws people in, sometimes around a dozen layers, to make a three-dimensional work. Often you feel like you can walk in.

CAN ART CHANGE THE WAY WE SEE THE WORLD?

I really do think art can change the world in many ways. On the one hand it is the artists that see things, changes, issues before many others and to be able to communicate some of them in just one image or body of work can be very powerful. On the other hand, it doesn't need to change the world, in a big significant way. Often it can be there to offer slight relief away from the more serious issues of the day, remind people of what other humans do. So while that may not change the world, it may make people see the world differently, or just change someone's day.

KANN KUNST UNSERE SICHTWEISE VERÄNDERN?

Ich glaube wirklich, dass Kunst die Welt auf vielfältige Weise verändern kann. Auf der einen Seite sind es die Künstler, die vor allen anderen die Dinge, Veränderungen, Probleme sehen und erkennen und diese dann in nur einem Bild oder einem Werk kommunizieren können. Auf der anderen Seite muss Kunst die Welt gar nicht auf bedeutsame Weise verändern. Manchmal ist die Kunst einfach da, um ein wenig Linderung zu spenden, von den ernsten Themen des Tages abzulenken und die Menschen daran zu erinnern, was ihre Mitmenschen tun. Während Kunst also nicht die Welt verändert, sorgt sie doch dafür, dass die Menschen die Welt auf eine andere Weise sehen – oder sie beeinflusst den Tag eines Einzelnen auf positive Weise.

WAS SIND IHRE ZIELE?

Hätten Sie mich vor zehn Jahren nach meinen Zielen gefragt, und die letzten zehn Jahre hätten sich über die nächsten fünf Jahrzehnte in dieser Form fortgesetzt, wäre ich wahrscheinlich zufrieden gewesen. Aber man hat seine Ziele und wenn diese erreicht wurden, hat man sich bereits neue Ziele gesteckt. Heute ist es mein größtes Ziel, so vielen Menschen wie möglich meine Arbeiten präsentieren zu können, und zwar im realen Leben. Wenn das passiert, wird sich alles andere von allein fügen. Ich würde zudem gerne mehr leisten, um die nächste Generation zu inspirieren, und ich möchte mich dafür einsetzen, die Wahrnehmung der Kunst und der Künste als Fachgebiet im Lehrplan zu stärken. Meine Kunst ist mein Sprachrohr.

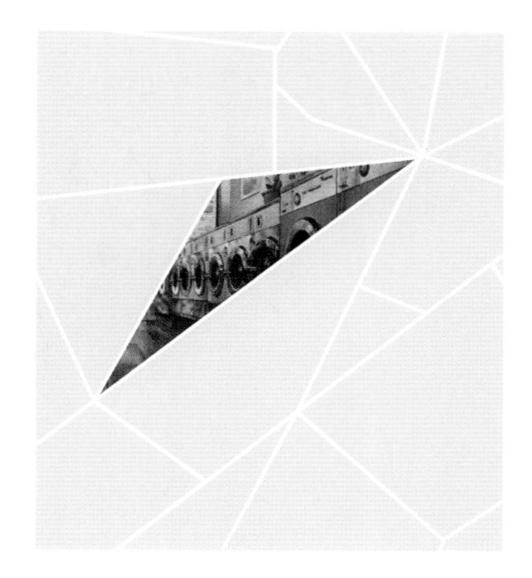

INWIEFERN IST IHRE KUNST EXTREM?

Es gibt zahlreiche Herausforderungen, vom Auffinden des einen, perfekten Stoffstücks (und das wird zunehmend schwerer, wenn Tausende Jeansstoffe zur Auswahl stehen) über das Schneiden mit superscharfen Scheren, damit der Stoff nicht zu sehr ausfranst, bis hin zum Ausarbeiten der kleinsten Details, besonders bei den Szenen, bei denen ich exakte Kanten erzielen möchte. Diese Arbeit ist extrem, weil ich viel Mühe investieren muss, damit man den Jeansstoff kaum erkennt, damit es fotorealistische Stücke aus einem überraschenden Material werden.

DIE BEMERKENSWERTESTE REAKTION IHRES PUBLIKUMS?

Während einer Solo-Ausstellung vor einigen Jahren saß ich im Hotel in der Nähe der Galerie und frühstückte. Eine Frau kam herein und sagte zu jemand anderem: „Hast du diese großartigen Arbeiten im Schaufenster der Galerie gesehen?" Die andere Person antwortete ihr: „Ja, es ist unglaublich. Ich kann es wirklich kaum glauben, dass alles aus Denim ist." Die erste Frau schaute verwirrt und antwortete: „Denim?" Jetzt weiß ich, dass es bei meiner Arbeit nicht nur um die Verwendung von Jeans geht!

NUR WENN MAN GANZ NAH HERANGEHT, KANN MAN IN MEINEN ARBEITEN DIE JEANSDETAILS, DIE TIEFEN UND DIE TEXTUREN ERKENNEN. ONLINE ODER GEDRUCKT GEHEN DIESE FEINHEITEN VERLOREN.

IT IS ONLY WHEN YOU COME UP CLOSE TO MY WORK THAT YOU NOTICE THE DENIM DETAILS AND THE DEPTHS AND TEXTURES, WHICH IS OFTEN LOST ONLINE AND IN PRINT.

WHAT ARE YOUR AMBITIONS?

In some ways, if you had asked me my ambition ten years ago, if you had spread out the last ten years over the next 50, I may have been quite content with that. But you have goals and when you reach them, by that time you do have new goals. Today the biggest goal is to get as many people as possible to see the work in real life. I think if that happens, the rest will take care of itself. If anything, I want to be able to do more to inspire the next generation and be involved with getting art, and the arts, to be seen as stronger subjects in the education syllabus. I want to use my art to give me that voice.

IN WHAT WAY IS YOUR ART EXTREME?

There are many, from finding that one perfect piece (almost harder now when you have thousands of jeans) to having to use super sharp scissors to avoid too much fraying and working with the tiniest details, especially in the scenes where I want clean edges. It's so extreme as I am working so hard to show almost that it isn't denim, making pieces that are almost photo realistic out of an unexpected material.

THE MOST REMARKABLE REACTION OF YOUR AUDIENCE?

During a solo show a few years ago, I was sitting in the hotel near the gallery having breakfast. A woman came in and said to someone else, have you seen that amazing work in the gallery window? The other person says, yes, it's incredible, I can't believe it is all made of denim. The original person, looking puzzled, replied "denim?" So at least I know my work is all about not being made of jeans!

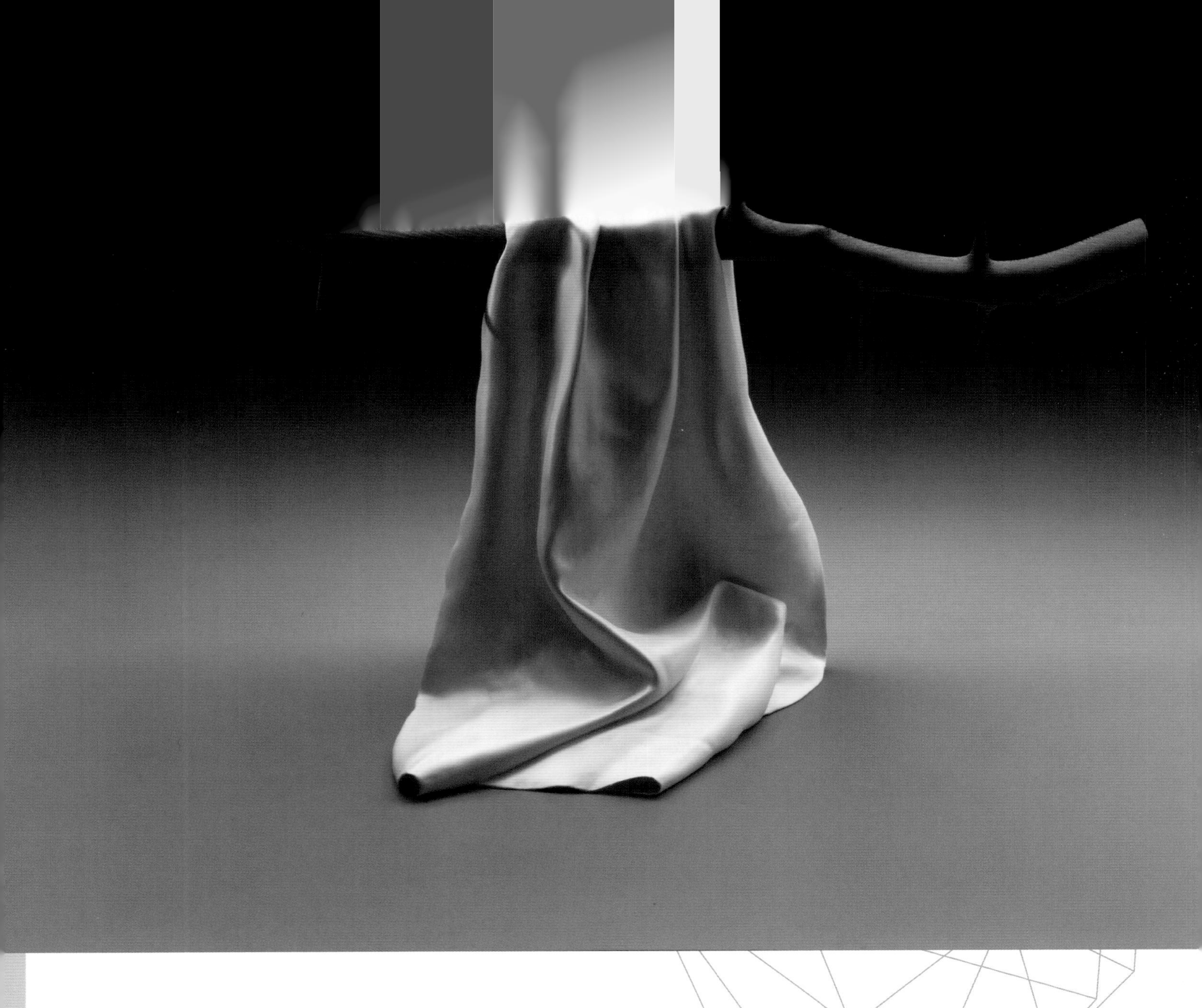

HOLZ ILLUSIONEN

WOODEN ILLUSIONS

Holzskulpturen/
Wood Sculptures
by Tom Eckert

VITA DES KÜNSTLERS

Schon als kleiner Junge von ca. acht Jahren hat mich das Zeichnen interessiert. Am College habe ich Ingenieurswesen und dann Architektur studiert, mich danach jedoch für Kunst entschieden. Auf dem College konzentrierte ich mich zunächst aufs Malen und Zeichnen und arbeitete mit William V. Dunning zusammen, einem bekannten, inspirierenden Professor, der später mehrere vielbeachtete Kunstbücher veröffentlichte. Nach dem Abschluss am Phoenix College ging ich zur Universität und machte einen Bachelorabschluss in Bildender Kunst mit dem Schwerpunkt Malerei sowie einen Masterabschluss in Bildender Kunst mit dem Schwerpunkt Bildhauerei. Auch wenn ich mich als Skulpturenkünstler sehe, verspüre ich immer noch das Bedürfnis, zu malen und mit Farben zu arbeiten. Zurzeit lebe ich in Tempe, Arizona, einem Vorort von Phoenix. Einige Jahre habe ich ein Holzskulpturen-Programm unterrichtet, das zur Kunsthochschule der staatlichen Universität in Arizona gehört. Ich habe das Programm ins Leben gerufen, dazu gehörten sowohl Anfänger- als auch Fortgeschrittenenkurse.

KREATIVES SCHAFFEN

Das Arbeiten mit Holz, einem ausdrucksstarken Medium, ist aus meinem Bedürfnis heraus entstanden, runde Objekte - dreidimensional - anzufertigen. Mich fasziniert die Idee, eine mentale Vision darzustellen, die Abstraktion in die Realität zu führen. Die Täuschung spielt in meinen Arbeiten ebenfalls eine Rolle. Ein Objekt aus Holz herzustellen, das sich dem eigentlichen Material widersetzt, ist eine Herausforderung. Ich sehe mich als Bildhauer, der Ideen umsetzt und das Material an seine Grenzen bringt. Meistens verwende ich traditionelle Holzwerkzeuge, aber ich scheue auch nicht davor zurück, andere Werkzeuge zu verwenden, mit denen ich das gewünschtes Ergebnis erzielen kann.

ES SIND MEINE BEDENKEN, OB EINE IDEE AUCH UMGESETZT WERDEN KANN, DIE MICH ANTREIBEN. DAS IST EIN WENIG WIE BEI EINEM SEILTÄNZER, DER SICH FRAGT, OB ER DAS GLEICHGEWICHT HALTEN KANN.

I AM ALWAYS CHALLENGED BY WONDERING, IF I CAN MAKE THE IDEA HAPPEN. THIS IS LIKE A TIGHTROPE WALKER WONDERING IF HE CAN KEEP HIS BALANCE.

ARTIST'S VITA

During my early years, around eight, I was very interested in drawing. Entering college, I studied engineering and then architecture, finally committing to art. My early community college training was in painting and drawing, working with William V. Dunning, a well-known, inspiring professor who later authored several acclaimed art books. After graduating from Phoenix College, I went on to university and graduated with a Bachelor of Fine Arts with a focus in painting and earned a Master of Fine Arts in Sculpture. Even though I consider myself to be a sculptor, I still feel a need to work with paint and color. I currently reside in Tempe, Arizona, which is a suburb of Phoenix. I taught a wood sculpture program for many years that is part of the School of Art, Arizona State University. I started the program that included classes from beginning through graduate level.

WORKS OF ART

Working with wood, as an expressive medium, grew from my need to make objects in the round - three dimensions. I am intrigued by the idea of rendering a mental vision - to bring the abstraction to reality. Deception also plays a role in the work. It is challenging to make something out of wood that defies its real material. I think of myself as a sculptor who renders ideas, pushing materials to their extremes. I mostly use traditional wood working tools, but I am not hesitant to use any tool that will accomplish a result.

DIE BEMERKENSWERTESTE REAKTION IHRES PUBLIKUMS?

Es war während einer Vernissage, bei der auch eines meiner Werke, „Still Life with Sabatier", gezeigt wurde. Es war ein lustiger Abend mit Freunden und einem lebhaften Publikum. Wir standen in Grüppchen herum und tranken Wein, als ich plötzlich einen Aufschrei vernahm und dann eine Stimme brüllte: „Nein, mein Herr, das ist ein Kunstwerk!" Ich schaute zu meiner Skulptur herüber, dort stand ein netter Mann mit weißem Bart und wollte gerade meine Replik des Metzgermessers zum Aufschneiden seines Baguettes verwenden. Als er seinen peinlichen Fehler bemerkte, tauchte er in der Menge ab, aber später fand ich das Baguette auf einem Serviertisch mit Wein. Ein sehr surrealer Abend.

DIESE ARBEIT NENNT SICH „HAUCHDÜNNES SCHWEBEN" (30,5 CM x 66,04 CM x 40,64 CM). DIE ARBEIT OBEN „ZAUBERHAFTER PINSEL" (17,8 CM x 58,42 CM x 25,4 CM).

THIS WORK IS CALLED "GOSSAMER LEVITATION". (30.5 CM x 66.04 CM x 40.64 CM). THE WORK ABOVE "CONJURING BRUSH" (17.8 CM x 58.42 CM x 25.4 CM).

KANN KUNST UNSERE SICHTWEISE VERÄNDERN?

Kunst nimmt viele Formen an, die die Kultur reflektieren, in der die Kunst geschaffen wurde. Wenn Kunst unsere Sichtweise auf die Welt verändert, dann nur, weil sie eine neue Wahrnehmungsweise der Wahrheit darstellt. Zudem vermittelt sie eine Spiritualität, die das Material transzendiert, aus dem die Kunst hergestellt wurde. Es ist bekannt, dass je ausgeprägter die materielle Orientierung einer Kultur ist, desto weniger spirituell diese auch ist. Um das zu beweisen, muss man nur die „primitiven" Kulturen studieren und sich einige ihrer Rituale anschauen.

WAS SIND IHRE ZIELE?

Ich arbeite immer noch daran, das perfekte Kunstwerk zu kreieren. Ich bin der Meinung, dass meine besten Werke noch vor mir liegen.

THE MOST REMARKABLE REACTION OF YOUR AUDIENCE?

This happened one night at a gallery opening, exhibiting one of my pieces, "Still Life with Sabatier". It was a fun evening with lots of friends and a lively crowd. We were all huddled in groups talking and sipping wine when suddenly I hear a shriek and a voice hollers, "no, sir, that is an artwork!" I looked over toward my sculpture to see this sweet man with a white beard about to use my replicated butcher knife to slice into his baguette. When he realized his embarrassing mistake, the man disappeared into the crowd, but later, on the wine serving table, I did find the baguette - a very surreal evening.

CAN ART CHANGE THE WAY WE SEE THE WORLD?

Art takes on many forms reflecting the culture in which it was produced. If it does change our view of the world, it is only because it presents a newly perceived truth. Additionally, it adds a spirituality that transcends the materials from which it is made. It is known that the more materially oriented a culture is, the less spiritual it becomes. To prove this, one only needs to study "primitive" cultures and look at some of their rituals.

WHAT ARE YOUR AMBITIONS?

I am still trying to make the perfect piece. I feel my best work is yet to come.

EINE RUNDE SACHE

A WELL-ROUNDED THING

Klorollen-Szenen/
Toilet Paper Roll Scenes
by Anastassia Elias

VITA DER KÜNSTLERIN

Geboren bin ich 1976 im Osten Russlands. Aufgewachsen und zur Schule gegangen bin ich in der Ukraine, wo ich neun Jahre lang gelebt habe. Studiert habe ich dann in Russland, Französisch und Linguistik, also Sprachwissenschaften. Nach dem Diplom habe ich noch einmal studiert, und zwar Journalistik. 2001 bin ich nach Paris gezogen, wo ich auch heute noch lebe. Dort habe ich mit der Kunst begonnen, in Vollzeit, nicht nur ab und zu so wie früher. Ich habe sie zum Beruf gemacht. Ich fand, dass meine Art, Dinge zu kreieren und darzustellen, sehr nah am Beruf des Illustrators ist. Es war für mich also etwas ganz Natürliches, mich mit Illustration zu beschäftigen. Inzwischen habe ich ungefähr ein Dutzend Jugendbücher illustriert.

KREATIVES SCHAFFEN

Eines Tages fiel mein Blick auf eine leere Toilettenpapierrolle, und ich fragte mich, ob ich daraus etwas machen könnte. So hat die Serie „Rouleaux" begonnen. Wie so oft bei meiner Arbeit habe ich die erste Rolle in einer Nacht hergestellt. Als sie fertig war, habe ich meine Schreibtischlampe darauf gerichtet und bemerkt, dass im Inneren der Rolle ein Schattenspiel entsteht. Das Licht, das durch die Rolle fällt, sorgt für Effekte, die ich nicht erwartet hätte. Wenn ich eine neue Rolle entwerfe, achte ich darauf, dass sich die Elemente nicht überlagern und dass die Szene das Licht möglichst gut einfängt. Ich lasse mich von meiner Umwelt und meiner Umgebung inspirieren, vom alltäglichen Leben, von den Leuten, die mich umgeben, von den Städten, die ich besuche, von den Filmen, die ich anschaue ... Wenn ich erst einmal eine Idee habe, dauert die Verwirklichung drei bis vier Stunden. Ich verwende eine Nagelschere und einen Cutter, um diese kleinen Silhouetten aus Papier auszuschneiden. Das Papier wähle ich in derselben Farbe wie die Rolle. So entsteht die Illusion, dass diese kleinen Figuren Teil der Rolle sind. Zum Einsetzen der kleinen Elemente nehme ich eine Pinzette.

ae@anastassia-elias.com
www.anastassia-elias.com

NEBEN KLOROLLEN VERWENDE ICH KAFFEEBECHER, WIE HIER ODER AUF SEITE 219 (JE 8 CM x 8 CM x 12,5 CM).

IN ADDITION TO PAPER ROLLS I USE COFFEE CUPS, AS HERE OR ON PAGE 219 (8 CM x 8 CM x 12,5 CM EACH).

ARTIST'S VITA

I was born in 1976 in Eastern Russia. I grew up and went to school in the Ukraine, where I lived for nine years. I studied French and linguistics in Russia. After graduation, I went back and studied journalism. In moved to France in 2001, to Paris, where I still live today. Shortly after the move I began with art, full-time, not only here and there as I used to, I made it my profession. I thought that my way of creating things and to depict them was very close to the work of an illustrator. So it seemed natural to occupy myself with illustrations. Meanwhile I have illustrated approximately a dozen teen books.

WORKS OF ART

One day I glanced at an empty toilet paper roll and I asked myself whether I could make something out of that. This is how the series "Rouleaux" began. As I often do, I worked the first roll during the night. When it was finished, I took my desk lamp and illuminated the roll, noticing that a play of shadows occurred inside the roll. The light penetrating the roll creates effects I never considered. When I design a new roll, I take care that the elements do not overlap and that the scene catches the light in a beneficial way. My works are inspired by daily life, the people around me, the cities that I visit, the movies that I watch ... or, differently phrased, I let myself be inspired by my environment and my surroundings. Once I have an idea, the realization takes three to four hours. I use a nail scissor and a cutter to cut the tiny silhouettes from paper. I choose paper the same color as the roll. This creates the illusion that these small figures are part of the roll. I use tweezers to insert the small elements.

DIE BEMERKENSWERTESTE REAKTION IHRES PUBLIKUMS?

Ich finde es schon bemerkenswert, dass die Leute sich die Zeit nehmen um mir zu sagen, was sie denken oder um ihre Freude bei der Entdeckung meiner Werke auszudrücken. Besonders rührend finde ich, wenn die Leute sich bei mir bedanken, weil ich etwas gemacht habe, das sie bewegt hat. Ganz besonders mag ich auch, wenn Erwachsene oder Kinder mir ihre eigenen Kreationen zeigen, zu denen meine Arbeiten sie inspiriert haben.

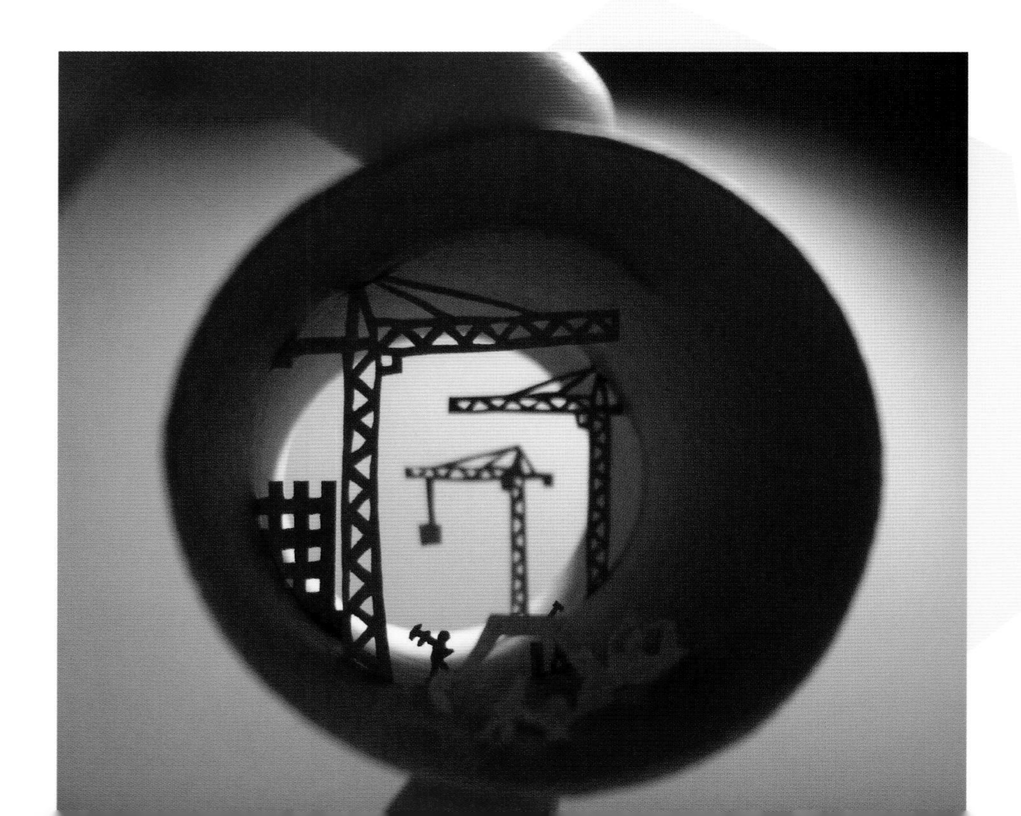

KANN KUNST UNSERE SICHTWEISE VERÄNDERN?

Vielleicht ist die Kunst ein Schlüssel, der uns die Augen, die Ohren, das Gehirn öffnet. Oder vielleicht ist sie auch eine Möglichkeit, um für die Zeit, in der wir ein Bild betrachten oder ein Konzert hören, unser eigenes Leben auszuklammern, uns in eine andere Welt versetzen zu lassen oder Emotionen zu empfinden.

WAS SIND IHRE ZIELE?

Ich habe viele Projekte, viele Ideen. Mein großer Wunsch ist es, dass ich genug Zeit dafür habe, sie auch umzusetzen.

DIESE IST EINE MEINER LIEBSTEN ROLLEN. DIE KLOROLLE, ZYLINDRISCH UND LANGGEZOGEN WIE EINE MINE, PASST PERFEKT ZU DIESER SZENE. ES IST VIELLEICHT DIE EINZIGE ROLLE IN MEINER KOLLEKTION, IN DER DIE SZENE NICHT DURCH DIE FORM DER KLOROLLE ABGESCHNITTEN WIRD.

THIS IS ONE OF MY FAVORITE ROLLS. THE TOILET PAPER ROLL, CYLINDRICAL AND ELONGATED LIKE A MINE, HOSTS THIS SCENE PERFECTLY. THIS IS PERHAPS THE ONLY ROLL OF MY COLLECTION, WHERE THE SCENE IS NOT CROPPED BY THE ROUND FRAME OF THE ROLL.

THE MOST REMARKABLE REACTION OF YOUR AUDIENCE?

I find it remarkable that people take the time to tell me what they think, or to express their joy upon discovering my works. It's particularly touching when they thank me because I've done something that touched them. I also enjoy it when adults or children show me their own creations that were inspired by my works of art.

CAN ART CHANGE THE WAY WE SEE THE WORLD?

Maybe art is a key that opens our eyes, ears and mind. Or maybe it's a way to block out our own life during the time we spend looking at a painting or listening to a concert, to be transported into another world or to experience emotions.

WHAT ARE YOUR AMBITIONS?

I have many projects and many ideas. My biggest wish is to have enough time to realize them.

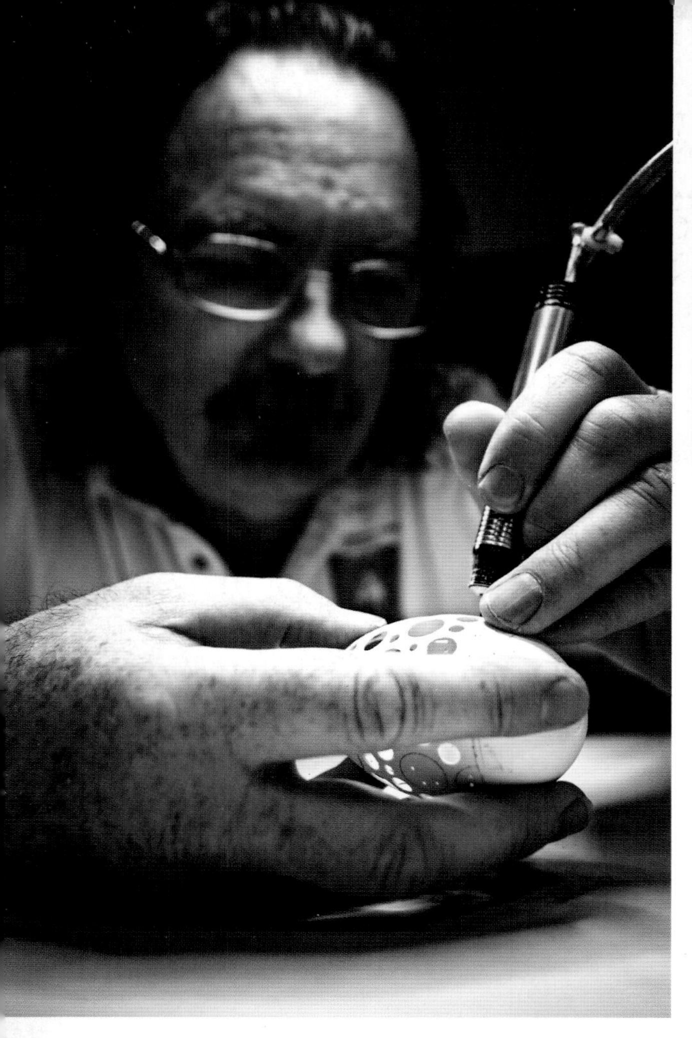

DIE ZERBRECHLISTE LEINWAND DER WELT

THE WORLD'S MOST DELICATE CANVAS

Eierskulpturen/Egg Sculptures
by Brian K. Baity

VITA DES KÜNSTLERS

Mein Vater war in der U. S. Air Force, deshalb bin ich in vielen verschiedenen US-Staaten aufgewachsen. In der Grundschule nahm ich am Kunstunterricht teil und in den 1980er-Jahren besuchte ich einige Anfängerkurse am College. Die weitere Ausbildung erfolgte autodidaktisch. Ich lebe in Salt Lake City, Utah. Mein Atelier ist auch mein Zuhause.

KREATIVES SCHAFFEN

Ich habe mich für diese Kunstform entschieden, weil sie eine Herausforderung darstellt. Die Herausforderung, etwas zu manipulieren, die Herausforderung, die jeder Werkstoff mit sich bringt, und die Herausforderung, aus überraschenden Gegenständen ein Kunstobjekt zu machen. Als Werkstoffe verwende ich neben Eierschalen auch Kürbisse, Holz und Baumrinde, Metall, Steine und Fundobjekte. Aufgrund der sich konstant verändernden Härte und Zerbrechlichkeit der von mir verarbeiteten Materialien setze ich unterschiedliche Techniken ein. Eierschalen müssen präzise, aber sanft berührt werden. Stein und Holz sind da schon sehr nachsichtig. Es ist schwierig, wenn nicht gar unmöglich, einen Fehler oder einen Makel an einer Eierschale auszugleichen. Bei Holz, Stein oder einem Kürbis kann eine Veränderung des Designs die meisten Probleme korrigieren und manchmal auch zu einem noch besseren Design führen.

brianbaitystudio@gmail.com
www.brianbaity.com

DIE GRÖSSE MEINER ARBEIT IST VON NATUR AUS BEGRENZT. EIER GIBT ES NUR IN SEHR WENIGEN GRÖSSEN, SO BIN ICH AN DIESE GRENZEN GEBUNDEN.

THE SIZE OF MY WORK IS LIMITED BY NATURE. EGGS COME IN A VERY LIMITED RANGE, SO I HAVE TO WORK WITH THESE LIMITS.

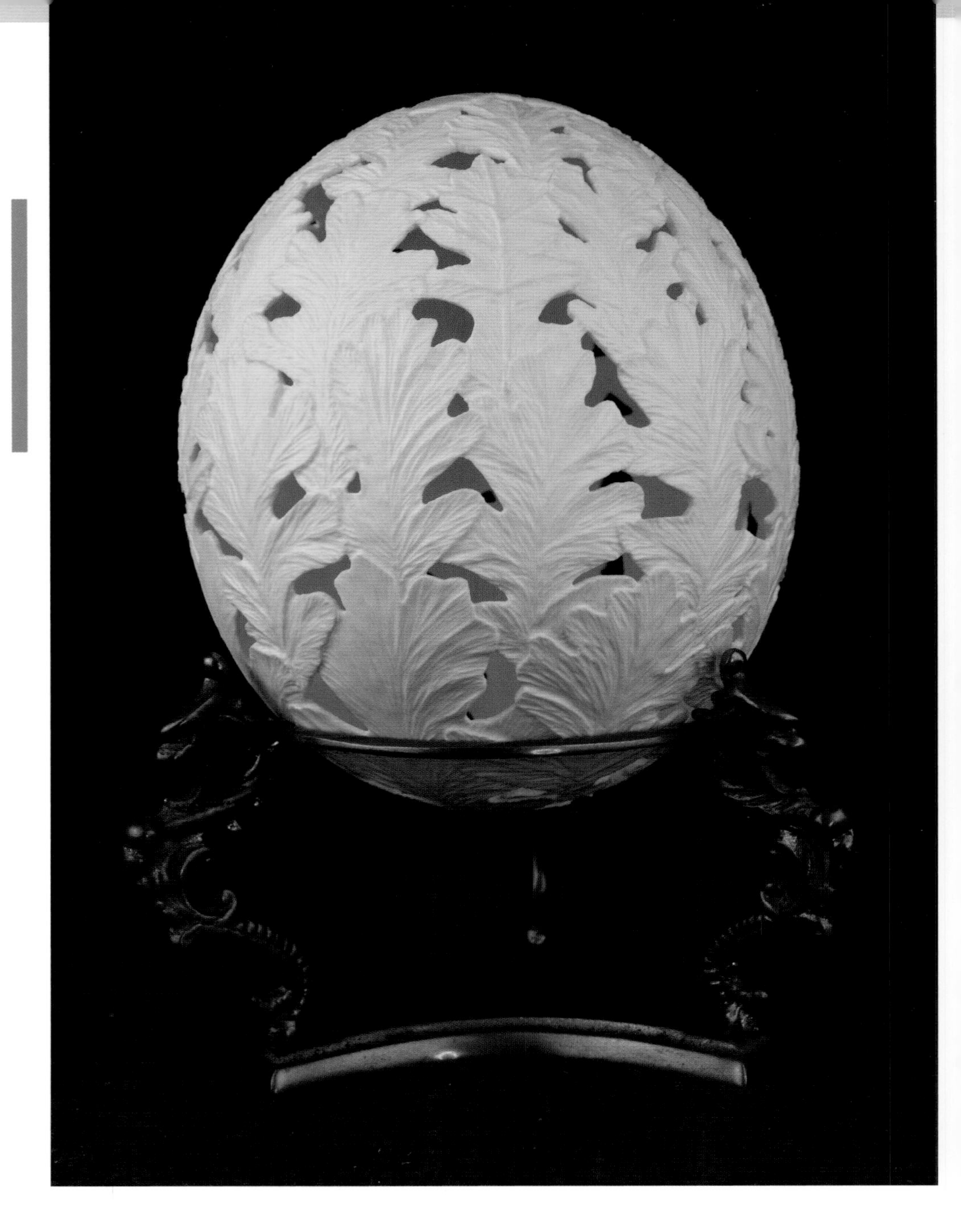

ARTIST'S VITA

My father was in the U. S. Air Force, so I grew up all over the United States. I attended art classes in primary school and a few entry-level college classes in the 1980s. The remaining education is self-taught. I live in Salt Lake City, Utah, USA. My studio is in my home.

WORKS OF ART

Quite simply, I chose these techniques because of the challenge. The challenge to manipulate them, the challenge to work with the limitations of each material, the challenge to make art from unexpected items. I work in eggshells, gourds, wood and tree bark, metal, stones, and found objects. My techniques are also diverse due to the constantly changing hardness and fragility of the materials I choose to manipulate. Eggshells require a very precise and light touch. Stone and wood are very forgiving. It is difficult, if not impossible, to compensate for a mistake or material flaw in an eggshell. With wood or stone or a gourd, a redesign can correct most issues and sometimes leads to stronger designs.

IN WHAT WAY IS YOUR ART EXTREME?

For the eggshell, the biggest challenge is fragility. A slight mistake and the piece could be destroyed. The other biggest challenge I face is developing methods to attach various materials to each other without adhesives.

THE MOST REMARKABLE REACTION OF YOUR AUDIENCE?

I love it when people realize that my creations are made from actual eggshells, not plastic or other sculpting materials.

INWIEFERN IST IHRE KUNST EXTREM?

Bei der Eierschale liegt die größte Herausforderung in ihrer Zerbrechlichkeit. Ein kleiner Fehler und die Schale könnte zerstört werden. Eine weitere große Herausforderung ist, Methoden zu entwickeln, um verschiedene Materialien ohne Klebstoff miteinander zu verbinden.

DIE BEMERKENSWERTESTE REAKTION IHRES PUBLIKUMS?

Ich liebe es, wenn den Betrachtern bewusst wird, dass meine Kreationen aus Eierschalen gefertigt sind und nicht aus Kunststoff oder einer anderen Modelliermasse.

KANN KUNST UNSERE SICHTWEISE VERÄNDERN?

Tatsächlich lebe ich mein Leben, um die Welt durch die Kunst zu verändern. Meine Kunstwerke wurden bereits in mehreren Ländern ausgestellt. Während der Ausstellung biete ich interaktive Präsentationen an, bei denen das Publikum ein einfaches Design in eine Eierschale schnitzen und das vollendete Objekt anschließend mit nach Hause nehmen kann. Kunst durchbricht kulturelle und sprachliche Barrieren besser als alles andere.

WER HAT SIE BESONDERS BEEINFLUSST?

Ich bewundere die Werke verschiedener Künstler. Fabergé steht ganz oben auf der Liste. Ich liebe auch die Kunst der holländischen Meister. Einer meiner Professoren am College, Dr. Martin, war ausschlaggebend für meine Entwicklung als Künstler.

WAS SIND IHRE ZIELE?

Meine größte Ambition ist, meine geschnitzten Eierschalen im russischen St. Petersburg auszustellen. Das ist die Stadt, in der Fabergé einige der bekanntesten Kunstwerke der Menschengeschichte erschaffen hat. Zwar verwendete er keine echten Eierschalen, jedoch haben seine Werke Kultstatus erlangt und sind weltweit bekannt. Ich möchte Menschen auf der ganzen Welt ansprechen und ihnen vermitteln, dass wir alle gleich sind, egal in welchem Land wir leben.

CAN ART CHANGE THE WAY WE SEE THE WORLD?

In fact, I live my life to change the world through art. I have shown my art in a few countries now. While the exhibitions are on display, I offer interactive demonstrations where patrons are given an opportunity to carve a simple design into an eggshell. When they are finished, they get to take their piece home with them. Art breaks cultural and language barriers better than anything else.

WHO INFLUENCED YOU IN A SPECIAL WAY?

I admire the work of a few artists. Fabergé is top on the list. I also love the art of the Dutch masters. One of my college professors, Dr. Martin, was instrumental in my development as an artist. He offered many strong lessons and advice.

WHAT ARE YOUR AMBITIONS?

My biggest ambition is to show my carved eggshells in St. Petersburg, Russia. This is where Fabergé created some of the most famous works in the history of mankind. Although not created from actual eggshells, his eggs are iconic and readily recognized around the world. I want to reach out to the world's peoples to teach them we are all ultimately the same, regardless of the country we live in.

2124 VESSELS BECHER

Becherporträt/
Mug Portrait by
Adrian Charles Smith

VITA DES KÜNSTLERS

Nach der Schulzeit habe ich an der Universität ein wenig mit Design herumgespielt, habe aber nie etwas daraus gemacht. Letztendlich habe ich einen wissenschaftlichen Abschluss erworben. Nach dem Studium probierte ich meine künstlerischen Fähigkeiten aus, bin aber erst zum Töpfern gekommen, als ich mich zufällig für einen Wochenend-Töpferkurs anmeldete. Ich glaube, das war der Impuls, meine künstlerischen Fähigkeiten einzusetzen und mich mehr mit Kunst zu beschäftigen. Heute lebe und arbeite ich auf einem über zwei Hektar großen Grundstück nördlich von Brisbane.

KREATIVES SCHAFFEN

Meistens handelt es sich bei meinen Werken um Installationen aus Porzellan. In diesem bestimmten Fall habe ich 2124 individuelle auf der Töpferscheibe gedrehte Gefäße verwendet. Jedes Gefäß wurde individuell bemalt und auf einem Holzrahmen (200 cm x 150 cm) so arrangiert, dass ein Porträt entstanden ist.

hello@charlieandblair.com
www.adriancharlessmith.com
www.charlieandblair.com

DAS ARRANGIEREN DER BECHER: ES HAT ZEHN STUNDEN GEDAUERT, BIS ENDLICH DAS GESICHT ZUM VORSCHEIN KAM.

ARRANGING THE VESSELS: IT TOOK TEN HOURS OF ORGANIZING THE VESSELS BEFORE A FACE EMERGES.

ARTIST'S VITA

After high school, I dabbled in design at university but never made anything of it and ended up graduating with a science degree. After I graduated, I started to explore my artistic abilities and didn't get into ceramics until I randomly signed up for a weekend pottery class. I think this is what sparked my artistic abilities and made me explore art more. I live and work on a five acre property just north of Brisbane, Australia.

WORKS OF ART

The majority of my works are installation-based using porcelain. In this particular case I've used 2124 vessels, individually hand thrown on a wheel. Each vessel was then individually painted and arranged on a wooden frame (200 cm x 150 cm) to create the portrait.

IN WHAT WAY IS YOUR ART EXTREME?

Firstly, the sheer scale of the piece. I chose to individually weigh out 2500 lumps of clay, each weighing 50 grams, for each vessel. In total, I ended up throwing 2500 vessels on the pottery wheel, this was to take into account any breakages or mishaps. I got pretty fast at throwing vessels, by the end I could throw a vessel in under a minute, but that's still 2500 minutes (approx. 41 hours) just to throw the vessels for the piece. Once all the pieces were thrown, I was able to arrange them on a wooden frame I built, so I could start painting each individual vessel. Once they were all fired, arranging them proved to be quite time consuming, around 10 hours in total. Yet each piece was individually numbered, so I knew where to place them.

THE MOST REMARKABLE REACTION OF YOUR AUDIENCE?

The most remarkable reactions would always be the ones from people not knowing that the piece is made out of ceramic. Generally people would see it from afar and be confused as it kind of looks like a painting. It isn't until the viewer comes close that they discover that the piece is made up of thousands of little ceramic vessels.

INWIEFERN IST IHRE KUNST EXTREM?

Zuallererst ist es die schiere Größe des Stücks. Ich habe dafür 2500 (jedes 50 g schwer) Gefäße auf der Töpferscheibe gedreht, um damit auch etwaige Missgeschicke oder Brüche einzukalkulieren. Mit der Zeit wurde ich immer schneller. Zum Schluss brauchte ich kaum eine Minute für ein Gefäß, aber das sind immer noch 2500 Minuten (ca. 41 Stunden), die für die Herstellung der Gefäße notwendig waren. Als alle Gefäße fertiggestellt waren, arrangierte ich sie auf einem selbstgebauten Holzrahmen, um jedes Stück einzeln bemalen zu können. Nachdem alle Gefäße gebrannt waren, nahm das Arrangieren viel Zeit ein, ungefähr zehn Stunden. Da aber jedes Stück individuell nummeriert war, wusste ich, wo jedes Gefäß platziert werden musste.

DIE BEMERKENSWERTESTE REAKTION AUF IHRE KUNST

Die bemerkenswertesten Reaktionen kommen immer von den Menschen, die nicht wissen, dass das Porträt aus Keramik hergestellt ist. In der Regel betrachten die Menschen meine Kunstwerke aus der Ferne, sie sind dann etwas verwirrt, weil sie glauben, es seien Gemälde. Erst wenn sie näherkommen entdecken sie, dass das Objekt aus vielen tausend kleinen Keramikgefäßen gefertigt wurde.

KANN KUNST UNSERE SICHTWEISE VERÄNDERN?

Kunst kann die Aufmerksamkeit auf bestimmte Ereignisse oder Themen lenken und dabei helfen, eine Form emotionaler Bindung mit dem Betrachter aufzubauen. Ich glaube, darin liegt das Potenzial der Kunst: die Komplexität der Welt in kleinere und emotionalere Bindungen aufzuspalten.

WER HAT SIE BESONDERS BEEINFLUSST?

Zwei Menschen haben mich auf besondere Weise beeinflusst. Die erste ist meine Frau Heather Smith. Sie brachte mich zum ersten Mal in eine Kunstgalerie, kaufte mir meine erste Staffelei und hat mich immer darin unterstützt, meine verrückten Ideen zu verfolgen. Die zweite Person ist mein Töpferlehrer, Richard De Haan. Er ist der Mensch, der mich sehr beeinflusst und meinem Leben eine neue Richtung gegeben hat.

WAS SIND IHRE ZIELE?

Mein Ziel ist es, Vollzeit-Künstler zu werden. Derzeit habe ich einen Vollzeitberuf, meine Kunst muss also auf den Feierabend und die Wochenenden warten. Eines der Ziele, die ich in den nächsten Jahren erreichen möchte, ist, noch großformatigere Installationen herzustellen. Mich haben schon immer Künstler interessiert, die selbst großformatige Arbeiten anstreben und umsetzen.

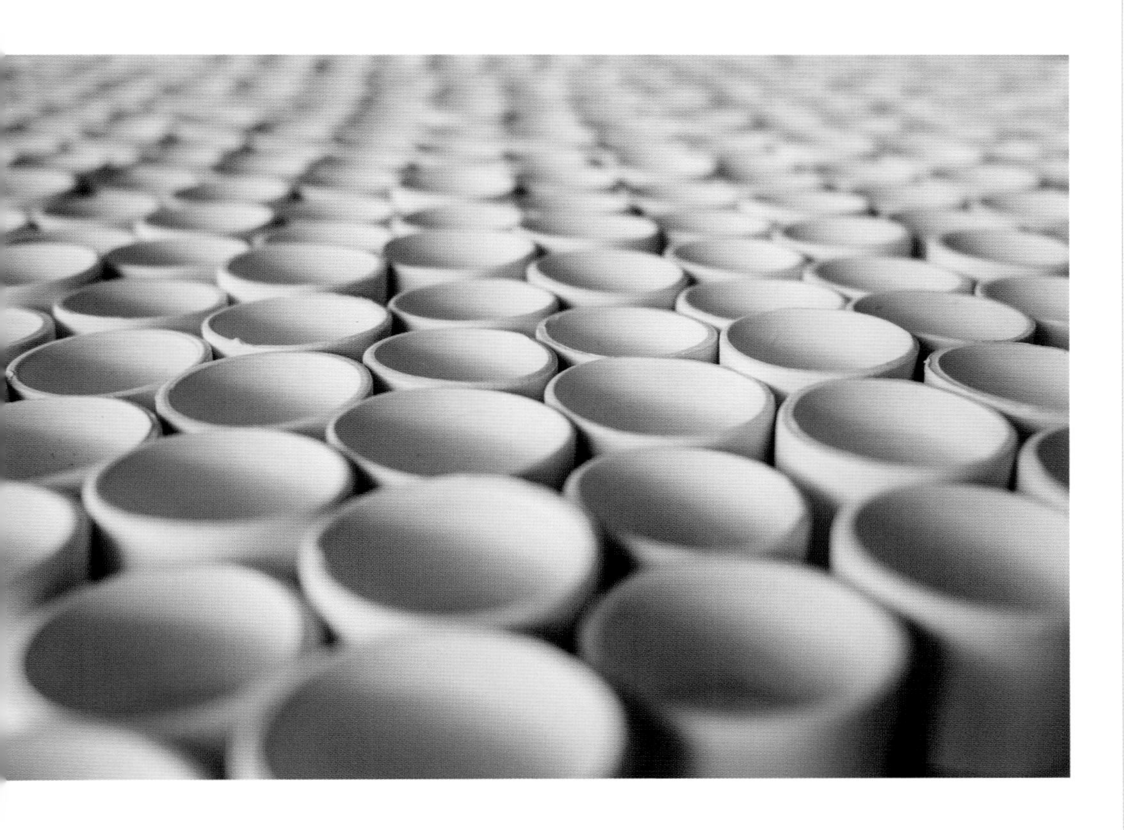

CAN ART CHANGE THE WAY WE SEE THE WORLD?

Art can help draw attention to a specific event or topic and help create an emotional connection with the viewer. I think this is the power of art, being able to break the complexities of the world down into smaller and more emotional connections.

WHO INFLUENCED YOU IN A SPECIAL WAY?

There are two people that influenced me in that special way. The first person would be my wife Heather Smith. She took me to my first art gallery, bought me my first easel and always supported me to pursue my crazy ideas. The second person would be my pottery teacher, Richard De Haan.

WHAT ARE YOUR AMBITIONS?

My goal is to become a full-time artist. At the moment I have a full-time job, so my art is left for after work and on the weekends. I think one of the things I want to achieve in the next few years is to throw even larger scale installation-based works. I've always been interested in artists who pursue and create large scale works themselves.

ORGANIC WIRE

LEBENDIGER DRAHT

Gekritzelte Drahtskulpturen/
Scribbled Wire Sculptures
by David Oliveira

VITA DES KÜNSTLERS

Ich wurde in Lissabon, Portugal, geboren, wo ich lebe und arbeite. Studiert habe ich an der Fakultät für Bildende Kunst der Universität Lissabon.

KREATIVES SCHAFFEN

Ich begann, mit Draht dreidimensional zu zeichnen, um so eine Form zu erstellen. Entsprechend der Technik und nach mehreren Arbeiten definierte ich meine Arbeiten als organisch. Ich wurde neugierig und wollte alles darüber wissen. Deshalb begann ich, genauer hinzusehen und löste Schicht für Schicht, um zu verstehen, was sich darunter verbarg. Die Knochen, die Haut und die Zwischenräume. Bei meinen Arbeiten geht es um die Schichten, atmosphärische Dichte und die visuelle Wahrnehmung. Ich gehe zeichnerisch-gedanklich bei der Erstellung meiner Werke vor, ohne dabei die strukturelle Seite der Skulptur außer Acht zu lassen. Ich habe verschiedene Medien zur Bearbeitung der durch den Draht vorgegebenen Leerräume verwendet: Thermo-Kunststoffe, Gummi, Silikon. Seit neuestem verwende ich Tüll, mit überlappenden Schichten aus dünnem, farbigen Netzstoff. So werden dreidimensionale Objekte möglich.

davidoliveiraescultura@gmail.com
www.davidoliveiraescul.wixsite.com/davidoliveira
www.facebook.com/davidoliveiraescultura

DIE ARBEIT MIT DRAHT IST KOSTENGÜNSTIG, SCHWERELOS UND HAT KAUM ÖKOLOGISCHE AUSWIRKUNGEN.

WORKING WITH WIRE IS ECONOMICAL, WEIGHTLESS AND WITH A LOW ECOLOGICAL IMPACT.

ARTIST'S VITA

I was born in Lisbon, Portugal, where I live and work. I studied in Lisbon, at the University of Fine Arts.

WORKS OF ART

I started to use the wire to draw a three-dimensional space where I could model a shape. Along with the technique and several works, I defined my subject as organic. But I became curious and wanted to know all of it. I started looking and peeling to understand what was in each layer. The bone, the skin, and the space between. My works are about layers, atmospheric density and visual perception. I use a drawing-thinking way to conceive my works without forgetting the structural side of the sculpture. I've used several techniques to work the spaces defined by the wires, thermo-plastic, rubber, silicone. Lately I have been using tulle, overlapping layers of thin, colored net. This allows me to create my three-dimensional drawings.

INWIEFERN IST IHRE KUNST EXTREM?

Das Zeichnen (Ästhetik), die Konstruktion (Strukturen), und die Optik (visuelle Wahrnehmung) müssen bei meiner Technik in Einklang gebracht werden.

DIE BEMERKENSWERTESTE REAKTION IHRES PUBLIKUMS?

Ich habe in letzter Zeit einige Tattoos gesehen, die zweidimensionale Bilder meiner Arbeit zeigen. Das ist etwas, was mich berührt.

KANN KUNST UNSERE SICHTWEISE VERÄNDERN?

Kunst verändert die Welt. Kunst kommuniziert Ideen und Ansichten in einer sehr universellen Sprache. In der Menschengeschichte ist Kunst von jeher als ein wirkungsvolles Instrument zur Prägung der Denkweise eingesetzt worden. Welche Fragen werden in unserer modernen Gesellschaft gestellt? Und wie können wir als Künstler diese Fragen mithilfe unserer Fähigkeiten kommunizieren?

KEINE ANGST: DAS KÄTZCHEN MUSS SICH VOR DIESEM LÖWEN NICHT FÜRCHTEN.

DON'T BE SCARED: THE CAT DOESN'T NEED TO BE AFRAID OF THIS LION.

WAS SIND IHRE ZIELE?

Ich arbeite an einem Buch, das vermittelt, wie man mit einem kostengünstigen Material - Draht - dreidimensional zeichnen kann. Gerade bin ich auf der Suche nach einem Verlag für das Buch.

IN WHAT WAY IS YOUR ART EXTREME?

The challenging thing about the technique is that it's trying to align "drawing" (aesthetics), engineering (structures) and optics (visual perception).

THE MOST REMARKABLE REACTION OF YOUR AUDIENCE?

Lately I've seen tattoos made with bidimensional images of my work. It's something that moves me.

CAN ART CHANGE THE WAY WE SEE THE WORLD?

Art changes the world. Art communicates ideas in a very universal language. It has been a powerful mind-setting instrument used throughout human history. What are the questions being raised within the contemporary society? How can we communicate these questions using our skills, as artists?

WHAT ARE YOUR AMBITIONS?

I'm working on a book to teach how to draw tridimensionally using a cheap material - wire (still looking for publisher).

Vorsicht: heiss!

Caution: hot!

Feuermalerei/Fire Painting
by Steven Spazuk

VITA DES KÜNSTLERS

Ich bin in Châteauguay, einer kleinen Stadt in der Nähe von Montréal, Kanada, geboren und aufgewachsen und habe meinen Bachelor-Abschluss in Kunst an der Laval Universität, Québec, Kanada, gemacht. In jungen Jahren war ich extrem schüchtern – und ständig am Zeichnen. Die Menschen zeigten Interesse an meinen Arbeiten, haben mich immer mit Kunst in Verbindung gebracht und mich als Künstler wahrgenommen. Von Anfang an hat mir das die Richtung vorgegeben: Künstler zu werden. Ich lebe und arbeite in einer Kleinstadt namens Léry, einem Vorort von Montréal. Mein Atelier ist umgeben von Natur und Vögeln. Ich liebe die Ruhe in Léry.

KREATIVES SCHAFFEN

Es gab einen Moment, genauer gesagt einen einprägsamen Traum, der mich auf besondere Weise verändert hat: In einem Traum kam das Feuer zu mir. Ich begann, 2001 mit Feuer zu arbeiten, nachdem ich mich an diesen Traum erinnerte. Die letzten 15 Jahre habe ich eine Kerzenflamme wie einen Bleistift benutzt. Die Spuren, die ich auf Papier hinterlasse, sind keine Versengungen, sondern Spuren von Ruß. Eine minimale Ablagerung von schwarzer Kohle. Auch wenn diese Idee in meinem Traum entstanden ist, wird die sogenannte Fumage-Technik in der Kunst schon lange eingesetzt, wahrscheinlich schon vor Urzeiten von Höhlenbewohnern. Ich selbst bin unerbittlich in dem Bemühen, das Potenzial und die kreativen Möglichkeiten auszuloten.

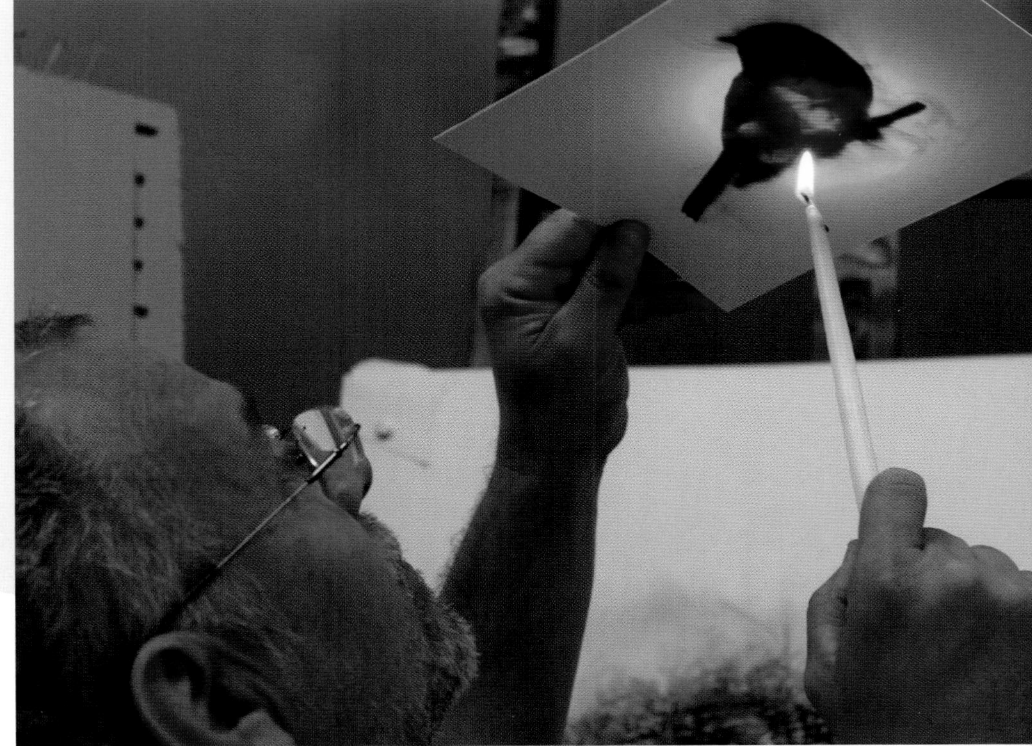

www.spazuk.com

ARTIST'S VITA

I was born and raised in Châteauguay, a small town near Montréal, Canada, and have a Bachelor in Art from Laval University (Québec City, Canada). When I was young I was very shy and I would always be drawing. People would come to me interested in my work and associating me with art, seeing me as an artist. It kind of programmed me, from the start. I live and work in a small city called Léry, in a suburb of Montréal. My studio is surrounded by nature and birds. I love the quietness of Léry.

WORKS OF ART

An event, a very memorable dream, did change me in a special way: Fire came to me in a dream. I started to work with fire in 2001, after remembering this dream and for the last 15 years, I've been using the flame of a candle as a pencil. The marks I leave on the paper are not scorches; they are traces of soot. A fine residue of carbon black. Even if the idea came to me in a dream, this technique called Fumage has been used in art for a very long time, probably since the prehistoric ages, by cavemen. Personally I have been relentless in exploring its potential and creative possibilities.

KANN KUNST UNSERE SICHTWEISE VERÄNDERN?

Natürlich bin ich davon überzeugt, dass Kunst unseren Blick auf die Welt verändern kann. Sie kann wie ein Spiegel sein, in dem wir unsere eigene Wahrnehmung betrachten und verstehen können. Oder eine Kristallkugel, die uns in die Zukunft blicken lässt. Ganz sicher hat Kunst jedoch die Fähigkeit, uns auf eine Weise zu berühren, die uns zum Nachdenken bringt und Emotionen hervorruft. Sie treibt uns an, zu handeln. Kunst ist das perfekte Medium, um heikle Themen anzusprechen.

WAS SIND IHRE ZIELE?

Ich habe eine Fangemeinde junger Künstler, die nach eigener Aussage von meinen Arbeiten inspiriert werden. Das ehrt mich, und ich gebe gerne Ratschläge. Ich würde gerne weiterhin eine Inspiration für sie sein und weitere Projekte wie „REVERENCE – The Monarch Project" kreieren, denn das sind die spannenden Projekte, die man im Kopf hat, aber für die man sich nie die Zeit zur Umsetzung nimmt, weil sie einfach zu zeitaufwendig sind. Ich ein sehr zufriedener Mann, ich könnte nicht glücklicher sein. Ich bin voller Dankbarkeit, deshalb ist mein bescheidenes Ziel niemals aufzuhören und mich und meine Arbeit bis ans Ende meines Lebens weiterzuentwickeln.

HIER SIEHT MAN DREI MEISEN MIT EINER GRANATE: LINKS EINE NAHAUFNAHME MEINES BILDES „DER KLEIBER UND DIE GRANATE".

ON THIS PICTURE YOU CAN SEE THREE CHICKADEES AT A GRENADE. ON THE LEFT A DETAIL OF MY WORK "THE NUTHATCH AND THE GRENADE".

DIE BEMERKENSWERTESTE REAKTION IHRES PUBLIKUMS?

Es ist schon ein paar Mal passiert, dass die Gäste in einer Galerie vor einem meiner Werke geweint haben. Kunst kann sehr beeindruckend sein, wenn alles stimmig ist.

CAN ART CHANGE THE WAY WE SEE THE WORLD?

Of course I believe that art can change the way we see the world. It can be a mirror by which we can see and understand our own perception. Or it can also be a crystal ball in which we can foresee the future. For sure art has the power to touch us in a way that gets us to think and feel, it moves us and engages us towards action. It is the perfect medium to talk about sensitive issues.

WHAT ARE YOUR AMBITIONS?

I have a good fan base of young artists who say they are inspired by my work. I am always honored by it and always very generous with advice, so I would like to continue to be an inspiration and create more projects like "REVERENCE The Monarch Project", because it's the kind of challenging project you think of but never take the time to really do because it is too time consuming. I am a very happy man ... could not be happier, I am full of gratitude, so my ambition is a modest one, it is to never stop, and to continue to evolve and work until the end of my life.

THE MOST REMARKABLE REACTION OF YOUR AUDIENCE?

It happened a few times, in galleries, where people would cry in front of a work of mine. Art can be very powerful sometimes, when all is well aligned.

IMPRESSUM/PUBLICATION DETAILS

FOTOS/IMAGES: S./p. 10-13: © Stephan Brusche; S./p. 14-17: © Petros Vrellis; S./p. 18-21: © Jane Perkins; S./p. 22-27: © James Doran-Webb; S./p. 28-31: © Salavat Fidai; S./p. 32-35: © Bradley Hart, mit freundlicher Genehmigung von/by courtesy of Anna Zorina Gallery, New York City; S./p. 36-39: © Tom Lynall; S./p. 40-45: © Ramon Bruin; S./p. 46-49: © Yulia Brodskaya; S./p. 50-53: © Nathan Shields; S./p. 54-57: © Sue Beatrice; S./p. 58-61: © Pippa Dyrlaga; S./p. 62-65: © Mary Ellen Croteau; S./p. 66-69: © Lucas Hirai; S./p. 70-73: © Stefan Pabst; S./p. 74-77: © Youngha Cho; S./p. 78-81: © Ali Alamedy; S./p. 82-85: © Marcus Levine; S./p. 86-89: © Seiji Kawasaki; S./p. 90-93: © Carol Milne, S. /p. 91 rechts/right: © Mara Isaacson; S./p. 94-97: © Cindy Chinn; S./p.98-103: © Alasdair Thomson; S./p. 104-107: © Guido Daniele; S./p.108-111: © Omid Asadi; S./p. 112-114: © Amnon Lipkin; S./p. 115-119: © Mariko Kusumoto; S./p. 120-125: © Diana Beltran Herrera, S./p. 121 oben/top: © Enrique Mangeon; S./p. 123: © Victoria Holguin; S./p.126-129: © Phan Ngoc Thien Thanh; S./p. 130-133: © Martin Tomsky; S./p. 134-137: © Olga Noskova; S./p. 138-141: © Parth Kothekar; S./p.142-145: © Blanka Šperková; S./p. 146-149: © Justinas Bružas; S./p. 150-153: © Danielle Clough, S./p. 151 unten/bottom: © Jonathan Ferreira; S./p. 154-157: © Chris Maynard; S./p. 158-161: © Laura Loukaides; S./p. 162-165: © Jo Hamilton, S./p. 162 in Auftrag gegeben von/commissioned by Joe Sacco; S./p.166-169: © Jan Huling; S./p. 170-173: © Althea Crome; S./p. 174-177: © Thomas Dambo; S./p. 178-181: © Jamie Scanlon; S./p. 182-185: Fabian © Haas Pixels on Screen, S./p. 183 oben/top: © Knut Klihowetz; S./p. 186-187: © Kait Cliff, S./p. 188-189 © Patrick Clifford; S./p. 190-193: © Deniz Demiray; S./p. 194-197: © Mademoiselle Maurice, S./p. 195 unten/bottom: © Presswall; S./p. 198: © Charles Crie, S./p. 199: © James Farher, S./p. 200: © Rob Cardillo, S./p. 201: © Duncan Price; S./p. 202-205: © Tobias Sylvester Vierneisel; S./p. 206-209: © Stephen Brayne; S./p. 210-213: © Ian Berry; S./p. 214-217: © Tom Eckert; S./p. 218-212: © Anastassia Elias, S./p. 219 links/left: © Neil Wissink; S./p. 222-225: © Brian K. Baity; S./p.226-229: © Michelle Smith; S./p. 230-233: © David Oliveira; S./p. 234-237: © Steven Spazuk, S./p. 235 rechts/right: © Samuelle Bédard
COVERFOTOS/COVER IMAGES: © Salavat Fidai
PRODUKTMANAGEMENT/PRODUCT MANAGEMENT: Nina Armbruster, Bianca Drotleff, Katrin Hartmann, Janina Vogel
DEUTSCHES LEKTORAT/EDITORIAL REVIEW (GERMAN): Cosima Kroll
DEUTSCHES KORREKTORAT/PROOFREADING (GERMAN): Magdalena Wassen
ENGLISCHE ÜBERSETZUNG UND ENGLISCHES LEKTORAT/TRANSLATION AND EDITORIAL REVIEW (ENGLISH): Britta John, Königs Wusterhausen
ENGLISCHES KORREKTORAT/PROOFREADING (ENGLISH): Olaf Rippe
GESTALTUNG UND SATZ/LAYOUT AND COMPOSITION: Eva Grimme
DRUCK UND BINDUNG/PRINTING AND BINDING: Livonia Print SIA, Lettland

1. Auflage/edition 2017

ISBN 978-3-7724-7782-9 · Best.-Nr. 7782